CHOIX DE TEXTES

CONTES E
DU QUÉB

ÉTUDE DES ŒUVRES PAR
ANNIK-CORONA OU ... ET ALAIN VEZINA

COLLECTION
PARCOURS D'UN GENRE
SOUS LA DIRECTION DE MICHEL LAURIN

Contes et légendes du Québec
Choix de textes

Édition présentée, annotée et commentée par Annik-Corona Ouellette et Alain Vézina, enseignants au cégep de Saint-Jérôme

Collection « Parcours d'un genre »

Sous la direction de Michel Laurin

Édition : Sophie Gagnon et Johanne O'Grady
Coordination : Johanne Lessard
Correction d'épreuves : Christine Langevin
Conception graphique : Josée Bégin
Infographie : Transcontinental Transmédia
Impression : Imprimeries Transcontinental

Tableau de la couverture : ***The Legends of Rose Latulipe.*** Dans *Legends of the St.Laurence* de Katherine Hale, Montréal, Canadian Pacific Railway, 1925, p. 30.
Œuvre de **Charles W. Simpson,** peintre anglais (1885-1971).

Catalogage avant publication de Bibliothèque et Archives nationales du Québec et Bibliothèque et Archives Canada

Vedette principale au titre :

Contes et légendes du Québec : choix de textes

(Collection Parcours d'un genre)

Comprend des réf. bibliogr.

Pour les étudiants du niveau collégial.

ISBN 978-2-7616-5443-2

1. Légendes – Québec (Province). 2. Contes – Québec (Province). 3. Légendes – Québec (Province) – Histoire et critique. 4. Contes – Québec (Province) – Histoire et critique. I. Ouellette, Annik-Corona, 1975- . II. Vézina, Alain, 1970- . III. Collection.

GR113.5.Q8C6523 2008 398.209714 C2008-941383-0

Beauchemin
CHENELIÈRE ÉDUCATION

7001, boul. Saint-Laurent
Montréal (Québec) Canada H2S 3E3
Téléphone : 514 273-1066
Télécopieur : 450 461-3834 / 1 888 460-3834
info@cheneliere.ca

ISBN 978-2-7616-5443-2

Dépôt légal : 1er trimestre 2009
Bibliothèque et Archives nationales du Québec
Bibliothèque et Archives Canada

Imprimé au Canada

1 2 3 4 5 ITG 12 11 10 09 08

Nous reconnaissons l'aide financière du gouvernement du Canada par l'entremise du Programme d'aide au développement de l'industrie de l'édition (PADIÉ) pour nos activités d'édition.

Gouvernement du Québec – Programme de crédit d'impôt pour l'édition de livres – Gestion SODEC.

REMERCIEMENTS

À Justin Vézina, louveteau-garou le plus féroce des Laurentides, avec tout notre amour.

À la grande générosité de nos familles :
Jacqueline & Raymond Vézina – Serge, Marie-Claude, Michaël & Alexandre – Marielle & Claude Ouellette – Jean & Nathaniel – André, Lucie & Marie-Chloé – Serge – Éric, Samuel, Jade, Miguel & Joshua – Myriam & Luc.

Ainsi qu'à nos honorables complices d'ivresse livresque :
Jacques Beaudry – Claudine Bernier – Pierre Bonenfant – Michèle Bourgon – Geneviève Brunet – Marie Carrière – Isabelle Daboval – Jean-Pierre Dufresne – Michel Forest – François Gibeau – François Guénette – Marie-Josée Labrie – Roch Laframboise – Marie-Renée Lavoie – Marie-Ève Linck – Jean Lussier – André Painchaud – Ève Pariseau – Monique Pariseau – Mélanie Plourde – Denis Pomerleau – Serge Provencher – Nathalie Prud'Homme – Louis Robitaille – Brigitte Roy – Gérald Roy – Chantale Savard – Marc Savoie – Gleason Théberge – Annie Tilleuil – Sophie Trahan – Josée Veilleux – Michel Zaharia – Claude Zappa Lavoie.

TABLE DES MATIÈRES

La Tornade du curé (1998).
Françoise Pascals.

INTRODUCTION

Contes d'un pays bien certain

Internet a décidément révolutionné notre quotidien. Mieux, il a permis aux commères de se ménager le gosier et d'élargir leur sphère d'action en moins de deux. Résultat : la légende urbaine parcourt désormais une centaine de capitales à l'heure. Vite diffusée, vite oubliée. Même notre tradition orale est soumise à la fugacité des modes contemporaines. Le renouveau du conte auquel on assiste au Québec depuis quelques années est-il, lui aussi, condamné à l'éphémère ? Lors de la Révolution tranquille, dans les années 1960, l'appel de la modernité a suscité un vaste mouvement d'expatriation de nos biens traditionnels. Les Américains se sont empressés d'acheter nos meubles d'antan et nous avions plaisir à y glisser soit une chanson dans un tiroir de commode, soit une légende dans le pied d'une table. On aspirait enfin à émerger des traditions et à laïciser notre société. Cependant, après une brève période d'émancipation collective où nous avons déserté les églises pour investir les magasins, il s'avère que de troquer le curé pour le vendeur ne fait qu'un temps. En ce sens, l'échec du référendum de 1980 fait tristement écho à la défaite des Patriotes de 1838. Par réflexe, les Québécois voudront d'abord bannir toute marque distinctive de leur identité, y compris le folklore, mais ils comprendront vite que de se conforter dans leurs racines leur permettra au contraire de s'affirmer comme nation à l'heure de la mondialisation. Et, après avoir exploré toutes les facettes de la Liberté durant toute une décennie, les décadentes années 1970, ils chercheront à combler l'insipide vide spirituel laissé par l'abandon des pratiques religieuses.

Tout Homme ne ressent-il pas l'ardent besoin de croire ? Il a même avidement soif de Foi. Nous n'avons qu'à lui dire : « Il était une fois… » et aussitôt il se réjouit ; que ce soit par la parabole du prêtre en chaire ou par la parole du conteur sur scène. Notre monde, tel que l'a forgé la modernité insouciante, est « gris », explique Fred Pellerin. Comme « on vit à l'ère de l'*exhaust* de char, du *stainless* et du néon, de se rassembler autour des légendes et d'un merveilleux, cela colore le quotidien ». Le conte et la légende de nos traditions, une fois revus et corrigés par le postmodernisme, reparaissent fort à l'aise au milieu du béton et du verre. Bien que toujours rouge, le Petit Chaperon est maintenant ceinture noire en *kung fu* et le Petit Poucet, toujours aussi perdu, s'est égaré dans un stationnement de six étages au centre-ville. Il ne sème plus de cailloux, non, trop naturel. Il laisse plutôt sur son passage des canettes vides de *Pepsi,* bien plus visibles.

Le conte, loin d'être purement divertissant, se révèle, autant dans la société rurale de nos ancêtres que dans la frénésie citadine actuelle, aussi subversif que provocateur. À chaque siècle, ses malheurs ; à chaque siècle, ses peurs. Au XIXe siècle, c'est l'Église catholique qui terrorise ses fidèles par la hantise du péché et de l'enfer. Aujourd'hui, c'est notre figure d'autorité suprême, la médecine, qui nous met en garde contre les méfaits de la drogue : Rose Latulipe, selon la version du groupe Mes Aïeux, ne s'étourdit-elle pas en dansant, davantage possédée par l'*ecstasy* que par Satan ? Dans le conte urbain autant que dans son homologue légendaire sont également abordés des thèmes percutants comme la prostitution, la pauvreté et le SIDA. Ce dernier symbolise le grand Belzébuth des temps modernes, tandis que les MTS apparaissent autour de lui comme autant de petits diablotins. La parole y semble plus crue, il est vrai, sans doute parce qu'elle a délaissé les superstitions chères à nos ancêtres au profit de démons bien plus tangibles et par conséquent ravageurs. Pourtant, les contes d'Honoré Beaugrand et de Louis Fréchette vieillissent bien. Ils séduisent même les fidèles adeptes du cinéma d'horreur, habitués qu'ils sont aux effets spéciaux numériques. Lire du surnaturel provoque aussi la sécrétion d'adrénaline devant le sentiment de peur. Hormone qui agit comme une drogue, elle fait de nous des intoxiqués, des *junkies* du frisson.

Outre le Diable, l'ennemi juré du Canadien français tel qu'il se manifeste dans la tradition orale, c'est l'Anglais, l'étranger protestant. Des héros seront façonnés par la force amplificatrice de la légende. Louis Cyr n'était pas simplement un homme fort. Alors qu'il arborait fièrement un taureau sur ses épaules, tel Atlas portant ciel et monde sur son dos, il soulevait plutôt symboliquement sa nation entière. Ses exploits ne donnaient pas seulement une mesure de sa force, ils prouvaient à la face du monde, et surtout à celle des Anglais, que la race canadienne-française était tissée de cœur et de sueur. Cette flagrante opposition entre francophones et anglophones se constate encore dans les foires estivales. À ce jour, la *petite* équipe de Saint-Philippe d'Argenteuil demeure invaincue au tir au câble, même devant la redoutable équipe de l'armée canadienne de la base de Petawawa en Ontario. Une victoire devient encore plus éclatante lorsque la lutte se fait dans le sable, à la force des biceps, ou encore à la force du poignet qui tire un but dans le filet des Maple Leafs. Peut-être ne sommes-nous, après tout, qu'un peuple de bûcherons !

Enfin, s'il est vrai que « les pays qui n'ont pas de légendes seront condamnés à mourir de froid », ce n'est peut-être pas sans raison si, étrangement, au Québec, le réchauffement de la planète se fait plus sentir que partout ailleurs dans le monde.

La Chasse-galerie : la dégringolade (1901).
Henri Julien (1852-1908).

La CHASSE-GALERIE

LA CHASSE-GALERIE

CONTE – 1891

PREMIÈRE PARUTION : dans le journal *La Patrie* du 31 décembre 1891.

ŒUVRES CHOISIES :
Jeanne la fileuse. Épisode de l'émigration franco-canadienne aux États-Unis (1878)
La Chasse-galerie, légendes canadiennes (1900)

Honoré Beaugrand
1848-1906

TRADITION

HONORÉ BEAUGRAND s'intéresse très tôt au folklore. Dans ses nombreux voyages en Europe, en Afrique et en Amérique, il recueille contes et légendes comme pour mieux s'imprégner de la culture qui le reçoit. En 1873, il choisit de s'établir au Massachusetts, à Fall River, où il fonde son premier journal, *L'Écho du Canada*. Après avoir vécu à Ottawa quelques mois, il fonde un nouveau journal montréalais, *La Patrie*, en 1879. Il profite de ce succès pour frayer dans les sphères politiques et est élu maire de Montréal en 1885. Sa version de la plus célèbre des légendes québécoises, la chasse-galerie, s'abreuve aux sources mêmes de la tradition orale. Il est facile de comprendre ces bûcherons de l'époque qui, les veilles du jour de l'An, souhaitaient quitter leur solitude d'épinettes, fût-ce sur les ailes de Belzébuth. Pour eux, une éternité de supplices en enfer valait bien un seul instant de magie, d'amour et de danse.

~

PORTE-VOIX

La parole entendue n'est pas la voix d'un écrivain mais ressemble aux accents sobres et crus du peuple lui-même.

RÉJEAN BEAUDOIN (1974)

Le récit qui suit est basé sur une croyance populaire qui remonte à l'époque des coureurs des bois[1] et des voyageurs du Nord-Ouest[2]. Les « gens de chantier[3] » ont continué la tradition, et c'est surtout dans les paroisses riveraines du Saint-Laurent§ que l'on connaît les légendes de la chasse-galerie[4]. J'ai rencontré plus d'un vieux voyageur qui affirmait avoir vu voguer dans l'air des canots d'écorce remplis de « possédés » s'en allant voir leurs blondes, sous l'égide de Belzébuth[5]. Si j'ai été forcé de me servir d'expressions plus ou moins académiques, on voudra bien se rappeler que je mets en scène des hommes au langage aussi rude que leur difficile métier.

HONORÉ BEAUGRAND

I

Pour lors que je vais vous raconter une rôdeuse d'histoire[6], dans le fin fil[7]; mais s'il y a parmi vous autres des lurons qui auraient envie de courir[8] la chasse-galerie ou le loup-garou, je vous avertis qu'ils

---

N.B. : Les crochets indiquent une coupure faite au texte original.

Les mots suivis d'un astérisque sont définis dans le glossaire à la page 313.

Les mots suivis du signe § renvoient à la carte géolittéraire de la page 312. Seule la première occurrence est signalée dans chacun des contes ou des légendes.

Ceux suivis du signe † désignent les fêtes religieuses du tableau intitulé « Calendrier du bon chrétien » en page 222 ou des mots se rapportant au tableau intitulé « Petit arsenal du catholique » en page 223.

1. Coureurs des bois : chasseurs et trappeurs qui font le commerce des fourrures.
2. Voyageurs du Nord-Ouest : bûcherons de profession qui voyagent de chantier en chantier dans les forêts du nord et de l'ouest de la province et du pays.
3. Chantier : lieu où l'on exploite le bois d'une forêt (exploitation forestière). Par extension, les « gens de chantier » ou encore les « hommes de chantier » sont des bûcherons.
4. Chasse-galerie : légende québécoise d'origine française selon laquelle des hommes, souvent des bûcherons, pactisent avec le Diable afin de s'évader de lieux inhospitaliers en canot volant selon des règles préétablies.
5. Belzébuth : l'un des noms donnés au Diable. Dans *Le Nouveau Testament,* il est décrit comme le « Prince des Démons » (Marc III, 22). On dit aussi indifféremment Satan ou Lucifer.
6. Une rôdeuse d'histoire : une excellente, une très bonne histoire (superlatif).
7. Dans le fin fil : avec habileté, très bien fait.
8. Courir : courir la chasse-galerie, le loup-garou, le fi-follet, le farfadet (lutin) sont des expressions calquées sur « courir la prétentaine » qui signifie « faire sans cesse des escapades ». Il s'agit donc de vagabonder à travers ciel, champs et chemins sous la forme maléfique du loup-garou, du feu follet ou d'un lutin, ou encore par la magie d'un pacte conclu avec le Diable.

font mieux d'aller voir dehors si les chats-huants[1] font le sabbat[2], car je vais commencer mon histoire en faisant un grand signe de croix pour chasser le diable et ses diablotins. J'en ai eu assez de ces maudits-là dans mon jeune temps.

Pas un homme ne fit mine de sortir ; au contraire tous se rapprochèrent de la cambuse[3] où le *cook* finissait son préambule et se préparait à raconter une histoire de circonstance.

On était à la veille du jour de l'an 1858, en pleine forêt vierge, dans les chantiers* des Ross[4], en haut de la Gatineau§. La saison avait été dure et la neige atteignait déjà la hauteur du toit de la cabane.

Le bourgeois avait, selon la coutume, ordonné la distribution du contenu d'un petit baril de rhum parmi les hommes du chantier, et le cuisinier avait terminé de bonne heure les préparatifs du fricot de pattes[5] et des glissantes[6] pour le repas du lendemain. La mélasse mijotait dans le grand chaudron pour la partie de tire[7] qui devait terminer la soirée.

Chacun avait bourré sa pipe de bon tabac canadien, et un nuage épais obscurcissait l'intérieur de la cabane, où un feu pétillant de pin résineux jetait, cependant, par intervalles, des lueurs rougeâtres qui tremblotaient en éclairant par des effets merveilleux de clair-obscur les mâles figures de ces rudes travailleurs des grands bois.

Joe le *cook* était un petit homme assez mal fait, que l'on appelait assez généralement le bossu, sans qu'il s'en formalisât, et qui faisait

1. Chats-huants : sorte de chouette ou de hibou qui possède deux touffes de plumes ressemblant à des oreilles de chat.
2. Sabbat : chahut, tapage, vacarme. Ou encore assemblée nocturne de sorciers et de sorcières qui invoquaient Satan. Ne pas confondre avec le jour du sabbat. Dans la tradition juive, le samedi est la journée de repos consacrée à Dieu. Ironiquement, le terme a été galvaudé par les chrétiens qui l'ont associé au culte du Malin qui se tient étrangement la même journée, à minuit.
3. Cambuse : foyer rustique établi dans un camp de bûcherons (québécisme).
4. Ross : James Gibbs Ross (1819-1888), d'origine écossaise, fonde justement en 1858, avec son frère John, la compagnie Ross & Co., spécialisée dans la construction navale et le commerce du bois.
5. Fricot de pattes : ragoût de pattes de cochon, plat typique de la cuisine traditionnelle canadienne-française.
6. Glissantes : pâtes coupées en rectangle ou en carré que l'on fait cuire dans un bouillon ou un ragoût.
7. Partie de tire : on dit aussi « partie de sucre ». Fête au cours de laquelle on déguste les produits de l'érable au printemps. Quand ce n'est pas la saison, comme c'est le cas ici, la tire peut être fabriquée à partir de mélasse ou de sucre.

chantier depuis au moins 40 ans. Il en avait vu de toutes les couleurs dans son existence bigarrée et il suffisait de lui faire prendre un petit coup de jamaïque[1] pour lui délier la langue et lui faire raconter ses exploits.

II

Je vous disais donc, continua-t-il, que si j'ai été un peu *tough*[2] dans ma jeunesse, je n'entends plus risée[3] sur les choses de la religion. J'vas à confesse† régulièrement tous les ans, et ce que je vais vous raconter là se passait aux jours de ma jeunesse quand je ne craignais ni Dieu ni diable. C'était un soir comme celui-ci, la veille du jour de l'An, il y a de cela 34 ou 35 ans. Réuni avec tous mes camarades autour de la cambuse, nous prenions un petit coup ; mais si les petits ruisseaux font les grandes rivières, les petits verres finissent par vider les grosses cruches, et dans ces temps-là, on buvait plus sec et plus souvent qu'aujourd'hui, et il n'était pas rare de voir finir les fêtes par des coups de poings et des tirages de tignasse. La jamaïque était bonne, – pas meilleure que ce soir, – mais elle était bougrement bonne, je vous le parsouête[4]. J'en avais bien lampé une douzaine de petits gobelets, pour ma part, et sur les onze heures, je vous l'avoue franchement, la tête me tournait et je me laissai tomber sur ma robe de carriole[5] pour faire un petit somme en attendant l'heure de sauter à pieds joints par-dessus la tête d'un quart de lard[6], de la vieille année dans la nouvelle, comme nous allons le faire ce soir sur l'heure de minuit, avant d'aller chanter la guignolée[7] et souhaiter la bonne année aux hommes du chantier voisin.

1. Jamaïque : rhum de Jamaïque, île des Antilles.
2. *Tough* : dissipé, grossier, rude (anglicisme).
3. Risée : plaisanter.
4. Je vous le parsouête : je vous l'assure.
5. Robe de carriole : fourrure dont on se sert, l'hiver, comme couverture de voyage.
6. Quart de lard : gros baril de grande capacité où étaient entreposés des morceaux de lard dans de l'eau salée.
7. Chanter la guignolée : ancienne coutume du 31 décembre qui consiste à se réunir en bande pour aller souhaiter la bonne année aux amis et à la parenté en chantant joyeusement la chanson traditionnelle. On en profite également pour amasser des dons pour les pauvres.

Je dormais donc depuis assez longtemps lorsque je me sentis secouer rudement par le boss des piqueurs[1], Baptiste Durand, qui me dit :

— Joe ! minuit vient de sonner et tu es en retard pour le saut du quart[2]. Les camarades sont partis pour faire leur tournée et moi je m'en vais à Lavaltrie§ voir ma blonde. Veux-tu venir avec moi ?

— À Lavaltrie ! lui répondis-je, es-tu fou ? nous en sommes à plus de cent lieues[3] et d'ailleurs aurais-tu deux mois pour faire le voyage, qu'il n'y a pas de chemin de sortie dans la neige. Et puis, le travail du lendemain du jour de l'An ?

— Animal ! répondit mon homme, il ne s'agit pas de cela. Nous ferons le voyage en canot d'écorce, à l'aviron, et demain matin à six heures nous serons de retour au chantier*.

Je comprenais.

Mon homme me proposait de courir* la chasse-galerie* et de risquer mon salut éternel pour le plaisir d'aller embrasser ma blonde, au village. C'était raide ! Il était bien vrai que j'étais un peu ivrogne et débauché et que la religion ne me fatiguait pas à cette époque, mais risquer de vendre mon âme au diable, ça me surpassait.

— Cré poule mouillée ! continua Baptiste, tu sais bien qu'il n'y a pas de danger. Il s'agit d'aller à Lavaltrie et de revenir dans six heures. Tu sais bien qu'avec la chasse-galerie, on voyage au moins 50 lieues à l'heure lorsqu'on sait manier l'aviron comme nous. Il s'agit tout simplement de ne pas prononcer le nom du bon Dieu pendant le trajet, et de ne pas s'accrocher aux Croix des clochers en voyageant. C'est facile à faire et pour éviter tout danger, il faut penser à ce qu'on dit, avoir l'œil où l'on va et ne pas prendre de boisson en route. J'ai déjà fait le voyage cinq fois et tu vois bien qu'il ne m'est jamais arrivé malheur. Allons, mon vieux, prends ton courage à deux mains et si le cœur t'en dit, dans deux heures de temps, nous serons à Lavaltrie. Pense à la petite Liza Guimbette et au plaisir de l'embrasser. Nous sommes déjà sept pour faire le voyage mais il faut être deux, quatre, six ou huit et tu seras le huitième.

---

1. Piqueurs : ouvriers qui piquent les billots de bois pour faciliter leur transformation en poutres et en madriers.
2. Saut du quart : jeu qui consistait à sauter par-dessus un gros baril à pieds joints.
3. Lieues : ancienne mesure de distance qui correspond à environ quatre kilomètres.

— Oui ! tout cela est très bien, mais il faut faire un serment au diable, et c'est un animal qui n'entend pas à rire lorsqu'on s'engage à lui.

95 — Une simple formalité, mon Joe. Il s'agit simplement de ne pas se griser et de faire attention à sa langue et à son aviron. Un homme n'est pas un enfant, que diable ! Viens ! viens ! nos camarades nous attendent dehors et le grand canot de la *drave*[1] est tout prêt pour le voyage.

100 Je me laissai entraîner hors de la cabane où je vis en effet six de nos hommes qui nous attendaient, l'aviron à la main. Le grand canot était sur la neige dans une clairière et avant d'avoir eu le temps de réfléchir, j'étais déjà assis dans le devant, l'aviron pendant sur le plat bord, attendant le signal du départ. J'avoue que j'étais un peu troublé, mais 105 Baptiste qui passait, dans le chantier, pour n'être pas allé à confesse depuis sept ans, ne me laissa pas le temps de me débrouiller. Il était à l'arrière, debout, et d'une voix vibrante il nous dit :

— Répétez avec moi !

Et nous répétâmes :

110 *Satan ! roi des enfers, nous te promettons de te livrer nos âmes, si d'ici à six heures nous prononçons le nom de ton maître et du nôtre, le bon Dieu, et si nous touchons une croix dans le voyage. À cette condition tu nous transporteras, à travers les airs, au lieu où nous voulons aller et tu nous ramèneras de même au chantier !*

III

115 *Acabris ! Acabras ! Acabram !*
Fais-nous voyager par-dessus les montagnes !

À peine avions-nous prononcé les dernières paroles que nous sentîmes le canot s'élever dans l'air à une hauteur de cinq ou six cents

1. Drave : transport par voie maritime des billots de bois, du chantier jusqu'au port d'expédition. Il s'agit ici du rabaska (mot algonquin), canot plus grand que les autres qui servait au transport des provisions dans les chantiers.

pieds[1]. Il me semblait que j'étais léger comme une plume et, au com-
120 mandement de Baptiste, nous commençâmes à nager[2] comme des possédés que nous étions. Aux premiers coups d'aviron le canot s'élança dans l'air comme une flèche, et c'est le cas de le dire, le diable nous emportait. Ça nous en coupait le respire et le poil en frisait sur nos bonnets de carcajou.

125 Nous filions plus vite que le vent. Pendant un quart d'heure, environ, nous naviguâmes au-dessus de la forêt sans apercevoir autre chose que les bouquets des grands pins noirs. Il faisait une nuit superbe et la lune, dans son plein, illuminait le firmament comme un beau soleil du midi. Il faisait un froid du tonnerre et nos moustaches
130 étaient couvertes de givre, mais nous étions cependant tous en nage. Ça se comprend aisément puisque c'était le diable qui nous menait et je vous assure que ce n'était pas sur le train de la *Blanche*[3]. Nous aperçûmes bientôt une éclaircie, c'était la Gatineau dont la surface glacée et polie étincelait au-dessous de nous comme un immense miroir.
135 Puis, p'tit à p'tit nous aperçûmes des lumières dans les maisons d'habitants[4]; puis des clochers d'églises qui reluisaient comme des baïonnettes de soldats, quand ils font l'exercice sur le champ de Mars[5] de Montréal§. On passait ces clochers aussi vite qu'on passe les poteaux de télégraphe, quand on voyage en chemin de fer. Et nous filions tou-
140 jours comme tous les diables, passant par-dessus les villages, les forêts, les rivières et laissant derrière nous comme une traînée d'étincelles. C'est Baptiste, le possédé, qui gouvernait, car il connaissait la route et nous arrivâmes bientôt à la rivière des Outaouais§ qui nous servit de guide pour descendre jusqu'au lac des Deux-Montagnes§.

145 — Attendez un peu, cria Baptiste. Nous allons raser Montréal et nous allons effrayer les coureux[6] qui sont encore dehors à c'te heure

1. Pieds : ancienne unité de mesure de longueur valant un peu plus de 32 centimètres.
2. Nager : ramer.
3. Sur le train de la Blanche : expression régionale qui signifie « aller lentement ».
4. D'habitants : de fermiers, de cultivateurs.
5. Champ de Mars : au XIXe siècle, lieu d'entraînement et de parade des militaires, situé en face de l'église Notre-Dame de Montréal.
6. Coureux : personnes de mauvaise vie. En ville, ce sont celles qui courent les maisons de jeu et de débauche. À la campagne, voir « courir » au glossaire, p. 313.

cite. Toi, Joe ! là, en avant, éclaircis-toi le gosier et chante-nous une chanson sur l'aviron.

150 En effet, nous apercevions déjà les mille lumières de la grande ville, et Baptiste, d'un coup d'aviron, nous fit descendre à peu près au niveau des tours de Notre-Dame[1]. J'enlevai ma chique pour ne pas l'avaler, et j'entonnai à tue-tête cette chanson de circonstance que tous les canotiers répétèrent en chœur :

Mon père n'avait fille que moi,
155 *Canot d'écorce qui va voler,*
Et dessus la mer il m'envoie :
Canot d'écorce qui vole, qui vole,
Canot d'écorce qui va voler !

Et dessus la mer il m'envoie,
160 *Canot d'écorce qui va voler,*
Le marinier qui me menait :
Canot d'écorce qui vole, qui vole,
Canot d'écorce qui va voler !

Le marinier qui me menait,
165 *Canot d'écorce qui va voler,*
Me dit ma belle embrassez-moi :
Canot d'écorce qui vole, qui vole,
Canot d'écorce qui va voler !

Me dit, ma belle, embrassez-moi,
170 *Canot d'écorce qui va voler,*
Non, non, monsieur, je ne saurais :
Canot d'écorce qui vole, qui vole,
Canot d'écorce qui va voler !

1. Tours de Notre-Dame : les clochers de l'église Notre-Dame de Montréal (érigés entre 1830 et 1843) mesurent environ 66 mètres.

Non, non, monsieur, je ne saurais,
Canot d'écorce qui va voler,
Car si mon papa le savait :
Canot d'écorce qui vole, qui vole,
Canot d'écorce qui va voler !

Car si mon papa le savait,
Canot d'écorce qui va voler,
Ah ! c'est bien sûr qu'il me battrait :
Canot d'écorce qui vole, qui vole,
Canot d'écorce qui va voler !

IV

Bien qu'il fût près de deux heures du matin, nous vîmes des groupes s'arrêter dans les rues pour nous voir passer, mais nous filions si vite qu'en un clin d'œil nous avions dépassé Montréal et ses faubourgs, et alors je commençai à compter les clochers : la Longue-Pointe, la Pointe-aux-Trembles[§], Repentigny[§], Saint-Sulpice[§], et enfin les deux flèches argentées de Lavaltrie qui dominaient le vert sommet des grands pins du domaine.

— Attention ! vous autres, nous cria Baptiste. Nous allons atterrir à l'entrée du bois, dans le champ de mon parrain, Jean-Jean Gabriel, et nous nous rendrons ensuite à pied pour aller surprendre nos connaissances dans quelque fricot[1] ou quelque danse du voisinage.

Qui fut dit fut fait, et cinq minutes plus tard notre canot reposait dans un banc de neige à l'entrée du bois de Jean-Jean Gabriel ; et nous partîmes tous les huit à la file pour nous rendre au village. Ce n'était pas une mince besogne car il n'y avait pas de chemin battu et nous avions de la neige jusqu'au califourchon. Baptiste qui était plus effronté que les autres s'en alla frapper à la porte de la maison de son parrain où l'on apercevait encore de la lumière, mais il n'y trouva qu'une fille *engagère*[2] qui lui annonça que les vieilles gens étaient à un

1. Fricot : repas, festin.
2. Fille engagère : servante, domestique.

snaque[1] chez le père Robillard, mais que les farauds[2] et les filles de la paroisse étaient presque tous rendus chez Batissette Augé, à la Petite-
205 Misère[3], en bas de Contrecœur§, de l'autre côté du fleuve, où il y avait un rigodon du jour de l'An.

— Allons au rigodon, chez Batissette Augé, nous dit Baptiste, on est certain d'y rencontrer nos blondes.

— Allons chez Batissette ! Et nous retournâmes au canot, tout en
210 nous mettant mutuellement en garde sur le danger qu'il y avait de prononcer certaines paroles et de prendre un coup de trop, car il fallait reprendre la route des chantiers* et y arriver avant six heures du matin, sans quoi nous étions flambés comme des carcajous, et le diable nous emportait au fin fond des enfers.

215 *Acabris ! Acabras ! Acabram !*
Fais-nous voyager par-dessus les montagnes !

cria de nouveau Baptiste. Et nous voilà repartis pour la Petite-Misère, en naviguant en l'air comme des renégats que nous étions tous. En deux tours d'aviron, nous avions traversé le fleuve et nous étions
220 rendus chez Batissette Augé dont la maison était tout illuminée. On entendait vaguement, au dehors, les sons du violon et les éclats de rire des danseurs dont on voyait les ombres se trémousser, à travers les vitres couvertes de givre. Nous cachâmes notre canot derrière les tas de bourdillons[4] qui bordaient la rive, car la glace avait refoulé, cette
225 année-là.

— Maintenant, nous répéta Baptiste, pas de bêtises, les amis, et attention à vos paroles. Dansons comme des perdus, mais pas un seul verre de Molson[5], ni de jamaïque*, vous m'entendez ! Et au premier signe, suivez-moi tous, car il faudra repartir sans attirer l'attention. Et
230 nous allâmes frapper à la porte.

1. Snaque : repas de fête (de l'anglais *snack*).
2. Farauds : jeunes hommes qui courtisent une jeune fille et/ou qui sont parés de leurs plus beaux habits.
3. Petite-Misère : rang ainsi nommé parce que ses terres étaient reconnues pour n'être pas fertiles.
4. Bourdillons : morceaux de glace faisant saillie.
5. Molson : marque de bière, fabriquée par la brasserie Molson à Montréal depuis 1786.

V

Le père Batissette vint ouvrir lui-même et nous fûmes reçus à bras ouverts par les invités que nous connaissions presque tous. Nous fûmes d'abord assaillis de questions :

— D'où venez-vous ?

235 — Je vous croyais dans les chantiers* !

— Vous arrivez bien tard !

— Venez prendre une larme !

Ce fut encore Baptiste qui nous tira d'affaire en prenant la parole :

— D'abord, laissez-nous nous décapoter et puis ensuite laissez-

240 nous danser. Nous sommes venus exprès pour ça. Demain matin, je répondrai à toutes vos questions et nous vous raconterons tout ce que vous voudrez.

Pour moi j'avais déjà reluqué Liza Guimbette qui était faraudée[1] par le p'tit Boisjoli de Lanoraie§.

245 Je m'approchai d'elle pour la saluer et pour lui demander l'avantage de la prochaine qui était un *reel*[2] à quatre. Elle accepta avec un sourire qui me fit oublier que j'avais risqué le salut de mon âme pour avoir le plaisir de me trémousser et de battre des ailes de pigeon[3] en sa compagnie. Pendant deux heures de temps, une danse n'attendait

250 pas l'autre et ce n'est pas pour me vanter si je vous dis que, dans ce temps-là, il n'y avait pas mon pareil à dix lieues* à la ronde pour la gigue simple ou la voleuse[4]. Mes camarades, de leur côté, s'amusaient comme des lurons, et tout ce que je puis vous dire, c'est que les garçons d'habitants* étaient fatigués de nous autres, lorsque quatre

255 heures sonnèrent à la pendule. J'avais cru apercevoir Baptiste Durand qui s'approchait du buffet où les hommes prenaient des nippes[5] de

1. Faraudée : courtisée.
2. Reel : musique d'origine écossaise, au rythme effréné, qui se joue le plus souvent au violon. Le terme désigne également les gigues à deux ou à quatre partenaires ainsi que le quadrille (de l'anglais *square dance*) qui sont dansés sur ce type de musique.
3. Battre des ailes de pigeon : danser, faire la fête.
4. Gigue simple ou la voleuse : autres danses folkloriques.
5. Nippes : consommations, petits verres de boisson.

whisky blanc, de temps en temps, mais j'étais tellement occupé avec ma partenaire que je n'y portai pas beaucoup d'attention. Mais maintenant que l'heure de remonter en canot était arrivée, je vis clairement que Baptiste avait pris un coup de trop et je fus obligé d'aller le prendre par le bras pour le faire sortir avec moi, en faisant signe aux autres de se préparer à nous suivre sans attirer l'attention des danseurs. Nous sortîmes donc les uns après les autres sans faire semblant de rien et cinq minutes plus tard, nous étions remontés en canot, après avoir quitté le bal comme des sauvages, sans dire bonjour à personne; pas même à Liza que j'avais invitée à danser un foin[1]. J'ai toujours pensé que c'était cela qui l'avait décidée à me trigauder[2] et à épouser le petit Boisjoli sans même m'inviter à ses noces, la boufresse[3]. Mais pour revenir à notre canot, je vous avoue que nous étions rudement embêtés de voir que Baptiste Durand avait bu un coup, car c'était lui qui nous gouvernait et nous n'avions juste que le temps de revenir au chantier pour six heures du matin, avant le réveil des hommes qui ne travaillaient pas le jour du jour de l'An. La lune était disparue et il ne faisait plus aussi clair qu'auparavant, et ce n'est pas sans crainte que je pris ma position à l'avant du canot, bien décidé à avoir l'œil sur la route que nous allions suivre. Avant de nous enlever dans les airs, je me retournai et je dis à Baptiste:

— Attention! là, mon vieux. Pique tout droit sur la montagne de Montréal[4], aussitôt que tu pourras l'apercevoir.

— Je connais mon affaire, répliqua Baptiste, et mêle-toi des tiennes! Et avant que j'aie eu le temps de répliquer:

Acabris! Acabras! Acabram!
Fais-nous voyager par-dessus les montagnes!

---

1. Foin: danse traditionnelle appelée communément « danse des foins » célébrant la saison des récoltes, mais pratiquée toute l'année.
2. Trigauder: tromper.
3. Boufresse: vaurienne.
4. Montagne de Montréal: sommet du mont Royal, qui atteint 235 mètres et qui est visible par beau temps dans un rayon de 50 kilomètres.

VI

Et nous voilà repartis à toute vitesse. Mais il devint aussitôt évident que notre pilote n'avait plus la main aussi sûre, car le canot décrivait des zigzags inquiétants. Nous ne passâmes pas à cent pieds* du clocher de Contrecœur et au lieu de nous diriger à l'ouest, vers Montréal, Baptiste nous fit prendre les bordées vers la rivière Richelieu§. Quelques instants plus tard, nous passâmes par-dessus la montagne de Belœil[1] § et il ne s'en manqua pas de dix pieds que l'avant du canot n'allât se briser sur la grande croix de tempérance[2] que l'évêque de Québec§ avait plantée là.

— À droite ! Baptiste ! à droite ! mon vieux, car tu vas nous envoyer chez le diable, si tu ne gouvernes pas mieux que ça !

Et Baptiste fit instinctivement tourner le canot vers la droite en mettant le cap sur la montagne de Montréal* que nous apercevions déjà dans le lointain. J'avoue que la peur commençait à me tortiller car si Baptiste continuait à nous conduire de travers, nous étions flambés comme des gorets qu'on grille après la boucherie. Et je vous assure que la dégringolade ne se fit pas attendre, car au moment où nous passions au-dessus de Montréal, Baptiste nous fit prendre une *sheer*[3] et avant d'avoir eu le temps de m'y préparer, le canot s'enfonçait dans un banc de neige, dans une éclaircie, sur le flanc de la montagne. Heureusement que c'était dans la neige molle, que personne n'attrapât de mal et que le canot ne fût pas brisé. Mais à peine étions-nous sortis de la neige que voilà Baptiste qui commence à sacrer comme un possédé et qui déclare qu'avant de repartir pour la Gatineau, il veut descendre en ville prendre un verre. J'essayai de raisonner avec lui, mais allez donc faire entendre raison à un ivrogne qui veut se mouiller la luette. Alors, rendus à bout de patience, et plutôt que de laisser nos âmes au diable qui se léchait déjà les babines en

1. Montagne de Belœil : mont Saint-Hilaire (438 mètres).
2. Croix de tempérance : afin de mettre en garde les fidèles contre les ravages de l'alcoolisme, les missionnaires de l'Église catholique érigeaient de grandes croix noires (plus de 30 mètres) dans des endroits surélevés parce que bien visibles. Chaque famille disposait également d'une petite « croix de tempérance » dans sa maison.
3. Prendre une *sheer* : glisser, tomber, faire une chute provoquée par une embardée.

nous voyant dans l'embarras, je dis un mot à mes autres compagnons qui avaient aussi peur que moi, et nous nous jetons tous sur Baptiste que nous terrassons, sans lui faire de mal, et que nous plaçons ensuite 315 au fond du canot, – après l'avoir ligoté comme un bout de saucisse et lui avoir mis un bâillon pour l'empêcher de prononcer des paroles dangereuses, lorsque nous serions en l'air. Et :

Acabris ! Acabras ! Acabram !

nous voilà repartis sur un train de tous les diables car nous n'avions 320 plus qu'une heure pour nous rendre au chantier* de la Gatineau. C'est moi qui gouvernais, cette fois-là, et je vous assure que j'avais l'œil ouvert et le bras solide. Nous remontâmes la rivière Outaouais comme une poussière jusqu'à la Pointe à Gatineau et de là nous piquâmes au nord vers le chantier. Nous n'en étions plus qu'à 325 quelques lieues*, quand voilà-t-il pas cet animal de Baptiste qui se détortille de la corde avec laquelle nous l'avions ficelé, qui s'arrache son bâillon et qui se lève tout droit, dans le canot, en lâchant un sacre qui me fit frémir jusque dans la pointe des cheveux. Impossible de lutter contre lui dans le canot sans courir le risque de tomber d'une 330 hauteur de deux ou trois cents pieds, et l'animal gesticulait comme un perdu en nous menaçant tous de son aviron qu'il avait saisi et qu'il faisait tournoyer sur nos têtes en faisant le moulinet comme un Irlandais avec son *shilelagh*[1]. La position était terrible, comme vous le comprenez bien. Heureusement que nous arrivions, mais j'étais telle-335 ment excité, que par une fausse manœuvre que je fis pour éviter l'aviron de Baptiste, le canot heurta la tête d'un gros pin et que nous voilà tous précipités en bas, dégringolant de branche en branche comme des perdrix que l'on tue dans les épinettes. Je ne sais pas combien je mis de temps à descendre jusqu'en bas, car je perdis connais-340 sance avant d'arriver, et mon dernier souvenir était comme celui d'un homme qui rêve qu'il tombe dans un puits qui n'a pas de fond.

1. *Shilelagh* : gros bâton en bois (mot irlandais).

Canot d'écorce qui vole (vers 1906).
Henri Julien (1852-1908).

VII

Vers les huit heures du matin, je m'éveillai dans mon lit dans la cabane, où nous avaient transportés des bûcherons qui nous avaient trouvés sans connaissance, enfoncés jusqu'au cou, dans un banc de
345 neige du voisinage. Heureusement que personne ne s'était cassé les reins mais je n'ai pas besoin de vous dire que j'avais les côtes sur le long comme un homme qui a couché sur les ravalements[1] pendant toute une semaine, sans parler d'un *blackeye*[2] et de deux ou trois déchirures sur les mains et dans la figure. Enfin, le principal, c'est que le
350 diable ne nous avait pas tous emportés et je n'ai pas besoin de vous dire que je ne m'empressai pas de démentir ceux qui prétendirent qu'ils m'avaient trouvé, avec Baptiste et les six autres, tous saouls comme des grives, et en train de cuver notre jamaïque* dans un banc de neige des environs. C'était déjà pas si beau d'avoir risqué de vendre
355 son âme au diable, pour s'en vanter parmi les camarades; et ce n'est que bien des années plus tard que je racontai l'histoire telle qu'elle m'était arrivée.

Tout ce que je puis vous dire, mes amis, c'est que ce n'est pas si drôle qu'on le pense que d'aller voir sa blonde en canot d'écorce, en
360 plein cœur d'hiver, en courant* la chasse-galerie*; surtout si vous avez un maudit ivrogne qui se mêle de gouverner. Si vous m'en croyez, vous attendrez à l'été prochain pour aller embrasser vos p'tits cœurs, sans courir le risque de voyager aux dépens du diable.

Et Joe le *cook* plongea sa micouane[3] dans
365 la mélasse bouillonnante aux reflets
dorés, et déclara que la tire
était cuite à point et
qu'il n'y avait
plus qu'à
370 l'*étirer*.

1. Sur les ravalements: dans un petit grenier servant de lieu d'entreposage (québécisme).
2. *Blackeye*: œil poché ou familièrement «œil au beurre noir» (anglicisme).
3. Micouane: mot amérindien signifiant «longue cuillère de bois».

DESCENDUS AU CHANTIER

Chanson – 2000

Ça parle au diable (cédérom), Victoire, 2000.
S. Archambault/F. Giroux/Mes Aïeux; arrangements É. Desranleau.

Œuvres choisies:
Entre les branches (2001)
En famille (2004)

Mes Aïeux
Groupe formé en 1996

MODERNITÉ

Les membres du groupe *funklorique* Mes Aïeux, comme ils se plaisent à le nommer, revisitent musicalement les grandes légendes de notre terroir. Ils disent recevoir la tradition et la chanter en tant que Montréalais de l'an 2000. Et puisque se produire sur scène, devant un public médusé et qui en redemande, c'est perpétuer une certaine tradition orale, chacun incarne une figure populaire de notre folklore. Ainsi sont réunis autour de leurs instruments: le Diable (Stéphane Archambault), le curé (Éric Desranleau), le coureur des bois (Frédéric Giroux), l'Indien (Marc-André Paquet), et l'ange (Marie-Hélène Fortin). Laissez quelques minutes la Corriveau, les bûcherons de la chasse-galerie, Rose Latulipe et les autres se joindre à leur divin sabbat et vous retrouverez ces légendes fraîchement teintées de sonorités postmodernes.

~

Porte-voix

À quoi rêvent les jeunes filles et les jeunes garçons de nos jours, ceux qui ont vingt ans et moins? Eh! bien, contre toute attente, ils sont nostalgiques du bon vieux temps de leurs grands-parents, ils écoutent le groupe Mes Aïeux […]

Denise Bombardier, *Le Devoir* (2005)

Descendus au chantier*. Trente hommes sans métier.
Descendus au chantier. Descendus pour bûcher.
L'hiver. Calvaire. La misère noire.
Loin de nos femmes. À deux pas des flammes de l'enfer.

5 Descendus au chantier s'engager comme bétail.
Soixante jours de travail. Trente hommes prêts à s'renier.
Le *boss* des bécosses nous tient par les gosses.
Loin de l'amour, la tête dans' porte du four de l'enfer.

Descendus au chantier. Y'a p'us de *job* en ville.
10 Descendus au chantier, trente esclaves serviles.
Je m'adresse au grand Satan
Je connais la légende d'antan
Celle du fameux canot volant.
Tire-nous d'icitte au plus coupant !
15 Je veux voler dans l'firmament
Revoir ne serait-ce qu'un instant
Les yeux de ma femme et de mes enfants…
Satan, Satan, est-ce que tu m'entends ?
Est-ce que tu m'entends ?
20 *Est-ce que tu m'entends ?*

Descendus au chantier. Trente hommes à genoux.
Pour une poignée de sous. Descendus pour se damner.
Les lits trop durs. Les nuits de parjures.
Loin du foyer pour payer le loyer d'un séjour en enfer.

25 Descendus au chantier pour se faire exploiter.
Trente hommes résignés qui marchent le dos courbé.
Satan, Satan, est-ce que tu m'entends ?
Je donnerais mes vingt ans et pis mon âme en garantie
Si pour la nuit tu nous sors d'ici !
30 Le grand Satan est apparu…
Notre prière a été entendue !

À la Ste-Catherine un personnage tout de rouge habillé (1900).
Edmond-Joseph Massicotte (1875-1929).

Mais il nous a tous informés
Que les temps avaient bien changé :

« (*RIRES*) J'ai pas de temps à perdre avec des p'tits minables
35 Qui, une fois dans la merde,
Donneraient leur âme au diable.
C'était l'bon vieux temps, ça, les canots volants,
Au temps de la magie et de la chasse-galerie*,
Tout ça, c'était hier.
40 La ribambelle de caves qui,
Comme vous, jouaient les braves,
J'les traînais en enfer.
Mais tout a changé, par un soir d'automne,
Je soufflais doucement sur le brasier,
45 Quand, tout à coup, le téléphone sonne.
C'était votre *boss* qui me proposait un marché :
"C'est pas bon pour la business qu'i' m'dit,
Les employés disparaissent : on les retrouve morts gelés
À cause d'un pacte brisé
50 Ça m'coûte un bras en assurances.
Puis sa voix se fait plus tendre : si on parlait finances,
On pourrait peut-être s'entendre."
Ce qui fait qu'aujourd'hui,
Je suis l'actionnaire principal de la compagnie.
55 66 % des parts, eh oui ! (*RIRES*)
Oh ! Vous avez l'air surpris ?
C'est donc fini les tours de canot volant,
À c't'heure, je fais du cash et je vous brûle vivants !
Parce que la dernière ligne de votre contrat,
60 Vous l'avez pas lue ?
Bien qu'écrite en tout petit, elle stipulait clairement ceci :
As soon as you enter to the company
Your soul belongs to the owner which is me
C'qui fait que, les gars, bonne nuit, bon dodo
65 Pis on devrait se r'voir très bientôt (*RIRES*). »

Descendus au chantier*. Trente hommes déjà damnés.
Descendus pour brûler. Descendus pour l'Éternité…

LA GROSSE FEMME D'À CÔTÉ EST ENCEINTE

ROMAN (EXTRAIT) – 1978

ÉDITION ORIGINALE : *La grosse femme d'à côté est enceinte*, Montréal, Leméac, 1978.

ŒUVRES CHOISIES :
Contes pour buveurs attardés (1966)
Les Belles-Sœurs (1968)
Chroniques du Plateau Mont-Royal (1978-1997)
Un ange cornu avec des ailes de tôle (1994)

Michel Tremblay
NÉ EN 1942

MODERNITÉ

MICHEL TREMBLAY porte à lui seul toutes les « étiquettes » accolées à la littérature : conteur, dramaturge, romancier, et parce qu'il est tout à la fois, il se fait poète. Son univers poétique, fantasmagorique, se révèle à travers certains personnages qui sont seuls à capter les ondes invisibles mais pourtant tangibles de l'imaginaire. Dans *La grosse femme d'à côté est enceinte*, premier volet des *Chroniques du Plateau Mont-Royal*, c'est le jeune Marcel qui a tout juste quatre ans et son grand-oncle Josaphat qui détiennent ce pouvoir. Le 2 mai 1942, alors que les ménagères de leur quartier s'encroûtent dans leur misérable quotidien, seuls les deux « élus » peuvent s'évader de la banalité aliénante.

~

PORTE-VOIX

Josaphat-le-Violon [...] reconduit dans le contexte urbain d'un quartier populaire des années 1940 la double tradition des conteurs canadiens d'autrefois et des violoneux. [...] Mais c'est avant tout l'âme espérante et rêvante du pays, l'imaginaire collectif enraciné dans le passé des défricheurs et des paysans, qui alimente son inspiration de musicien et de « poète ».

ANDRÉ BROCHU, *RÊVER LA LUNE* (2002)

Quand Josaphat-le-Violon eut terminé *La Gigue* aux sept fausses notes,* il déposa son instrument sur la chaise de la galerie et prit Marcel dans ses bras. « R'garde, r'garde comme c'est beau. A'va monter, monter, monter dans le ciel pis a'va redescendre de 5 l'aut'bord pis là j'vas pouvoir l'éteindre. Faut que j'attende qu'a'soye redescendue sans ça est trop haute pis al'entend mal la musique. » « Tu fais ça tous les zours ? » « Ouan, tou'es jours. Depuis… wof, ben ben longtemps. C'est moé qui a décroché la job. L'autre, celui avant moé, y'est parti en canot volant pis on l'a jamais revu… » « En canot 10 volant ? » « J't'ai jamais conté ça ? » « Non. » « Ah ! ben, t'avais rien qu'à me le dire… Tu veux-tu que j'te le conte, là, tu-suite ? » « Ah ! oui… » « Bon. Écoute ben ça… Ah ! ça fait longtemps de t'ça… Ça fait ben longtemps… Ça fait ben ben longtemps… C'est ben avant que tu viennes au monde… J'tais p'tit gars dans c'temps-là. J'avais à 15 peu près l'âge de Richard[1], j'pense. J'restais à'campagne. T'sais, là, la campagne… J't'en ai déjà parlé… Là ousqu'y'a pas gros de maisons pis ben ben des arbres… » « Oui, Duhamel§. » « C'est ça. Ben dans ce temps-là, y'avait pas de machines[2] comme aujourd'hui pis pour venir de Duhamel à Montréal§ ça prenait deux jours. Fallait passer la 20 nuitte à Saint-Jérôme§ pis j'te dis que pour nous autres, Saint-Jérôme c'tait déjà pas mal gros ! Aïe, on passait la nuitte à l'hôtel Lapointe, c'tait toute une traite ! En tout cas, tout ça pour te dire que Duhamel c'tait ben loin pis que Montréal on connaissait pas ça. Pis on s'en ennuyait pas, non plus. Toujours ben qu'un bon soir j'tais allé porter 25 une cheyère de framboises chez ma tante Marguerite, la sœur de mon pére, qui était tellement pauvre qu'a'sarvait à manger à ses enfants direct su'a table, sans vaisselle en dessours ! Ça fait que parle, parle, jase, jase, le temps avait fini par passer sans qu'on s'en aparçoive pis la noirceur avait pogné avant que j'décide de rentrer chez 30 nous. C'tait au mois d'aoûtte pis y faisait beau ! J'avais pas de cârrosse[3], rien, j'tais v'nu avec mon oncle Arthur, le mari de ma tante Marguerite, pis y fallait que j'rentre chez nous à pied. Aïe, j'avais trois milles à marcher en pleine noirceur ! Ça fait que j'sors su'a galerie

1. Richard : cousin de Marcel. Au moment où Josaphat raconte cette histoire, il a 11 ans.
2. De machines : d'automobiles.
3. Cârrosse : voiture d'enfant.

d'en avant avec ma tante Marguerite qui aurait ben voulu que j'reste
35 à coucher mais j'ai jamais trouvé que ça sentait ben ben bon dans c'te
maison-là pis j'avais refusé de rester. On voyait pas à six pieds* en
avant de nous autres. C'est vrai ! J'tais deboutte sur le pas d'la porte
pis ma tante Marguerite tenait un fanal qui éclairait un peu le bois
du plancher pis les poteaux qui tenaient le toit de la galerie… Mais à
40 partir d'en bas des marches… rien ! J'voulais pas le dire à ma tante,
mais j'avais un peu les shakes… J'ai jamais aimé ça, la noirceur… Ah,
chus pas peureux de nature, j'ai jamais été peureux, mais… Comme
j'te disais t'à l'heure, j'avais trois bons milles à faire en plein bois sur
une p'tite route oùsque c'tait pas rare que tu rencontres un ours face
45 à face, même en plein jour… Pis j'vas te dire ben franchement, tu-
seul, à'noirceur, j'tais jamais allé plus loin que les bécosses ! Ma tante
Marguerite me dit : “J'te prêterais ben un fanal, mon Josaphat, mais
ton oncle pis ton cousin Manuel sont partis avec les deux autres, pis
j'vas avoir de besoin de celui-là pour aller j'ter un darnier coup d'œil
50 dans le poulailler…” “J'en veux pas de vot'fanal”, que j'y réponds,
“j'connais mon ch'min !” Pis pour montrer que j'avais pas peur j'des-
cends l'escalier du perron en courant pis j'me jette dans'noirceur…
On arait dit que j'rentrais dans l'eau… Aussitôt que j'ai eu laissé la
lumiére du fanal de ma tante, y s'est mis à faire frette… mais pas
55 comme en hiver, là, non, on crevait de chaleur… C'tait comme… si
j'arais eu frette en dedans… J'voyais rien en avant de moé, le cœur
me débattait comme une montre cassée… Quand j'me r'tournais,
j'voyais ma tante Marguerite qui m'envoyait la main… Le fanal faisait des grandes ombres qui revolaient partout… Al'avait l'air d'un
60 fantôme, verrat ! J'te dis que j'me sentais pas gros dans mes bottines !
D'un coup, est rentrée dans'maison pis j'me sus retrouvé tu-seul.
T'sais, le silence… Le silence d'la campagne… Comment j't'expli-
querais ça… Quand t'es tu-seul dans ta chambre, couché su'l'dos, pis
que tout est éteint… c'est le silence lui-même qui te fait peur… t'as
65 peur du silence lui-même… Mais quand t'es dehors, à'campagne,
dans le silence, c'est pus le silence qui est effrayant, c'est les milliers,
les millions de p'tits bruits qui l'habitent… C'est là que tu te rends
compte que ça l'existe pas, le silence… qu'y'a toujours quequ'chose
à entendre dans le silence… J'tais comme paralysé su'l'bord d'la

route. Rien en avant de moé, rien en arriére de moé, rien à côté… Pis, au-dessus de ma tête, le ciel sans lune, vide. Vide ! Mais au milieu du vide, des bruits… partout… des bruits… Des vieilles feuilles qui craquent… des p'tites branches qui cassent… des… des affaires qui rampent sur les aiguilles de pin sèches, des pattes rembourrées de bêtes hypocrites qu'on entend pareil parce qu'y fait noir… un cri de guibou que tu prends pour un fantôme, une chauve-souris folle qui vole dans toutes les directions au lieu d'aller en ligne droite, la maudite folle ! Ah ! une p'tite lumiére… deux, cinq, vingt, cent p'tites lumiéres ! Une procession de mouches à feu[1] qui s'en vont charcher l'âme damnée d'un pécheur pour l'emmener dans son darnier voyage ! J'arais donc voulu être ailleurs ! À la longue mes yeux ont fini par s'habituer à'noirceur pis j'ai commencé à voir la route comme un gros ruban jaune un peu plus pâle que le reste… J'ai pris tout le courage qui me restait (ça arait pas rempli un dé à coudre, j'pense) pis j'ai commencé à avancer su'a route, la tête rentrée dans les épaules, les yeux grands comme des assiettes à soupe, le cœur qui changeait de place à tous les deux ou trois battements… Que c'est ça ! Un rat ? Un lapin ? Un racoon ? Un chien ? Un mouton ? Un loup ? Un ours ? Que c'est ça, encore ! j'me sus mis à courir… Une autre procession de mouches à feu… Mon Dieu, c'tait-tu un rire, ça ? Hein ? Chus-tu encore loin d'la maison ? Niaiseux, tu viens de partir ! J't'étouffé… Tant pire, j'arrête ! Si y veulent me pogner, y me pogneront, au moins, j'saurai à qui j'ai affaire… Hein, que c'est ça, encore ! J'entendais comme un bruit en arriére de moé, un bruit plus fort que les autres… je r'garde pis j'vois une espèce de lumière blanche qui avançait su'a route… Des chevaux ! On dirait que c'est des chevaux qui s'en viennent ! Oui, c'est des chevaux ! Chus sauvé ! C'est peut-être quelqu'un que j'connais ! J'vas pouvoir aller me coucher plus vite ! Ah ! Que c'est ça ? Là-bas ! Des chevaux… blancs ! Lousses ! Tu me croiras pas, Marcel, mais c'est vrai comme chus là : j'ai vu deux, quatre, six, huit chevaux blancs qui couraient tu-seuls su'a route ! Huit grands chevaux blancs avec des crignières tellement longues

1. Mouches à feu : lucioles (orthographe variable).

qu'y'avaient l'air des ailes! Les chevaux avaient l'air de courir comme si y'allaient dans une place ben ben importante… y'hennissaient pis
105 y galopaient comme des fous… Y se rapprochaient de plus en plus, leu'sabots faisaient trembler la route. J'les voyais comme si y'avaient été éclairés par la lune. Mais y'avait pas de lune. Faut que j'me cache! Mais j'avais trop peur de descendre dans le fossette! Y'approchent! Y s'en viennent! Sont… tellement… beaux! Haaaaa! Y sont passés à
110 côté de moé comme des éclairs en galopant pis en hennissant, les oreilles dans le vent, les naseaux écumants, les yeux fous… On arait presque dit qu'y'avaient passé à travers de moé! J'avais les cheveux raides su'a tête, la chair de poule… J'avais envie de pisser, pis j'tais pas loin d'avoir envie de d'autre chose, aussi… Les chevaux ont suivi
115 la route qui faisait un croche en avant de moi pis y'ont disparu comme si après le croche y'existait pus rien. J'tais paralysé au milieu du chemin, j'pouvais pus avancer, j'avais trop peur de c'que j'pourrais trouver après le croche… J'pouvais pus reculer non plus. J'me sus-t'assis au milieu du chemin pis j'me sus mis à brailler comme un
120 enfant. (J'tais un enfant, mais j'braillais jamais comme un enfant, j'tais trop ordilleux!) Tu comprends, voir des affaires de même en pleine nuitte, tu-seul au milieu des montagnes, c'est pas mal épeurant… Tu commences à penser sérieusement que t'es sur la mauvaise pente pis qu'au bas d'la pente c'est l'asile qui t'attend… Surtout que
125 ma mére me disait toujours que j'rêvais trop pis que ça finirait par me jouer des mauvais tours… Ben ça y'était, tornon! Si j'arais eu mon violon avec moé, au moins… T'sais, la musique, des fois… Mais ça, tu comprendras ça plus tard… Ça fait que moé, mon bon, j'me r'lève pis j'continue mon chemin… Y'avait rien en arriére du croche.
130 Marche, marche, marche… pas de nouvelles des chevaux. J'ai fini par penser que j'avais vraiment rêvé pis j'me sus mis à siffler pour oublier toute ça. Tout d'un coup j'entends-tu pas une bardasse terrible en arriére d'la montagne… Ça brassait là-dedans, mon p'tit gars, on arait dit qu'une bonne demi-douzaine de tonnerres se bat-
135 taient à grands coups de marteau… Pis j'ai entendu comme un hennissement, ben loin, d'l'aut'bord d'la montagne… Plus qu'un hennissement… plusieurs… comme si les chevaux s'étaient plaints quequ'part d'l'aut'bord du pays… Pis, en levant la tête, j'ai vu

comme une lumiére gris-jaune qui éclairait les arbres su'a mon-
140 tagne... "Y'a-tu un feu par che nous ?" Pis... j'ai vu... les huit grands chevaux sortir d'en arriére d'la montagne... pis grimper dans le ciel en hennissant pis en piaffant ! Y tiraient sur des chaînes pis y'avaient l'air de forcer comme j'avais jamais vu forcer des animaux dans ma vie ! Comme si y'avaient tiré la chose la plus pésante du monde. Les
145 chaînes leu'rentraient dans'peau pis y'avait des grandes coulées de sang qui se répandaient sur leu'robe... J'pouvais voir leurs blessures qui saignaient pis leurs yeux fous d'animaux fous qui comprennent pas pourquoi c'qu'on leu'fait mal ! Pis... au bout d'la darniére chaîne... une boule rouge est apparue. La lune ! Y tiraient la lune
150 d'en arriére d'la montagne ! È-tait grosse, presque aussi grosse que la montagne, j'te dis, pis rouge ! T'sais, la pleine lune du mois d'aoûtte qui est tellement épeurante, là... Le sang des chevaux coulait su'a lune qui dégouttait comme une orange... Aussitôt qu'al'a été toute ronde au-dessus d'la montagne, les chaînes ont cassé pis les huit che-
155 vaux se sont dispersés en courant dans huit directions différentes, comme une rose des vents. La pleine lune avait jamais eu tant l'air d'un gros œil méchant. J'me sus mis à pleurer en criant que j'voulais pas, que c'tait ben beau, la pleine lune, mais que c'tait pas une raison pour faire souffrir des pauvres animaux de même... Y faisait pus
160 noir, y faisait presque aussi clair que pendant les nuittes d'hiver quand la neige diffuse sa propre lumiére... J'ai repris mon chemin... J'tais comme assommé. J'avais l'impression que la lune me regardait. È-tait juste là, à ma gauche, pendant que j'marchais, pis a'me regardait... On arait dit que quelqu'un avait tiré un coup de canon dans
165 le ciel pis que ç'avait faite un gros trou rouge... Mais... j'avais un peu moins peur parce que j'voyais en avant de moé... J'tais presque arrivé che nous quand j'ai entendu comme une chanson, au loin, comme une complainte chantée par une gang de gars soûls... J'ai regardé su'a route, darriére moé... rien. Pourtant, la chanson appro-
170 chait. Quand al'a été proche au point que normalement j'arais dû voir les chanteurs, la peur m'a gagné encore une fois... T'à l'heure des chevaux blancs, là des hommes invisibles... J'sais pas pourquoi, j'ai levé la tête... peut-être pour vérifier si la lune était encore là... (j'tais pas loin de commencer à penser que c'tait elle qui chantait)

175 pis… j'ai vu un canot d'écorce déboucher d'en arriére d'la montagne avec huit gars qui ramaient dans le ciel en chantant… Un canot d'écorce rouge feu avec des coutures qui ressemblaient à des étoiles… Ça chantait à tue-tête, là-dedans, pis ça levait des bouteilles de caribou, pis ça buvait… Tout d'un coup le canot s'est arrêté juste
180 au-dessus de moé, pis j'ai reconnu les huit rameurs qui chantaient *Envoyons d'l'avant nos gens* [1] en s'époumonant comme des bons: y'avait Willy, le fils à Tit-Pet Turgeon; y'avait Gaspar Petit que j'avais vu au litte la veille avec une numonie double pis qui avait le front de se trimbaler dans le ciel en pydjama; y'avait le grand Laurent Doyon,
185 le frère sans-cœur du curé qui faisait le bedeau [2] de temps en temps, quand ça y tentait; y'avait Georges-Albert Pratte, le barbier du village qui servait aussi de dentiste pis qui se paquetait à l'eau de Cologne au dire de ma mére, mais ça, c'tait peut-être juste des commérages; y'avait Rosaire Rouleau, aussi, le quêteux qu'on avait pas vu
190 depuis un bon bout de temps pis qu'on pensait mort; les jumeaux Twin pis Twin Patenaude, Twin avec son œil borgne pis Twin avec son p'tit bras; pis, surtout, y'avait Teddy Bear Brown, le seul Anglais qu'on avait jamais vu dans le village pis qui avait toujours prétendu être l'allumeur de lune… Tou'es jours y disparaissait en fin d'après-
195 midi pis quand y r'venait la lune était là, allumée, pâle ou ben donc brillante, pleine ou ben donc comme une tranche de citron, selon le jour du mois qu'on était… Tou'es huit étaient paquetés aux as pis 'y avaient tellement de fun dans le canot qu'y manquaient tout le temps de tomber. Georges-Albert Pratte, qui était un peu mon parent parce
200 qu'y'avait marié la sœur du beau-frère de ma mére, s'est penché sus moé par-dessus le bord du canot pis y m'a crié: “Aïe, Josaphat, on s'en va à Saint-Jérôme, chez la grosse Minoune, viens-tu avec nous autres?” Là, y'a ri comme un bon… Tu comprends, la grosse Minoune… j'tais ben que trop jeune pour aller chez eux… Mais tu
205 comprendras ça plus tard… En tout cas, y'avaient du fun, toute la gang, j'te prie de m'croire! Là, Teddy Bear Brown s'est penché lui

1. La chanson « Envoyons d'l'avant nos gens… » a été reprise par le groupe Les Cowboys Fringants en 2005 sur l'album *La Grand-Messe* sous le titre « En attendant ».
2. Bedeau: employé dans une paroisse qui s'occupe de la gestion de l'église et du cimetière.

itou par-dessus le bord du canot pis y m'a crié avec son accent de tête carrée : "Aïe, Josaphat, tu veux-tu mon job, mon chum ? Moé, y'est tanné d'allumer le lune… À c't'heure, si tu veux, ça va être toé… Avec ton violon… Ça va être plus beau parce que moé y fallait que j'jappe, pis à mon âge c'est un peu ridiculous, you know… Tu veux-tu ? Oui ? Okay. Tu commences demain. Moé, j'm'en vas chez la grosse Minoune, à Saint-Jérôme, pis si tu me r'vois pas, pense à moé en jouant tes tounes pour allumer mon vieille chum…" Ça l'a pas pris trente secondes que *Envoyons d'l'avant nos gens* pis les gros rires gras ont repris pis le canot est reparti en flèche dans la direction de la lune en manquant de chavirer prèque à chaque coup d'aviron. Pis j'ai compris que si les chevaux avaient tant souffert c'te nuitte-là, c'est parce que Teddy Bear Brown, l'écœurant, avait failli à sa tâche ! Pis j'me sus dit que moé, Josaphat-le-Violon, j'y s'rais fidèle jusqu'à la fin de mes jours pis que jamais pus, tant que j'vivrais, les chevaux auraient à extraire la lune des flancs d'la montagne… Pis depuis ce temps-là, tou'es jours, mon violon grimpe dans le ciel pis la lune peut v'nir au monde en paix. » Marcel s'était endormi, pâmé de bonheur et de crainte, la tête pleine de chevaux, de lunes, de canots d'écorce et de fanaux en forme de violon. Quand il fut bien certain que le petit garçon ne l'entendrait pas, Josaphat-le-Violon acheva son histoire. « Pis quand j's'rai trop vieux, j'viendrai te voir, une bonne après-midi, pis j'te dirai : "Marcel, chus fatiqué." J'espère que tu vas comprendre pis que tu vas respecter la lune toute ta vie. Pas de chasse-galerie*. Parce que la lune est la seule chose dans le monde dont tu peux être sûr. » De la fenêtre de sa salle à manger, au rez-de-chaussée, Florence avait écouté Josaphat-le-Violon raconter son histoire. Quand il eut fini, il lui fit un galant salut auquel elle répondit par un sourire complice.

Rose Latulippe, illustration tirée du livre *Légendes laurentiennes* de François Crusson.

Le Diable beau danseur

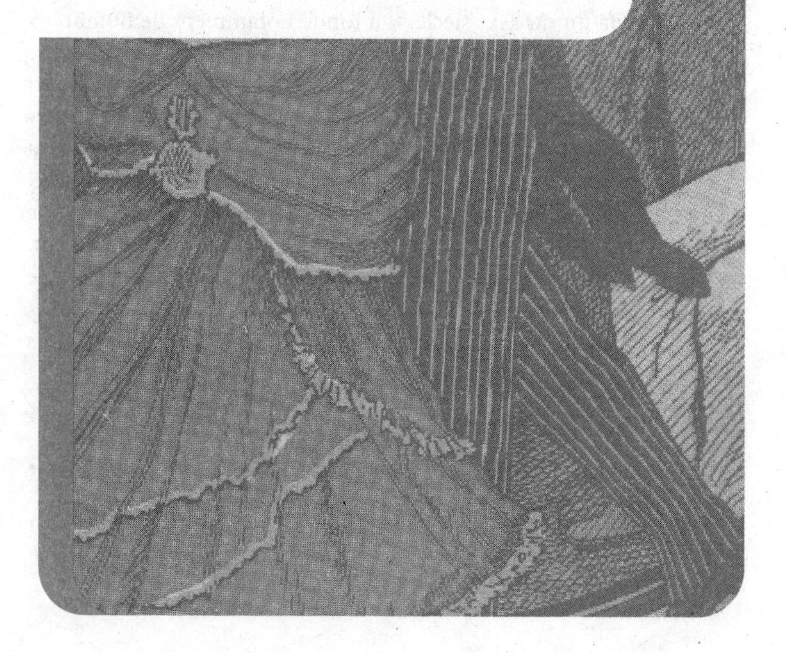

LE DIABLE AU BAL

CONTE – 1883

PREMIÈRE PARUTION : *Au coin du feu*,
Montréal, Imprimerie Piché frères, 1883.

ŒUVRES CHOISIES :
Un revenant (1876)
L'Argent du purgatoire (1883)
Le Fratricide (1884)

J.-F. Morrissette
1858-1901

Le Beau Cavalier
d'Alfred Laliberté,
vers 1932.

TRADITION

AUTEUR PEU CONNU, Joseph-Ferdinand Morrissette a surtout évolué dans le milieu journalistique, alors en plein essor à la fin du XIXe siècle. Il a fondé notamment de nombreux journaux régionaux, entre autres *Le Musée canadien* à Québec en 1880, *Le National* de Saint-Jérôme en 1886 et *Le Feu-follet* de Lévis en 1892. Et même s'il a collaboré aux célèbres journaux montréalais *La Minerve* et *Le Monde illustré*, et a côtoyé les grands esprits de son époque – Louis Fréchette, Octave Crémazie, Honoré Beaugrand –, il est tout de même mort à Montréal dans le plus grand dénuement. Pourtant, sa vision bien personnelle de la légende du Diable beau danseur ne peut, elle, sombrer dans l'oubli. Ironiquement, le Diable, pour le Canadien français, n'est pas toujours celui qui porte des cornes.

~

PORTE-VOIX

Fils de marchand, Morrissette met souvent en scène des marchands et des commerçants, et obéit à la morale bourgeoise. Ceux qui ont renoncé à l'alcoolisme et aux mauvaises fréquentations réussissent, les autres sont ruinés.

MARY JANE EDWARDS (1978)

Alexis Provost avait deux filles à marier.

Une avait vingt-quatre ans, l'autre vingt et un ans. Comme on le voit, elles commençaient à être grandettes et il était bien temps que leur père songeât à leur trouver chacune un mari.

Alexis Provost était riche, au dire des gens qui le connaissaient.

Il avait fait sa fortune dans le commerce du bois.

C'était un homme peu instruit, mais dont les capacités commerciales surprenaient bien des gens. Il avait commencé son commerce avec une petite somme d'argent, et avait réussi à se créer une honnête aisance, grâce à un travail constant et assidu.

Il n'était pas aussi riche qu'on le disait cependant. Il avait environ cinquante mille piastres. Cette somme lui rapportait à 5 pour cent d'intérêt un joli revenu de deux mille cinq cents piastres par année.

C'était plus que suffisant pour ses goûts modestes.

Alexis Provost avait épousé, à l'âge de vingt ans, une jeune fille de Montréal[§], Alice Boisvert.

Madame Provost était une gentille personne. Elle n'était âgée que de dix-huit ans, lors de son mariage. Elle avait été très bien élevée, elle avait reçu une bonne éducation ; c'était une femme accomplie ; ajoutez à cela une beauté assez rare et vous comprendrez facilement que le jeune Provost s'éprît d'elle et l'épousât.

Alice Boisvert avait pourtant un défaut, un grand défaut même, elle était affreusement légère… de caractère.

Des ennemis de la plus belle partie du genre humain ont prétendu que la légèreté était un défaut inné chez les femmes. Je ne serai pas aussi sévère qu'eux, mais je dirai que malheureusement, la chose se rencontre souvent.

Alice Boisvert, fille, contait fleurette à tous les garçons qu'elle rencontrait. Elle était gaie, rieuse, aimait à badiner ; partout où elle allait, on pouvait être certain que l'amusement ne manquerait pas.

Un beau jour, sa gaieté disparut comme par enchantement. On se demandait ce qu'elle pouvait avoir, mais personne ne réussissait à découvrir le secret de ce changement subit. Quelque temps après on apprenait le mariage de la jeune fille avec Alexis Provost. Le secret était découvert.

Malgré toute sa légèreté, Alice avait compris l'importance de l'acte qu'elle allait faire.

Le jour de son mariage, la jeune fille recouvra toute sa gaieté.

Cependant, devenue femme, elle avait mis un frein à sa légèreté et
40 son mari n'eut jamais à lui faire le moindre reproche.

* * *

Au moment où commence notre récit, Alexis Provost est père de deux filles.

J'ai fait connaître leurs âges plus haut.

La plus âgée se nommait Alice, la plus jeune, Arthémise.

45 Ces deux jeunes filles ne se ressemblaient en aucune manière. L'aînée était blonde, la plus jeune était brune. Alice avait la gaieté folle de sa mère; Arthémise était sage et réservée comme son père.

Elles s'aimaient toutes deux bien cordialement, jamais de dispute, jamais de chicane. Disons de suite que les désirs d'Alice étaient des
50 ordres pour Arthémise et que cette dernière obéissait aux moindres caprices de son aînée.

Les deux filles étaient libres de leurs actions. La mère qui se rappelait son jeune temps prétendait que la jeunesse doit s'amuser. Ses filles ne passaient pas un soir sans assister à une soirée quelconque.
55 Madame Provost préparait elle-même leur toilette, ce n'étaient pas elles qui avaient les plus vilains costumes.

J'ai oublié de dire qu'Alexis Provost demeurait à Montréal et qu'il fréquentait la meilleure société. Aussi les bals ne manquaient pas pour les deux jeunes filles. On sait que, dans la grande société, il est de
60 rigueur que chaque famille donne un bal dans le courant de l'hiver.

Le père conduisait parfois Alice et Arthémise à ces réunions, d'autres fois c'était la mère qui les accompagnait.

On se rappelle sans doute l'arrivée d'un grand personnage au Canada[1], il y a quelques années de cela, et le fameux bal donné lors de
65 son passage à Montréal.

Un grand nombre d'invitations furent lancées et, comme Alexis Provost occupait une certaine position dans la société montréalaise, il fut invité à assister à ce grand bal avec son épouse et ses deux filles.

1. Arrivée d'un grand personnage au Canada: le lundi 27 août 1860, un grand bal est donné par le maire et les citoyens de Montréal en l'honneur d'Albert-Édouard, prince de Galles et fils de la reine Victoria, qui deviendra le futur roi Édouard VII (1901-1910). On célébrait l'inauguration du pont Victoria.

C'était une occasion favorable d'exhiber des filles à marier, et l'on 70 accepta l'invitation de grand cœur.

Alice et Arthémise ne rencontreraient-elles pas dans cette réunion des jeunes gens dignes de les épouser ?

Il fallait une toilette neuve et de circonstance, madame Provost se prépara à se la procurer digne de son rang.

* * *

75 Alice était dans la jubilation.

Arthémise, au contraire, se révoltait à l'idée d'assister à ce bal, surtout dans le costume exigé.

Il est bon de dire qu'il était spécifié sur les invitations que les dames devaient porter des robes décolletées et à manches courtes. Le 80 grand personnage tenait, paraît-il, à inspecter les beaux cous, les jolies épaules et les charmants bras de nos Canadiennes[1]. Il croyait peut-être trouver du sang de sauvage[2] chez quelques-unes d'entre elles. La peau de ces dames ne doit pas avoir la blancheur de celle des blondes filles d'Albion[3], se sera-t-il dit, j'en aurai la certitude.

85 On comprend ce que cette obligation de décolletage avait d'insultant pour nos bonnes Canadiennes. Toute femme qui a un reste de pudeur devait se sentir humiliée d'un semblable affront.

La presse de Montréal, du moins la presse canadienne, fut presque unanime à condamner la conduite de celui qui avait dicté la toilette 90 des dames.

Aussi je dois le dire à l'honneur de notre race, il y eut désapprobation presque générale de la part des dames canadiennes. Je dis presque, car malheureusement, il y en eut quelques-unes qui eurent le courage d'aller exhiber leur peau devant le grand personnage en question.

95 Au nombre de ces dernières se trouvaient madame Provost et ses deux filles. La toilette des jeunes filles était indécente au suprême degré. Celle d'Alice, surtout, était tellement décolletée que son père ne put s'empêcher d'en faire la remarque ; malheureusement, il était trop tard pour la changer et elle se rendit au bal dans cet accoutrement.

1. Canadiennes : ce terme est réservé aux Canadiens de langue française à l'époque ; dans ce cas-ci, on parle des femmes.
2. De sauvage : d'Amérindien.
3. Albion : désigne l'Angleterre, par allusion à la blancheur de ses falaises de craie que l'on aperçoit de la mer.

100 Il y avait déjà un grand nombre d'invités de rendus, lorsque la famille Provost fit son apparition dans la salle du bal. C'était en partie des Anglais et des Anglaises, des Écossais et des Écossaises et quelques Canadiens* et Canadiennes.

Le bal commença.

* * *

105 Valses, quadrilles, polkas, mazurkas, lanciers se succédaient avec un entrain diabolique.

Alice faisait partie de toutes les danses, elle eut même le bonheur de danser avec le grand personnage.

Ce qu'elle préférait surtout, c'était la valse; elle valsait à ravir.

110 La valse, n'est-ce pas là la danse que les jeunes gens aiment le mieux? Est-ce parce qu'elle est plus jolie que les autres, ou bien, est-ce parce qu'elle est condamnée et défendue par l'Église? Ce sont autant de points que je n'essaierai pas d'éclaircir.

Vers onze heures un nouveau personnage faisait son apparition 115 dans la salle du bal[1]. C'était un beau grand jeune homme, aux cheveux noirs et bouclés, aux yeux d'un noir vif, à l'air noble.

Un quart d'heure après son entrée, il se trouvait auprès d'Alice Provost et engageait la conversation avec elle, au grand désappointement des autres jeunes filles.

120 Il parlait admirablement bien le français. Sa voix était douce, mielleuse même. Il se mit à débiter force compliments à la jeune fille qui rougissait de plaisir et d'orgueil.

Le jeune homme, continuant toujours, lui fit une déclaration d'amour des plus enthousiastes.

125 Il dit comment, au milieu de toutes les jeunes filles présentes, il l'avait remarquée. Son cœur avait battu avec précipitation en la voyant, si belle et si joyeuse, passer près de lui dans la dernière danse. Il avait compris qu'il l'aimait et que le plus grand bonheur qu'il pouvait désirer serait de voir son amour partagé.

130 On comprend si une jeune fille comme Alice, qui cherchait à se marier, devait accepter les avances d'un si beau jeune homme.

1. On a dit que le prince de Galles était arrivé au bal donné en son honneur à 10 heures et qu'il avait dansé jusqu'à 4 heures du matin.

Le connaissait-elle ?

Non, mais à quoi lui aurait servi de le connaître !

Il lui avait dit se nommer Frank McArthur, être officier dans l'armée anglaise. Or, comme Alice était du nombre des jeunes Canadiennes qui se croient beaucoup plus élevées que leurs compagnes lorsqu'elles sont courtisées par des jeunes gens de la *race supérieure,* elle ne put s'empêcher de dire au jeune officier anglais qu'elle était charmée de son amour et qu'elle avait tout lieu de croire que cet amour serait partagé.

Le jeune homme présenta alors à Alice un magnifique collier en or, premier gage de son amour, lui demandant de le porter immédiatement. Alice accepta le cadeau et le mit sur-le-champ dans son cou.

Quelques instants plus tard, on les voyait valser tous deux.

Le jeune McArthur était un fameux danseur. Alice n'en avait jamais rencontré d'aussi capable. Aussi était-elle fière de se voir considérée par un si noble cavalier.

Elle riait des yeux que lui faisaient les jeunes Anglaises, jalouses de ses succès ; elle valsait, valsait toujours.

* * *

Le collier qu'Alice venait de recevoir devait être en or massif, car il était bien lourd, trop lourd même, pensait-elle.

Il lui semblait que ce collier entrait dans sa chair. Elle s'imaginait qu'il était de feu, car il lui brûlait la peau.

Il était lourd, extraordinairement lourd.

Après la valse, se sentant indisposée, Alice demanda à sa mère la permission de retourner à la maison immédiatement.

Elle fut prête avant ses parents, et partit de suite accompagnée du jeune homme.

Alexis Provost et son épouse parlaient en se rendant à leur demeure du magnifique résultat qu'avait eu pour Alice ce fameux bal. Ils grondèrent même Arthémise qui les accompagnait seule parce qu'elle n'avait pas su s'attirer les avances de quelques-uns des jeunes gens qui se trouvaient à cette réunion.

Cette pauvre Arthémise avait passé la soirée dans un coin, seule, regardant les nombreux danseurs et danseuses qui passaient devant elle. Elle avait honte du costume qu'elle portait, et n'osait bouger de crainte d'attirer les regards effrontés des jeunes gens.

Le grand bal donné par le maire et les citoyens de Montréal en l'honneur du prince de Galles (1860). S. Holcomb-Davis.

Elle songeait au mal qu'elle occasionnerait, si on la voyait, et, comme elle était bonne et pieuse, elle demandait à Dieu d'éloigner d'elle toute occasion qui la mettait en évidence.

170 À part la honte que lui faisait éprouver son costume décolleté, Arthémise se sentait le cœur triste. Il lui semblait qu'un malheur pesait sur sa famille.

Dieu, se disait-elle, ne peut laisser impunis tant de péchés et ce sera sur nous, catholiques, que retombera sa colère.

175 Lorsque sa mère lui reprocha d'avoir manqué une magnifique occasion de se trouver un mari, Arthémise lui dit simplement : attendez.

La manière dont il fut dit, plutôt que le mot lui-même, impressionna vivement monsieur et madame Provost, sans trop savoir pourquoi ils hâtèrent le pas. Comme ils demeuraient à peu de distance de 180 l'hôtel dans lequel s'était donné le bal en question, ils arrivèrent bientôt à leur résidence.

En entrant dans la maison, un spectacle affreux, inouï, se présenta à leur vue.

Alice était étendue morte sur le plancher, les yeux presque sortis de 185 leurs orbites, les cheveux droits sur la tête, la figure, les mains, le corps tout entier était complètement noir, comme s'il eût été carbonisé.

Le collier qu'elle avait sur la poitrine était entré dans la chair, ce n'était pas de l'or, mais du fer rougi.

La maison tout entière était remplie d'une odeur de chair grillée.

190 Chose épouvantable, le jeune homme, qui avait fait sa cour à Alice, était Satan, le roi de l'enfer en personne. La jeune fille s'était donnée à lui ; il avait emporté son âme, et avait laissé son corps dans l'état pitoyable dans lequel on le trouvait.

* * *

En voyant son enfant dans un état aussi affreux, Alexis Provost fut 195 frappé d'apoplexie et mourut quelques jours plus tard.

Madame Provost, atteinte d'aliénation mentale, voit à tout moment sa fille qui l'accuse d'être la cause de sa mort.

Quant à Arthémise, elle prend soin de la pauvre folle et se dispose à entrer dans un monastère pour se faire religieuse, dès que Dieu aura 200 mis fin aux souffrances de sa mère.

L'ÉTRANGER

Roman (extrait) – 1837

Première parution :
L'Influence d'un livre. Roman historique, Québec, William Cowan & Fils, 1837.

* Premier roman en langue française publié au Québec.

Philippe Aubert de Gaspé, fils
1814-1841

TRADITION

Philippe Aubert de Gaspé est né à Québec et a étudié au Collège de Nicolet. Lecteur de Nodier, Hugo et Balzac, il s'enthousiasme assez tôt pour l'écriture. À la suite de démêlés avec la justice, il se réfugie à Saint-Jean-Port-Joli, au manoir de son père. C'est là qu'il entreprend la rédaction de son roman *L'Influence d'un livre.* Mal accueillie par la critique dès sa parution, cette œuvre demeure cependant pour nous un puissant témoignage de la tradition orale de nos ancêtres. En effet, le jeune auteur, ne voyant pas d'intérêt à relater la vie quotidienne de ses compatriotes, a plutôt cherché l'inspiration dans nos récits fantastiques. Son personnage principal, Charles Amand, tente de faire fortune au moyen de procédés magiques et surnaturels. Pendant sa quête, il rencontre un vieil homme qui lui raconte la fameuse légende de Rose Latulipe. Philippe Aubert de Gaspé, le premier, en a consigné les détails par écrit.

~

Porte-voix

Le Canada, pays vierge, encore dans son enfance, n'offre aucun de ces grands caractères marqués, qui ont fourni un champ si vaste au génie des Romanciers de la vieille Europe.

Philippe Aubert de Gaspé, *Préface* (1837)

Descend to darkness, and the burning lake;
False fiend, avoid! [1]
SHAKESPEARE

C'était le Mardi gras† de l'année 17**. Je revenais à Montréal§, après cinq ans de séjour dans le Nord-Ouest. Il tombait une neige collante et, quoique le temps fût très calme, je songeai à camper de bonne heure; j'avais un bois d'une lieue* à passer, sans habitation; et je connaissais trop bien le climat pour m'y engager à l'entrée de la nuit. Ce fut donc avec une vraie satisfaction que j'aperçus une petite maison, à l'entrée de ce bois, où j'entrai demander à couvert. Il n'y avait que trois personnes dans ce logis lorsque j'y entrai: un vieillard d'une soixantaine d'années, sa femme et une jeune et jolie fille de dix-sept à dix-huit ans qui chaussait un bas de laine bleue dans un coin de la chambre, le dos tourné à nous, bien entendu; en un mot, elle achevait sa toilette. Tu ferais mieux de ne pas y aller Marguerite, avait dit le père, comme je franchissais le seuil de la porte. Il s'arrêta tout court, en me voyant, et, me présentant un siège, il me dit avec politesse: — Donnez-vous la peine de vous asseoir, Monsieur, vous paraissez fatigué; notre femme rince un verre; monsieur prendra un coup, ça le délassera.

Les habitants* n'étaient pas aussi cossus dans ce temps-là qu'ils le sont aujourd'hui; oh! non. La bonne femme prit un petit verre sans pied, qui servait à deux fins, savoir: à boucher la bouteille et ensuite à abreuver le monde; puis, le passant deux à trois fois dans le seau à boire suspendu à un crochet de bois derrière la porte, le bonhomme me le présenta encore tout brillant des perles de l'ancienne liqueur, que l'eau n'avait pas entièrement détachée, et me dit: — Prenez, monsieur, c'est de la franche eau-de-vie, et de la vergeuse [2]; on n'en boit guère de semblable depuis que l'Anglais a pris le pays.

1. Citation tirée de la pièce *Henri VI*, seconde partie, ACTE I, SCÈNE 4.
2. De la vergeuse: de l'excellente (québécisme plus souvent employé en litote: « Ce n'est pas vargeux »).

Pendant que le bonhomme me faisait des politesses, la jeune fille
30 ajustait une fontange autour de sa coiffe de mousseline en se mirant dans le même seau qui avait servi à rincer mon verre; car les miroirs n'étaient pas communs alors chez les habitants*. Sa mère la regardait en dessous avec complaisance, tandis que le bonhomme paraissait peu content. — Encore une fois, dit-il, en se relevant de devant
35 la porte du poêle et en assujettissant sur sa pipe un charbon ardent d'érable, avec son couteau plombé, tu ferais mieux de ne pas y aller, Marguerite.

— Ah! voilà comme vous êtes toujours, papa; avec vous on ne pourrait jamais s'amuser.

40 — Mais aussi, mon vieux, dit la femme, il n'y a pas de mal, et puis José va venir la chercher, tu ne voudrais pas qu'elle lui fît un tel affront?

Le nom de José sembla radoucir le bonhomme.

— C'est vrai, c'est vrai, dit-il entre ses dents, mais promets-moi
45 toujours de ne pas danser sur le mercredi des Cendres†: tu sais ce qui est arrivé à Rose Latulipe…

— Non, non, mon père, ne craignez pas; tenez, voilà José.

Et en effet, on avait entendu une voiture[1]; un gaillard, assez bien découplé, entra en sautant et en se frappant les deux pieds l'un contre
50 l'autre, ce qui couvrit l'entrée de la chambre d'une couche de neige d'un demi-pouce d'épaisseur. José fit le galant, et vous auriez bien ri, vous autres qui êtes si bien nippés, de le voir dans son accoutrement des dimanches: d'abord un bonnet gris lui couvrait la tête, un capot[2] d'étoffe noir dont la taille lui descendait six pouces plus bas que les
55 reins, avec une ceinture de laine de plusieurs couleurs qui lui battait sur les talons, et enfin une paire de culottes vertes à mitasses[3] bordées en tavelle[4] rouge complétait cette bizarre toilette.

— Je crois, dit le bonhomme, que nous allons avoir un furieux temps; vous feriez mieux d'enterrer le Mardi gras avec nous.

1. Voiture: carriole tirée par un ou deux chevaux.
2. Capot: grand pardessus en étoffe ou en fourrure (québécisme).
3. Mitasses: jambières (guêtres) de cuir, teintes en diverses couleurs.
4. Tavelle: lisière de coton ou de laine qui sert à border les robes.

60 — Que craignez-vous, père, dit José, en se tournant tout à coup et faisant claquer un beau fouet à manche rouge et dont la mise était de peau d'anguille, croyez-vous que ma guevale[1] ne soit pas capable de nous traîner ? Il est vrai qu'elle a déjà sorti trente cordes d'érable du bois, mais ça n'a fait que la mettre en appétit.

65 Le bonhomme réduit enfin au silence, le galant fit embarquer sa belle dans sa carriole[2], sans autre chose sur la tête qu'une coiffe de mousseline, par le temps qu'il faisait ; s'enveloppa dans une couverte, car il n'y avait que les gros qui eussent des robes* de peau dans ce temps-là ; donna un vigoureux coup de fouet à Charmante qui partit 70 au petit galop, et dans un instant ils disparurent gens et bête dans la poudrerie.

— Il faut espérer qu'il ne leur arrivera rien de fâcheux, dit le vieillard, en chargeant de nouveau sa pipe.

— Mais, dites-moi donc, père, ce que vous avez à craindre pour 75 votre fille ; elle va sans doute ce soir chez des gens honnêtes.

— Ha ! monsieur, reprit le vieillard, vous ne savez pas ; c'est une vieille histoire, mais qui n'en est pas moins vraie ! Tenez, nous allons bientôt nous mettre à table, et je vous conterai cela en frappant la fiole.

80 — Je tiens cette histoire de mon grand-père, dit le bonhomme ; et je vais vous la conter comme il me la contait lui-même :

Il y avait autrefois un nommé Latulipe qui avait une fille dont il était fou ; en effet c'était une jolie brune que Rose Latulipe, mais elle était un peu scabreuse pour ne pas dire éventée[3]. – Elle avait 85 un amoureux nommé Gabriel Lepard, qu'elle aimait comme la prunelle de ses yeux ; cependant, quand d'autres l'accostaient, on dit qu'elle lui en faisait passer. Elle aimait beaucoup les divertissements, si bien qu'un jour de Mardi gras, un jour comme aujourd'hui, il y avait plus de cinquante personnes assemblées chez Latulipe, et Rose, 90 contre son ordinaire, quoique coquette, avait tenu toute la soirée fidèle compagnie à son prétendant ; c'était assez naturel : ils devaient

1. Guevale : jument (québécisme, orthographe variable).
2. Carriole : traîneau d'hiver sur patins bas qui sert au transport des voyageurs (québécisme).
3. Éventée : écervelée (québécisme).

se marier à Pâques† suivant. Il pouvait être onze heures du soir, lorsque tout à coup, au milieu d'un cotillon, on entendit une voiture* s'arrêter devant la porte. Plusieurs personnes coururent aux fenêtres, et frappant avec leurs poings sur les châssis, en dégagèrent la neige collée en dehors afin de voir le nouvel arrivé, car il faisait bien mauvais. Certes ! cria quelqu'un, c'est un gros, comptes-tu, Jean, quel beau cheval noir ; comme les yeux lui flambent ; on dirait, le diable m'emporte, qu'il va grimper sur la maison. Pendant ce discours, le Monsieur était entré et avait demandé au maître de la maison la permission de se divertir un peu. — C'est trop d'honneur nous faire, avait dit Latulipe, dégreyez-vous[1], s'il vous plaît, nous allons faire dételer votre cheval. L'étranger s'y refusa absolument, sous prétexte qu'il ne resterait qu'une demi-heure, étant très pressé. Il ôta cependant un superbe capot* de chat sauvage[2] et parut habillé en velours noir et galonné sur tous les sens. Il garda ses gants dans ses mains, et demanda la permission de garder aussi son casque, se plaignant du mal de tête.

— Monsieur prendrait bien un coup d'eau-de-vie, dit Latulipe en lui présentant un verre. L'inconnu fit une grimace infernale en l'avalant ; car Latulipe, ayant manqué de bouteilles, avait vidé l'eau bénite de celle qu'il tenait à la main, et l'avait remplie de cette liqueur. C'était bien mal au moins. Il était beau cet étranger, si ce n'est qu'il était très brun et avait quelque chose de sournois dans les yeux. Il s'avança vers Rose, lui prit les deux mains et lui dit : J'espère, ma belle demoiselle, que vous serez à moi ce soir et que nous danserons toujours ensemble.

— Certainement, dit Rose à demi-voix et en jetant un coup d'œil timide sur le pauvre Lepard, qui se mordit les lèvres à en faire sortir le sang.

L'inconnu n'abandonna pas Rose du reste de la soirée, en sorte que le pauvre Gabriel, renfrogné dans un coin, ne paraissait pas manger son avoine[3] de trop bon appétit.

1. Dégreyez-vous : enlevez vos vêtements d'extérieur (québécisme, orthographe variable).
2. Chat sauvage : raton laveur (québécisme).
3. Manger son avoine : être supplanté par son rival (québécisme).

Dans un petit cabinet qui donnait sur la chambre de bal était une vieille et sainte femme qui, assise sur un coffre, au pied d'un lit, priait
125 avec ferveur ; d'une main elle tenait un chapelet†, et de l'autre se frappait fréquemment la poitrine. Elle s'arrêta tout à coup, et fit signe à Rose qu'elle voulait lui parler.

— Écoute, ma fille, lui dit-elle ; c'est bien mal à toi d'abandonner le bon Gabriel, ton fiancé, pour ce Monsieur. Il y a quelque chose qui
130 ne va pas bien ; car chaque fois que je prononce les saints noms de Jésus et de Marie, il jette sur moi des regards de fureur. Vois comme il vient de nous regarder avec des yeux enflammés de colère.

— Allons, tantante, dit Rose, roulez votre chapelet, et laissez les gens du monde s'amuser.

135 — Que vous a dit cette vieille radoteuse ? dit l'étranger.

— Bah ! dit Rose, vous savez que les anciennes prêchent toujours les jeunes.

Minuit sonna et le maître du logis voulut alors faire cesser la danse, observant qu'il était peu convenable de danser sur le mercredi
140 des Cendres.

— Encore une petite danse, dit l'étranger.

— Oh ! oui, mon cher père, dit Rose ; et la danse continua.

— Vous m'avez promis, belle Rose, dit l'inconnu, d'être à moi toute la veillée ; pourquoi ne seriez-vous pas à moi pour toujours ?

145 — Finissez donc, monsieur, ce n'est pas bien à vous de vous moquer d'une pauvre fille d'habitant* comme moi, répliqua Rose.

— Je vous jure, dit l'étranger, que rien n'est plus sérieux que ce que je vous propose ; dites oui… seulement, et rien ne pourra nous séparer à l'avenir.

150 — Mais, monsieur !… et elle jeta un coup d'œil sur le malheureux Lepard.

— J'entends, dit l'étranger, d'un air hautain, vous aimez ce Gabriel ? Ainsi n'en parlons plus.

— Oh ! oui… je l'aime… je l'ai aimé… mais tenez, vous autres
155 gros messieurs, vous êtes si enjôleurs de filles que je ne puis m'y fier.

— Quoi ! belle Rose, vous me croiriez capable de vous tromper, s'écria l'inconnu, je vous jure par ce que j'ai de plus sacré… par…

— Oh! non, ne jurez pas; je vous crois, dit la pauvre fille; mais mon père n'y consentira peut-être pas?

— Votre père, dit l'étranger avec un sourire amer; dites que vous êtes à moi et je me charge du reste.

— Eh bien! oui, répondit-elle.

— Donnez-moi votre main, dit-il, comme sceau de votre promesse.

L'infortunée Rose lui présenta la main qu'elle retira aussitôt en poussant un petit cri de douleur, car elle s'était senti piquer; elle devint pâle comme une morte et, prétendant un mal subit, elle abandonna la danse. Deux jeunes maquignons rentraient dans cet instant, d'un air effaré, et prenant Latulipe à part, ils lui dirent:

— Nous venons de dehors examiner le cheval de ce Monsieur; croiriez-vous que toute la neige est fondue autour de lui, et que ses pieds portent sur la terre? Latulipe vérifia ce rapport et parut d'autant plus saisi d'épouvante, qu'ayant remarqué tout à coup la pâleur de sa fille auparavant, il avait obtenu d'elle un demi-aveu de ce qui s'était passé entre elle et l'inconnu. La consternation se répandit bien vite dans le bal; on chuchotait et les prières seules de Latulipe empêchaient les convives de se retirer.

L'étranger, paraissant indifférent à tout ce qui se passait autour de lui, continuait ses galanteries auprès de Rose, et lui disait en riant et tout en lui présentant un superbe collier en perles et en or: « Ôtez votre collier de verre, belle Rose, et acceptez, pour l'amour de moi, ce collier de vraies perles. » Or, à ce collier de verre pendait une petite croix, et la pauvre fille refusait de l'ôter.

Cependant une autre scène se passait au presbytère de la paroisse, où le vieux curé, agenouillé depuis neuf heures du soir, ne cessait d'invoquer Dieu, le priant de pardonner les péchés que commettaient ses paroissiens dans cette nuit de désordre, le Mardi gras. Le saint vieillard s'était endormi en priant avec ferveur, et était enseveli depuis une heure dans un profond sommeil, lorsque s'éveillant tout à coup, il courut à son domestique, en lui criant: « Ambroise, mon cher Ambroise, lève-toi, et attelle vite ma jument. Au nom de Dieu, attelle vite. Je te ferai présent d'un mois, de deux mois, de six mois de gages[1]. »

1. Gages: salaire.

— Qu'y a-t-il, monsieur, cria Ambroise, qui connaissait le zèle du charitable curé ; y a-t-il quelqu'un en danger de mort ?

— En danger de mort ! répéta le curé ; plus que cela mon cher Ambroise ! une âme en danger de son salut éternel. Attelle, attelle promptement.

Au bout de cinq minutes, le curé était sur le chemin qui conduisait à la demeure de Latulipe et, malgré le temps affreux qu'il faisait, avançait avec une rapidité incroyable ; c'était, voyez-vous, sainte Rose qui aplanissait la route.

Il était temps que le curé arrivât ; l'inconnu en tirant sur le fil du collier l'avait rompu, et se préparait à saisir la pauvre Rose, lorsque le curé, prompt comme l'éclair, l'avait prévenu en passant son étole autour du cou de la jeune fille et, la serrant contre sa poitrine où il avait reçu son Dieu le matin, s'écria d'une voix tonnante :

— Que fais-tu ici, malheureux, parmi des chrétiens ?

Les assistants étaient tombés à genoux à ce terrible spectacle et sanglotaient en voyant leur vénérable pasteur qui leur avait toujours paru si timide et si faible, et maintenant si fort et si courageux, face à face avec l'ennemi de Dieu et des hommes.

— Je ne reconnais pas pour chrétiens, répliqua Lucifer en roulant des yeux ensanglantés, ceux qui, par mépris de votre religion, passent à danser, à boire et à se divertir, des jours consacrés à la pénitence par vos préceptes maudits ; d'ailleurs cette jeune fille s'est donnée à moi, et le sang qui a coulé de sa main est le sceau qui me l'attache pour toujours.

— Retire-toi, Satan, s'écria le curé, en lui frappant le visage de son étole, et en prononçant des mots latins que personne ne put comprendre. Le diable disparut aussitôt avec un bruit épouvantable en laissant une odeur de soufre qui pensa suffoquer l'assemblée. Le bon curé, s'agenouillant alors, prononça une fervente prière en tenant toujours la malheureuse Rose, qui avait perdu connaissance, collée sur son sein, et tous y répondirent par de nouveaux soupirs et par des gémissements.

— Où est-il ? où est-il ? s'écria la pauvre fille en recouvrant l'usage de ses sens. — Il est disparu, s'écria-t-on de toutes parts. — Oh mon père ! mon père ! ne m'abandonnez pas ! s'écria Rose, en se traînant aux pieds de son vénérable pasteur ; emmenez-moi avec vous… Vous seul pouvez me protéger… je me suis donnée à lui… Je crains toujours qu'il ne revienne… Un couvent ! un couvent ! — Eh bien, pauvre brebis égarée et maintenant repentante, lui dit le vénérable pasteur, venez chez moi, je veillerai sur vous, je vous entourerai de saintes reliques, et si votre vocation est sincère, comme je n'en doute pas après cette terrible épreuve, vous renoncerez à ce monde qui vous a été si funeste.

Cinq ans après, la cloche du couvent de… avait annoncé depuis deux jours qu'une religieuse, de trois ans de profession seulement, avait rejoint son époux céleste, et une foule de curieux s'étaient réunis dans l'église, de grand matin, pour assister à ses funérailles. Tandis que chacun assistait à cette cérémonie lugubre avec la légèreté des gens du monde, trois personnes paraissaient navrées de douleur : un vieux prêtre agenouillé dans le sanctuaire[1] priait avec ferveur, un vieillard dans la nef déplorait en sanglotant la mort d'une fille unique, et un jeune homme, en habit de deuil, faisait ses derniers adieux à celle qui fut autrefois sa fiancée : la malheureuse Rose Latulipe.

1. Sanctuaire : partie de l'église située tout autour de l'autel, table sur laquelle le prêtre célèbre l'eucharistie.

PHILÉDOR BEAUSOLEIL

ROMAN (EXTRAIT) – 1978

ÉDITION ORIGINALE : *Philédor Beausoleil*, Paris, Robert Laffont/Montréal, Leméac, 1978.

ŒUVRES CHOISIES :
Le Mangeur de neige (1973)
Le Fou (1975)
L'Île aux fantômes (1977)
La Mort rousse (1983)

Pierre Chatillon
NÉ EN 1939

MODERNITÉ

PROFESSEUR de littérature à l'Université du Québec à Trois-Rivières (UQTR) de 1968 à 1996, Pierre Chatillon est avant tout, pour ses lecteurs, poète, romancier et conteur. En 1998, il a créé un parc littéraire, *L'Arbre de mots*, dans sa ville natale, Nicolet, où l'on peut admirer différentes sculptures inspirées de ses personnages. Comme beaucoup de Québécois, Philédor Beausoleil est un vieil homme qui a en horreur les trop pénibles hivers québécois. Il se voit un jour forcé de retrouver sa femme, Marguerite, qui a été enlevée par le « Vent du Nord ». Dans sa quête, n'ayant pour monture que son tracteur-souffleuse, il rencontre de nombreux alliés dont le géant Beaupré, amoureux de la Corriveau, les bûcherons de la chasse-galerie, des loups-garous ainsi qu'un Jos Monferrand titanesque. Et, dans son périple, il se retrouve par hasard en Gaspésie dans une veillée chez un dénommé Latulipe.

~

PORTE-VOIX

Pierre Chatillon s'amuse à recréer les légendes, à en inverser le sens connu, à leur insuffler un souffle puissant de vie et de jeu. Et à travers elles il retrouve, en poète, ces mythes que l'humanité inventa au cours des siècles pour s'affranchir de son angoisse.

LISE GAUVIN, *LE DEVOIR* (1978)

Charles-Auguste, retombant du ciel, atterrit par bonheur dans un épais banc de neige. Son tracteur s'abat à ses côtés et l'habitant* reprend courage en constatant que le moteur est encore en état de fonctionner.

Mais où se trouve-t-il ? Il fait nuit totale. Le vent glacial souffle en rafale sur la campagne déserte. Charles-Auguste avale une gorgée de gin, dépose précautionneusement son flacon dans la poche de sa chemise de laine à carreaux, chasse la neige logée dans son cou et repart en direction du nord. Avançant, reculant, les spirales crissantes de sa souffleuse mordant à pleins crocs dans les monceaux de neige, il se fraye patiemment un chemin. Le froid pourtant se fait de plus en plus intense et notre héros malingre, frottant avec ses mitaines ses yeux à demi fermés par le frimas, commence à désespérer de son sort lorsque les phares de sa souffleuse éclairent un petit écriteau secoué par la bourrasque sur lequel il parvient à lire : CAP-AUX-OS[1]§. « Tabanak de vieille oreille de bœu ! marmonne-t-il, me voilà rendu dans le fin fond de la Gaspésie§ ! »

Puis il aperçoit aux abords du village une maison en pierres des champs dont toutes les fenêtres rutilent de lumière. Il stoppe sa machine, frappe à la porte. Un homme un peu ivre, la tête coiffée d'un bonnet de papier rouge, vient lui ouvrir : « Entrez donc, entrez, c'est fête à soir, tirez-vous une chaise, vous êtes notre invité, dégraillez-vous*, faites comme chez vous. »

À l'intérieur, une foule de jeunes gens dansent des sets[2]. Tout le monde crie, rit, lance des serpentins de couleurs, les petits verres de whisky circulent à la ronde et Charles-Auguste, ahuri par tout ce bruit, doit s'appuyer au chambranle pour ne pas s'effondrer sur le plancher. L'hôte, le soutenant sous les bras, l'entraîne près du poêle à bois.

— C'est Jovial Latulipe, mon nom. Je sais pas d'où c'est que vous sortez, mais vous avez l'air d'un habitant comme nous autres, ça fait que vous êtes le bienvenu dans ma maison. À soir, c'est Mardi gras†,

---

1. Cap-aux-Os : village de pêcheurs de la Gaspésie. Il doit son nom au grand nombre d'ossements de baleines qui se trouvait sur ses berges.
2. *Sets* : danses, quadrilles ou danses carrées (anglicisme).

les jeunesses donnent une veillée. Faut ben les laisser se secouer les puces de temps en temps. I' ont besoin de pas perdre une danse d'ailleurs parce qu'à minuit sonnant, la fête va s'arrêter drette là, minuit sonnant, pas une seconde de plus, j'ai pas envie de m'attirer la punition du bon Dieu ; demain, c'est mercredi des Cendres†, p'is le long carême† qui commence… I' est déjà dix heures passées. Ça fait qu'i' leur reste pas deux heures pour fortiller[1]. Ça fait qu'i' lâchent la steam[2] à plein p'is que ça grouille en beau démon icitte à soir. I' leur reste pas deux heures parce qu'à minuit, comme je viens de vous dire, faut que tout arrête. À minuit sonnant, la fête arrête drette là. À minuit et une, c'est le carême p'is tout le monde fait pénitence… Mais en attendant, tout le monde s'amuse ! Ça swigne en beau démon. C'est beau à voir, hein, toutes ces jeunesses émoustillées ?… P'is vous, qu'est-cé qui vous amène dans nos parages ?

Charles-Auguste, content de se voir accueilli par une si joyeuse compagnie et rassuré à l'idée de se retrouver enfin avec des gens normaux, juge prudent de ne pas entreprendre le récit de ses aventures et se contente de dire qu'il se rend en visite chez quelqu'un de sa parenté. Puis, ramolli par la chaleur de la pièce, il demande à se reposer un moment dans une grande berceuse qu'on vient de lui offrir.

Il regarde danser les jeunes gens vêtus de leurs beaux costumes et sa pensée se reporte très loin dans le passé. C'est au cours d'une veillée comme celle-ci qu'il a rencontré Marguerite pour la première fois.

Il venait d'avoir vingt ans. Au temps des Fêtes, un ami l'avait emmené à une soirée dansante chez un habitant du rang Grand-Cœur, et cet habitant était le père de Marguerite. Dès que Charles-Auguste, mal à l'aise dans son col empesé comme un cheval dans un étroit licou[3], avait aperçu tournoyant dans sa longue robe blanche, souple soie de peuplier soulevée par le vent, la beauté de dix-huit ans, il s'était mis, selon son expression, à rougir comme une tomate. Et dès que Marguerite, ses cheveux blonds noués en chignon par un large ruban vert, s'était approchée pour lui offrir son sucre à la crème aux noix, elle s'était mise à rougir comme une pivoine.

---

1. Fortiller : frétiller, s'agiter vivement.
2. *Steam* : vapeur.
3. Licou : pièce de harnais que l'on attache autour du cou des bœufs et des chevaux.

Charles-Auguste à qui, depuis son entrée dans la maison de Jovial Latulipe, on n'a pas cessé de verser des petits verres de whisky, sent, à l'évocation de ce beau souvenir, ses yeux s'emplir de larmes. Pour faire viril, il se mouche ostensiblement dans son mouchoir à pois et en 70 profite pour s'éponger avec discrétion les cils. Puis il s'allume une pipe de tabac fort, mais, dès la première bouffée de fumée, il sursaute car le salon des Latulipe vient de se métamorphoser. À la place du phono sur lequel tournaient tantôt les disques de la famille Soucy tapent maintenant du pied deux violoneux accompagnés d'un gros 75 câleur[1] qui, la bedaine décorée d'une ceinture fléchée[2], marque le rythme en répétant : « Les femmes au milieu… Les hommes alentour… La passe des hommes… La passe des dames… Changez vos compagnies… La grande chaîne… P'is tout le monde swigne, p'is tout le monde danse… Swigne la baquèse dans le fond de la boîte à 80 bois ! » Les jeunes gens, maintenant vêtus à l'ancienne, tournoient par couples sur une musique de plus en plus endiablée. Attribuant à la chaleur du poêle et à l'alcool cette hallucination, Charles-Auguste entreprend de se lever pour aller prendre une bouffée d'air frais mais il reste figé sur place en apercevant, droit devant lui, au beau milieu 85 des danseurs, une jeune fille ravissante en qui il reconnaît immédiatement Marguerite âgée de dix-huit ans. Ses cheveux blonds remontés en chignon, les joues rougies par le plaisir, elle constitue visiblement le centre d'attraction de la soirée.

Charles-Auguste, ne comprenant rien à cette fantasmagorie mais 90 fou de bonheur à l'idée de retrouver sa femme dans toute la fleur de sa juvénilité, s'élance vers elle en criant : « Marguerite ! Marguerite ! », mais un bras fort l'arrête net. C'est Jovial Latulipe qui le force à reprendre place dans sa berceuse en disant : « Écoutez, le père, je pense que vous avez pris un petit coup de trop. On vous en veut pas parce 95 que c'est fête à soir. La belle fille qui est là, voyez-vous, c'est ma fille Rose, ma fille unique, la fierté de son père. À soir, est excitée comme c'est pas possible parce que la danse, pour elle, c'est une vraie folie.

1. Câleur : celui qui annonce les figures des danses folkloriques (québécisme).
2. Ceinture fléchée : ceinture tricotée aux couleurs vives et variées dont les dessins formés ressemblent à des pointes de flèches. Vêtement traditionnel des Canadiens français.

À' s'est pas arrêtée depuis le commencement. Quand ses cavaliers sont fatigués, al' en prend un autre p'is envoye donc. Ma grand' foi du bon Dieu, al' a le yable au corps, mais j'ai l'œil sur elle, l'enfant de nanane. Al' a beau me faire des sourires, a' m'aura pas par le sentiment. À minuit sonnant, la fête va s'arrêter. »

Charles-Auguste, marmonnant le nom de Marguerite, n'entend pas un mot de ce que raconte Jovial Latulipe. Il vient d'apercevoir sa femme à l'âge de dix-huit ans, cela signifie la fin de sa folle aventure en direction du Pôle et il ne lui reste plus qu'à rentrer à la maison en compagnie de Marguerite. « Tabanak de vieille oreille de bœu, personne icitte va m'empêcher de reprendre ma femme ! » crie-t-il et il parvient à se remettre debout.

Soudain, la porte s'ouvre comme par enchantement et tous s'arrêtent pour admirer le personnage qui vient d'entrer. Il s'agit d'un élégant jeune homme, grand, mince, portant une toque de fourrure blanche, des gants blancs et un long manteau également de fourrure blanche. On dirait l'Hiver ayant pris la forme d'un homme, paré de son plus lumineux frimas, et venant participer à la fête.

Frappé par la coupe parfaite de ses vêtements, Jovial Latulipe, murmurant : « Ça doit être un gars de la grand' ville pour être nippé comme ça. Personne ne le connaît par icitte mais c'est pas une raison pour le laisser dehors », se dirige vers l'inconnu, le mêle aux invités et la fête reprend avec un entrain décuplé.

Au bout de quelques minutes, personne ne s'étonne de voir le nouveau venu danser avec Rose dont les joues s'empourprent plus que jamais. Personne sauf la mère de Rose qui, assise à l'écart, un peu derrière le poêle à bois, surveille sa fille en égrenant son chapelet[†] et en se frappant régulièrement la poitrine. Intérieurement, elle en veut à son mari d'encourager par sa faiblesse la légèreté de sa fille. Et puis elle a bien remarqué, elle, que l'étranger n'enlève jamais ses gants de velours blanc. À un certain moment, elle parvient même à mêler quelques gouttes d'eau bénite au whisky que Jovial offre au cavalier blanc et elle le voit faire une singulière grimace en l'avalant.

Charles-Auguste, lui, retenu par deux costauds, a dû se rasseoir pour de bon dans la berceuse. D'ailleurs, la musique des violoneux maintenant soulève les couples avec une telle rapidité que notre

habitant* n'arrive plus à rien distinguer de bien précis dans ce tour-
135 noiement coloré.

Quant à Jovial Latulipe, fortement éméché, le bonnet de papier rouge sur le derrière de la tête, il pousse une stepette – sa fille a de qui tenir – pour le plus grand amusement des jeunes qui, réunis alentour, frappent en cadence dans leurs mains et le stimulent de leurs
140 cris et de leurs rires. La gigue* du bonhomme est à son meilleur lorsque retentit brusquement à l'horloge grand-père le premier coup de minuit. Jovial s'arrête, éberlué. Aussitôt, Rose quitte le cavalier blanc pour se suspendre au cou de son père : « I' est rien qu'onze heures, popa, i' est rien qu'onze heures, laisse-nous danser, rien
145 qu'une petite danse, o.k. ? rien qu'une petite danse pas plus grosse que mon petit doigt... » Et elle lui chatouille le bout du nez avec l'ongle de son auriculaire. Le bonhomme réplique, mi-sévère, mi-rigolant : « Écoute, ma fille, je commence à avoir les yeux pas mal embrouillés, je vois plus jusqu'à l'horloge. Si tu me dis qu'i' est onze heures je veux
150 ben te croire, mais si c'est une menterie que tu me fais là, je vas me fâcher noir... Allons-y pour une petite dernière danse mais c'est la dernière des dernières, c'est ton père qui le dit ! »

Jovial n'a même pas fini sa tirade que déjà Rose valse dans les bras du bel inconnu blanc. Les violoneux d'ailleurs ont repris avec tant
155 d'excitation que personne n'arrive plus à suivre le rythme. Personne sauf Rose et l'étranger qui tournoient au centre du salon comme deux flocons de neige emportés par la plus folle des poudreries.

Brusquement, au douzième coup de minuit, l'assemblée entière pousse un cri de terreur. Les aiguilles de l'horloge se transforment en
160 deux os et le bel étranger, enlevant ses gants et son costume d'apparat, se révèle être l'horrible squelette de la Mort. Rose tente d'échapper à son étreinte mais le squelette la presse ferme contre son thorax creux. Dans un grand éclat de rire, emportant la jeune fille par la taille, il bondit par la fenêtre, retombe dans le traîneau qui l'attend dehors et
165 part à la fine épouvante tiré par un cheval d'ossements.

La mère, après s'être signée de la croix et avoir agité une petite branche de buis trempée dans l'eau bénite, tombe en pâmoison. Jovial, en manches de chemise, sort sur le perron et appelle au secours. Il court jusqu'au presbytère, éveille le curé qui le sermonne

170 sur sa négligence. Le curé enfile son manteau de chat sauvage*, saute dans son traîneau, s'élance à la poursuite du ravisseur. À force de fouetter sa jument, il parvient à brève distance des fuyards et, faisant tournoyer en l'air son étole comme un cow-boy son lasso, il tente mais en vain d'attraper par le cou le cavalier d'os. Le traîneau de la 175 Mort, en effet, quittant le sol, se met à s'élever dans la nuit et monte, monte vers les étoiles.

Charles-Auguste, lui, reconnaissant dans le danseur maudit le Géant du Nord qu'il s'acharne précisément à retrouver, se précipite vers son tracteur qu'à cause de son ivresse il n'arrive pas à remettre en 180 marche. Il appelle Beaupré, Ti-Louis Descôteaux, la Corriveau et même les gars damnés de la Chasse-Galerie* mais personne ne vient à sa rescousse. Il reste là, bras ballants, parmi les autres. Le curé, revenu près de la maison, répète : « Il faut se résigner. Tout est poussière. Je viendrai comme un voleur, a dit le Seigneur… »

185 — Tabanak de vieille oreille de poussière, m'as t'en faire un résigné, moé ! grommelle Charles-Auguste qui se surprend à contester ouvertement les édits de la religion.

Mais, malgré sa déception d'avoir perdu aussi bêtement sa femme pour la seconde fois, il reste là, impuissant, tandis que très haut dans 190 le ciel la pleine lune, s'ouvrant, porte énorme, devant le traîneau fantôme, laisse passer la Mort et sa captive puis se referme en grinçant derrière eux comme la porte ronde d'un donjon.

Le Loup-garou, illustration tirée du livre
Légendes laurentiennes de François Crusson.

Le loup-garou

LE LOUP-GAROU

CONTE – 1892

PREMIÈRE PARUTION : dans le journal *La Patrie* du 16 janvier 1892.

ŒUVRES CHOISIES :
Jeanne la fileuse. Épisode de l'émigration franco-canadienne aux États-Unis (1878)
La Chasse-galerie, légendes canadiennes (1900)

Honoré Beaugrand
1848-1906

TRADITION

L'ANTAGONISME entre la ville et la campagne constitue un préambule important pour ce conte de Beaugrand. Le père Brindamour affiche ouvertement son mépris devant l'ignorance des citadins par rapport aux croyances des « habitants ». L'emportement du vieux conteur est provoqué par le fait que son interlocuteur allie à une jeunesse présomptueuse une érudition (il est étudiant en droit) qui menace directement la sauvegarde de la tradition. De plus, Beaugrand situe le rituel du conteur dans un cadre inhabituel : une soirée électorale. Il s'agit d'un évènement tout à fait propice à la rencontre entre les croyances populaires des aînés et les esprits cartésiens des plus jeunes. Les deux histoires de loups-garous racontées par Pierriche Brindamour présentent des créatures particulièrement féroces, sans doute pour donner plus de mordant aux récits et impressionner efficacement ceux dont l'allégeance politique autant que l'incrédulité risquent de perdre.

~

PORTE-VOIX

On sent que M. Beaugrand écrit à la vapeur, comme il voyage ; et c'est peut-être là le principal charme de ses livres.

LOUIS FRÉCHETTE, *PRÉFACE* (1890)

Oui ! Vous êtes tous des fins-fins, les avocats de Montréal§, pour vous moquer des loups-garous. Il est vrai que le diable ne fait pas tant de cérémonies avec vous autres et qu'il est si sûr de son affaire, qu'il n'a pas besoin de vous faire courir* la prétentaine pour vous attraper par le chignon du cou, à l'heure qui lui conviendra.

— Voyons, père Brindamour, ne vous fâchez pas, et si vous avez vu des loups-garous, racontez-nous ça.

C'était pendant la dernière lutte électorale de Richelieu, entre Bruneau et Morgan[1], dans une salle du comité du Pot-au-beurre[2], en bas de Sorel§. Les cabaleurs[3] révisaient les listes et faisaient des cours d'économie politique aux badauds qui prétendaient s'intéresser à leurs arguments, pour attraper de temps en temps un p'tit coup de whisky blanc à la santé de monsieur Morgan.

Dans une salle basse, remplie de fumée, assis sur des bancs grossiers autour d'une table de bois de sapin brut, vingt-cinq à trente gaillards des alentours causaient politique sous la haute direction d'un étudiant en droit qui pontifiait, flanqué de quatre ou cinq exemplaires du Hansard[4] et des derniers livres bleus[5] des ministères d'Ottawa§.

Le père Pierriche Brindamour en était rendu au paroxysme d'un enthousiasme échevelé et criait comme un possédé :

— Hourrah pour monsieur Morgan ! et que le diable emporte tous les rouges[6] de Sorel ; c'est une bande de coureux de loup-garou.

Un éclat de rire formidable accueillit cette frasque du père Pierriche et comme on le savait bavard, à ses heures d'enthousiasme, on résolut de le faire causer.

— Des coureux de loup-garou ! Allons donc M. Brindamour, est-ce que vous croyez encore à ces blagues-là, dans le rang du Pot-au-beurre ?

1. Il s'agit du candidat conservateur, Edward Andrew D. Morgan, et du candidat libéral, Arthur-Aimé Bruneau, qui se sont disputé le titre de député de Richelieu lors de l'élection fédérale partielle du 11 janvier 1892.
2. Pot-au-beurre : nom d'un rang de Sorel qui fait face au Chenal-du-Moine, devenu mythique par les romans de Germaine Guèvremont (*Le Survenant*, *Marie-Didace*).
3. Cabaleurs : en période électorale, ce sont ceux qui font de la propagande à domicile pour engager les indécis à voter en faveur de leur candidat.
4. Hansard : procès-verbal des séances de la Chambre des Communes, à Ottawa. En français, *Journal des débats*.
5. Livres bleus : publications officielles du gouvernement fédéral.
6. Rouges : libéraux. Le rouge est la couleur traditionnelle des libéraux.

C'est alors que le vieillard riposta en s'attaquant au manque de vertu et d'orthodoxie des avocats en général et de ceux de Montréal en particulier.

— Ah ben oui ! vous êtes tous pareils, vous autres les avocats, et si je vous demandais seulement ce que c'est qu'un loup-garou, vous seriez ben en peine de me le dire. Quand je dis que tous les rouges* de Sorel courent* le loup-garou, c'est une manière de parler, car vous devriez savoir qu'il faut avoir passé sept ans sans aller à confesse† pour que le diable puisse s'emparer d'un homme et lui faire pousser du poil en dedans.

Je suppose que vous ne savez même pas qu'un homme qui court le loup-garou a la couenne comme une peau de loup revirée à l'envers, avec le poil en dedans. Un sauvage* de Saint-François[1] connaît ça, mais un avocat de Montréal, ça peut bavasser sur la politique, mais en dehors de ça, faut pas lui demander grand-chose sur les choses sérieuses et sur ce qui concerne les habitants*.

— C'est vrai, répondirent quelques farceurs qui se rangeaient avec le père Pierriche contre l'avocat en herbe.

— Oui ! tout ça, c'est très bien, riposta l'étudiant dans le but de pousser Pierriche à bout, mais ça n'est pas une véritable histoire de loup-garou. En avez-vous jamais vu, vous, un loup-garou, M. Brindamour ? C'est cela que je voudrais savoir.

— Oui, j'en ai vu un loup-garou, pas un seul, mais vingt-cinq, et si je vous rencontrais seulement sur le bord d'un fossé, dans une talle de hart-rouge[2] après neuf heures du soir, je gagerais que vous auriez le poil aussi long qu'un loup, vous qui parlez, car ça vous embêterait ben de me montrer votre billet de confession†. Le plus que ça pourrait être ce serait un mauvais billet de pâques de renard†. Ah ! on vous connaît les gens de Montréal. Faut pas venir nous pousser des pointes, parce que vous êtes plus éduqués que nous autres.

— Oui ! oui, tout ça, c'est bien beau mais c'est pour nous endormir que vous blaguez comme ça. Allez dire ça aux gens de

1. Saint-François : tout près de Sorel, à Saint-François-du-Lac, des Abénaquis ont fondé le village d'Odanak.
2. Hart-rouge : petit arbuste très répandu au Canada produisant de petits fruits ; la cornouille (cornouiller stolonifère).

Bruneau. Ce qu'il me faut à moi, c'est des preuves, et si vous savez une histoire de loup-garou, racontez-la, car on va finir par croire que vous n'en savez pas et que vous voulez vous moquer de nous autres.

— Oui-da ! oui. Eh ben j'en ai une histoire et je vas vous la conter, mais à une condition : vous allez nous faire servir un gallon de whisky d'élection pour que nous buvions à la santé de monsieur Morgan, notre candidat.

La proposition fut agréée et le p'tit lait électoral fut versé à la ronde, haussant d'un cran l'enthousiasme déjà surchauffé de cet auditoire désintéressé !

Et après avoir constaté qu'il ne restait plus une goutte de liquide au fond de la mesure d'un gallon qu'on avait placé sur une pile de littérature électorale, au beau milieu de la table, Pierriche Brindamour prit la parole.

* * *

— C'est pas pour un verre de whisky du gouvernement que je voudrais vous conter une menterie. Il me faudrait quelque chose de plus sérieux que ça que je me mette en conscience en temps d'élection. Les gros bonnets se vendent trop cher à Ottawa comme à Québec§, pour que les gens du comté de Sorel passent pour gâter les prix. Je vous dirai donc la vérité et rien que la vérité, comme on dit à la cour de Sorel quand on est appelé comme témoin. Pour des loups-garous, j'en ai vu assez pour faire un régiment, dans mon jeune temps, lorsque je naviguais l'été à bord des bateaux et que je faisais la pêche au petit poisson, l'hiver, aux chenaux des Trois-Rivières§ ; mais je vous le dirai bien que j'en ai jamais délivré. J'avais bien douze ou treize ans et j'étais *cook* à bord d'un chaland avec mon défunt père qui était capitaine. C'était le jour de la Toussaint† et nous montions de Québec avec une cargaison de charbon, par une grande brise de nord-est. Nous avions dépassé le lac Saint-Pierre§ et sur les huit heures du soir nous nous trouvions à la tête du lac. Il faisait noir comme le loup et il brumassait même un peu, ce qui nous empêchait de bien distinguer le phare de l'île de Grâce§. J'étais de vigie à l'avant et mon défunt père était à la barre. Vous savez que l'entrée du chenal n'est pas large et qu'il faut ouvrir l'œil pour ne pas s'échouer. Il faisait une bonne brise et nous avions pris notre perroquet et notre hunier, ce qui ne nous empêchait pas de monter grand train sur notre grande voile. Tout à coup le temps parut s'éclaircir et nous aperçûmes sur la rive de l'île de Grâce, que nous rasions en montant, un grand feu de sapinages autour duquel dansaient une vingtaine de possédés qui avaient des têtes et des queues de loup et dont les yeux brillaient comme des tisons. Des ricanements terribles arrivaient jusqu'à nous et on pouvait apercevoir vaguement le corps d'un homme couché par terre et que quelques maudits étaient en train de découper pour en faire un fricot*. C'était une ronde de loups-garous que le diable avait réunis pour leur faire boire du sang de chrétien et leur faire manger de la viande fraîche. Je courus à l'arrière pour attirer l'attention de mon défunt père et de Baptiste Lafleur, le matelot qui naviguait avec nous, mais qui n'était pas de quart à ce moment-là. Ils avaient déjà aperçu le pique-nique des loups-garous. Baptiste avait pris la barre et mon défunt père était en train de charger son fusil pour tirer sur les possédés qui continuaient à crier comme des perdus en sautant en rond autour du feu. Il fallait se dépêcher car le bateau filait bon train devant le nord-est.

— Vite ! Pierriche, vite ! donne-moi la branche de rameau bénit, qu'il y a à la tête de mon lit, dans la cabine. Tu trouveras aussi un trèfle à quatre feuilles dans un livre de prières, et puis prends deux balles et sauce-les dans l'eau bénite. Vite, dépêche-toi !

Je trouvai bien le rameau bénit, mais je ne pus remettre la main sur le trèfle à quatre feuilles et dans ma précipitation je renversai le petit bénitier sans pouvoir saucer les balles dedans.

Mon père pulvérisa le rameau sec entre ses doigts et s'en servit pour bourrer son fusil, mais je n'osai lui avouer que le trèfle à quatre feuilles n'était pas là et que les balles n'avaient pas été mouillées dans l'eau bénite. Il mit les deux balles dans le canon, fit un grand signe de croix et visa dans le tas de mécréants.

Le coup partit, mais c'est comme s'il avait chargé son fusil avec des pois et les loups-garous continuèrent à danser et à ricaner, en nous montrant du doigt.

— Les maudits ! dit mon défunt père, je vais essayer encore une fois.

130 Et il rechargea son fusil et en guise de balle il fourra son chapelet† dans le canon.

Et paf!

Cette fois le coup avait porté! Le feu s'éteignit sur la rive et les loups-garous s'enfuirent dans les bois en poussant des cris à faire 135 frémir un cabaleur* d'élections.

Les graines du chapelet les avaient évidemment rendus malades et les avaient dispersés, mais comme c'était un chapelet neuf qui n'avait pas encore été bénit, mon défunt père était d'opinion qu'il n'avait pas réussi à les délivrer et qu'ils iraient sans doute continuer leur sabbat* 140 sur un autre point de l'île.

Ce qui avait empêché le premier coup de porter, c'est que le fusil n'avait pas été bourré avec le trèfle à quatre feuilles et que les balles n'avaient pas été plongées dans l'eau bénite.

— Hein! qu'est-ce que vous dites de ça, M. l'avocat. J'en ai-t-y vu 145 des loups-garous? continua Pierriche Brindamour.

— Oui! L'histoire n'est pas mauvaise, mais je trouve que vous les avez vus un peu de loin et qu'il y a bien longtemps de ça. Si la chose s'était passée l'automne dernier, je croirais que ce sont les membres du Club de pêche de Phaneuf et de Joe Riendeau de Montréal que 150 vous avez aperçus sur l'île de Grâce en train de courir la galipotte. Vous avez dit vous-même que tous les rouges* étaient des coureux* de loup-garou et vous savez bien, M. Brindamour, qu'il n'y a pas de bleus[1] dans ce club-là!

—Ah! vous vous moquez de mon histoire et vous vous imaginez 155 sans doute que c'était en temps d'élection et que j'avais pris un coup de trop du whisky du candidat de ce temps-là. Eh bien! arrêtez un peu, je n'ai pas fini et j'en ai une autre que mon défunt père m'a racontée, ce soir-là, en montant à Montréal à bord de son bateau. C'est une histoire qui lui est arrivée à lui-même et je vous avertis 160 d'avance que je me fâcherai un peu sérieusement si vous faites seulement semblant d'en douter.

1. Bleus: conservateurs. Le bleu est la couleur traditionnelle des conservateurs.

Mon défunt père, dans son jeune temps, faisait la chasse avec les sauvages* de Saint-François* dans le haut du Saint-Maurice§ et dans le pays de la Matawan§. C'était un luron qui n'avait pas froid aux yeux et, entre nous, j'peux bien vous dire qu'il n'haïssait pas les sauvagesses. Le curé de la mission des Abénakis l'avait averti deux ou trois fois de bien prendre garde à lui, car les sauvages pourraient lui faire un mauvais parti, s'ils l'attrapaient à rôder autour de leurs cabanes. Mais les coureurs des bois* de ce temps-là ne craignaient pas grand-chose et, ma foi, vous autres, les godelureaux de Montréal, vous savez bien qu'il faut que jeunesse se passe. Mon défunt père était donc parti pour aller faire la chasse au castor, au rat musqué et au carcajou dans le haut du Saint-Maurice. Une fois rendu là, il avait campé avec les Abénakis, et sa cabane de sapinages était à peine couverte de neige qu'il avait déjà jeté l'œil sur une belle sauvagesse qui avait suivi son père à la chasse. C'était une belle fille, une belle ! mais elle passait pour être sorcière dans la tribu et elle se faisait craindre de tous les chasseurs qui n'osaient l'approcher. Mon défunt père qui était un brave se piqua au jeu et, comme il parlait couramment sauvage, il commença à conter fleurette à la sauvagesse. Le père de la belle faisait des absences de deux ou trois jours pour aller tendre ses pièges et ses attrapes, et pendant ce temps-là, les choses allaient rondement. Il faut vous dire que la sauvagesse était une v'limeuse de payenne qui n'allait jamais à l'église de Saint-François et on prétendait même qu'elle n'avait jamais été baptisée. Pas besoin de vous dire tout au long comment les choses se passèrent, mais mon défunt père finit par obtenir un rendez-vous, à quelques arpents[1] du camp, sur le coup de minuit d'un dimanche au soir.

Il trouva bien l'heure un peu singulière et le jour un peu suspect, mais quand on est amoureux on passe par-dessus bien des choses. Il se rendit donc à l'endroit désigné avant l'heure et il fumait tranquillement sa pipe pour prendre patience, lorsqu'il entendit du bruit dans la fardoche[2]. Il s'imagina que c'était sa sauvagesse qui s'approchait, mais il changea bientôt d'idée en apercevant deux yeux qui brillaient

1. Arpents : mesure de longueur équivalant à près de 60 mètres.
2. La fardoche : les broussailles.

195 comme des fi-follets[1] et qui le fixaient d'une manière étrange. Il crut d'abord que c'était un chat sauvage* ou un carcajou, et il eut juste le temps d'épauler son fusil qu'il ne quittait jamais et d'envoyer une balle entre les deux yeux de l'animal qui s'avançait en rampant dans la neige et sous les broussailles. Mais il avait manqué son coup et, 200 avant qu'il eut le temps de se garer, la bête était sur lui, dressée sur ses pattes de derrière et tâchant de l'entourer avec ses pattes de devant. C'était un loup, mais un loup immense, comme mon défunt père n'en avait jamais vu. Il sortit son couteau de chasse et l'idée lui vint qu'il avait affaire à un loup-garou. Il savait que la seule manière de se 205 débarrasser de ces maudites bêtes-là, c'était de leur tirer du sang en leur faisant une blessure, dans le front, en forme de croix. C'est ce qu'il tenta de faire, mais le loup-garou se défendait comme un damné qu'il était, et mon défunt père essaya vainement de lui plonger son couteau dans le corps, puisqu'il ne pouvait pas parvenir à le délivrer. 210 Mais la pointe du couteau pliait chaque fois comme s'il eut frappé dans un côté de cuir à semelle. La lutte se prolongeait et devenait terrible et dangereuse. Le loup-garou déchirait les flancs de mon défunt père avec ses longues griffes lorsque celui-ci, d'un coup de son couteau qui coupait comme un rasoir, réussit à lui enlever une patte de 215 devant. La bête poussa un hurlement qui ressemblait au cri d'une femme qu'on égorge et disparut dans la forêt. Mon défunt père n'osa pas la poursuivre, mais il mit la patte dans son sac et rentra au camp pour panser ses blessures qui, bien que douloureuses, ne présentaient cependant aucun danger. Le lendemain, lorsqu'il s'informa de la sau- 220 vagesse, il apprit qu'elle était partie pendant la nuit, avec son père, et personne ne connaissait la route qu'ils avaient prise. Mais jugez de l'étonnement de mon défunt père lorsqu'en fouillant dans son sac pour y chercher une patte de loup, il y trouva une main de sauvagesse, coupée juste au-dessus du poignet. C'était tout bonnement la main de 225 la coquine qui s'était transformée en loup-garou pour boire son sang et l'envoyer chez le diable sans lui donner seulement le temps de faire un acte de contrition†. Mon père ne parla pas de la chose aux sauvages

1. Fi-follets : feux follets. Petites flammes bleuâtres incarnant les âmes des damnés.

du camp, mais son premier soin, en descendant à Saint-François*, le printemps suivant, fut de s'informer de la sauvagesse* qui était 230 revenue au village, prétendant avoir perdu la main droite dans un piège à carcajou. La scélérate était disparue et courait* probablement le farfadet parmi les renégats de sa tribu.

— Voilà mon histoire, monsieur l'incrédule, termina le père Pierriche, et je vous assure qu'elle est diablement plus vraie que tout 235 ce que vous venez nous raconter à propos de Lector Langevin[1], de monsieur Morgan et de p'tit Baptiste Guévremont[2]. Tâchez seulement de vous délivrer de Bruneau comme mon défunt père s'était délivré de la sauvagesse, mais, s'il faut en croire Baptiste Rouillard qui cabale de l'autre côté, j'ai bien peur que les rouges* nous fassent tous 240 courir le loup-garou, le soir de l'élection[3]. En attendant prenons un aut' coup à la santé de notre candidat et allons nous coucher, chacun chez nous.

1. Lector Langevin : Hector Langevin (1826-1906), chef du Parti conservateur du Canada.
2. Baptiste Guévremont : Jean-Baptiste Guévremont (1826-1896), député de Richelieu (1854-1858), sénateur puis maire de Sorel à partir de 1891.
3. C'est effectivement Bruneau, le candidat libéral, qui remporte l'élection à 1661 voix contre 1589. Wilfrid Laurier est, à cette époque, le chef du Parti libéral du Canada.

LE LOUP-GAROU

CONTE – 1900

PREMIÈRE PARUTION :
L'Almanach du peuple, Montréal, Beauchemin, 1900.

ŒUVRES CHOISIES :
Les Fleurs boréales (1879)
Papineau, drame historique (1880)
Le Drapeau fantôme (1884)

Louis Fréchette
1839-1908

TRADITION

LOUIS FRÉCHETTE aurait sans nul doute été fort étonné d'apprendre que ses contes allaient lui permettre d'accéder au rang des écrivains qui ont marqué la littérature canadienne-française. Grand admirateur de Victor Hugo, il croyait que son travail de poète et de dramaturge était davantage destiné à pérenniser son œuvre. Né à Lévis au sein d'une famille dont plusieurs membres étaient de bons conteurs, Fréchette a grandi dans une maison tout près de chantiers où bûcherons et voyageurs colportaient des histoires propres à éveiller chez lui le goût du merveilleux. *Le Loup-garou* est un exemple dans lequel il s'inspire des croyances populaires tout en profitant de la forte demande des journaux de l'époque pour les contes de Noël, mode lancée par Charles Dickens avec la parution de son recueil *A Christmas Carol.*

~

PORTE-VOIX

On peut écrire que, disciple et en un sens successeur de Crémazie, il a, chez nous, surtout après son succès à l'Académie française le 5 août 1880, pendant plus d'un quart de siècle, porté le sceptre dans notre petit monde des lettres françaises au Canada.

ABBÉ AUCLAIR, *FIGURES CANADIENNES* (1933)

Avez-vous entendu dire que la belle Mérance à Claude Couture était pour se marier, vous autres ?

Non.

— Eh ben, oui ; y paraît qu'a va publier[1] la semaine qui vient.

5 — Avec qui ?

— Devinez.

— C'est pas aisé à deviner ; elle a une vingtaine de cavaliers autour d'elle tous les dimanches que le bon Dieu amène.

— Avec Baptiste Octeau, je gage !

10 — Non.

— Damase Lapointe ?

— Vous y êtes pas… Tenez, vaut autant vous le dire tout de suite : a se marie avec le capitaine Gosselin de Saint-Nicolas§.

— Avec le capitaine Gosselin de Saint-Nicolas ?

15 — Juste !

— Jamais je vous crairai !

— A va prendre ce mécréant-là ?

— Ah ! mais, c'est qu'il a de quoi, voyez-vous. Il lui a fait présent d'une belle épinglette d'or, avec une bague en diamant ; et la belle 20 Mérance haït pas ça, j'vous l'dis !

— C'est égal : y serait ben riche fondé, propriétaire de toutes les terres de la paroisse, que je le prendrais pas, moi.

— Ni moi : un homme qu'a pas plus de religion…

— Qui fait pas ses pâques† depuis une citée de temps[2]…

25 — Qu'on voit jamais à l'église…

— Ni à confesse†…

— Qui courra* le loup-garou un de ces jours, certain !

— Si tu disais une de ces nuits…

— Dame, quand il aura été sept ans sans recevoir l'absolution…

30 — Pauvre Mérance, je la plains !

— C'est pas drôle d'avoir un mari qui se vire en bête tous les soirs pour aller faire le ravaud le long des chemins, dans les bois, on sait pas où. J'aimerais autant avoir affaire au démon tout de suite.

1. Publier : publier les bans, c'est-à-dire annoncer solennellement un futur mariage à l'église.
2. Une citée de temps : très longtemps (québécisme).

— C'est vrai qu'on peut le délivrer…

35 — Comment ça?

— En le blessant, donc: en y piquant le front, en y coupant une oreille, le nez, la queue, n'importe quoi, avec quèque chose de tranchant, de pointu: pourvu qu'on fasse sortir du sang, c'est le principal.

— Et la bête se revire en homme?

40 — Tout de suite.

— Eh ben, merci! j'aime mieux un mari plus pauvre, mais qu'on soye pas obligé de saigner.

— C'est comme moi! s'écrièrent ensemble toutes les fillettes.

— Vous croyez à ces blagues-là, vous autres? fit une voix; bandes 45 de folles!

La conversation qui précède avait lieu chez un vieux fermier de Saint-Antoine de Tilly§, où une quinzaine de jeunes gens du canton s'étaient réunis pour une « épluchette de blé d'Inde », après quoi on devait réveillonner avec des crêpes.

50 Comme on le voit, la compagnie était en train de découdre une bavette[1]: et, de fil en aiguille, c'est-à-dire de potin en cancan, les chassés-croisés du jabotage en étaient arrivés aux histoires de loups-garous.

Inutile d'ajouter que cette scène se passait il y a déjà bien des 55 années, car – fort heureusement – l'on ne s'arrête plus guère dans nos campagnes à ces vieilles superstitions et légendes du passé.

D'ailleurs, l'interruption lancée par le dernier des interlocuteurs prouve à l'évidence que, même à cette époque et parmi nos populations illettrées, ces traditions mystérieuses rencontraient déjà 60 des incrédules.

— Tout ça, c'est des contes à ma grand'mère! ajouta la même voix, en manière de réponse aux protestations provoquées de tous côtés par l'irrévérencieuse sortie.

— Ta, ta, ta!… Faut pas se moquer de sa grand'mère, mon petit! 65 fit une vieille qui, ne prenant point part à l'épluchette, manipulait silencieusement son tricot, à l'écart, près de l'âtre, dont les lueurs intermittentes éclairaient vaguement sa longue figure ridée.

1. Découdre une bavette: bavarder.

— Les vieux en savent plus long que les jeunes, ajouta-t-elle: et quand vous aurez fait le tour de mon jardin, vous serez pas si pressés que ça de traiter de fous ceux qui croient aux histoires de l'ancien temps.

— Vous croyez donc aux loups-garous, vous, mère Catherine? fit l'interrupteur avec un sourire goguenard sur les lèvres.

— Si vous aviez connu Joachim Crête comme je l'ai connu, répliqua la vieille, vous y crairiez ben vous autres étout, mes enfants.

— J'ai déjà entendu parler de c'te histoire de Joachim Crête, intervint un des assistants; contez-nous-la donc, mère Catherine.

— C'est pas de refus, fit celle-ci, en puisant une large prise au fond de sa tabatière de corne. Aussi ben, ça fait-y pas de mal aux jeunesses d'apprendre ce qui peut leux pendre au bout du nez pour ne pas respecter les choses saintes et se gausser des affaires qu'ils comprennent point. J'ai pour mon dire, mes enfants, qu'on n'est jamais trop craignant Dieu.

Malheureusement, le pauvre Joachim Crête l'était pas assez, lui, craignant Dieu.

C'est pas qu'il était un ben méchant homme, non; mais il était comme j'en connais encore de nos jours: y pensait au bon Dieu et à la religion quand il avait du temps de reste. Ça, ça porte personne en route.

Il aurait pas trigaudé un chat d'une cope, j'cré ben; y faisait son carême[†] et ses vendredis comme père et mère, à c'qu'on disait. Mais y se rendait à ses dévotions ben juste une fois par année; y faisait des clins d'yeux gouailleurs quand on parlait de la quête de l'Enfant-Jésus devant lui: et pi, dame, il aimait assez la goutte pour se coucher rond tous les samedis au soir, sans s'occuper si son moulin allait marcher sus le dimanche ou sus la semaine.

Parce qu'il faut vous dire, les enfants, que Joachim Crête avait un moulin, un moulin à farine, dans la concession de Beauséjour, sus la petite rivière qu'on appelle la Rigole.

C'était pas le moulin de Lachine[1], si vous voulez; c'était pas non plus un moulin de seigneurie; mais il allait tout de même, et moulait son grain de blé et d'orge tout comme un autre.

---

1. Moulin de Lachine: réputé pour sa productivité, car il desservait la ville de Montréal.

Il me semble de le voir encore, le petit moulin, tout à côté du chemin du roi[1]. Quand on marchait pour not' première communion, on manquait jamais d'y arrêter en passant, pour se reposer.

C'est là que j'ai connu le pauvre malheureux : un homme dans la quarantaine qu'haïssait pas à lutiner les fillettes, soit dit sans médisance.

Comme il était garçon[2], y s'était gréé une cambuse* dans son moulin, où c'qu'il vivait un peu comme un ours, avec un engagé du nom de Hubert Sauvageau, un individu qu'avait voyagé dans les Hauts[3], qu'avait été sus les cages[4], qu'avait couru* la prétentaine un peu de tout bord et de tout côté, où c'que c'était ben clair qu'il avait appris rien de bon.

Comment c'qu'il était venu s'échouer à Saint-Antoine après avoir roulé comme ça ? On l'a jamais su. Tout c'que je peux vous dire, c'est que si Joachim Crête était pas c'que y avait de plus dévotieux dans la paroisse, c'était pas son engagé qui pouvait y en remontrer sus les principes comme on dit.

L'individu avait pas plus de religion qu'un chien, sus vot' respèque. Jamais on voyait sa corporence à la messe ; jamais il ôtait son chapeau devant le Calvaire† ; c'est toute si y saluait le curé du bout des doigts quand y le rencontrait sus la route. Enfin, c'était un homme qu'était dans les langages, ben gros.

— De quoi c'que ça me fait tout ça ? disait Joachim Crête, quand on y en parlait ; c'est un bon travaillant qui chenique[5] pas sus l'ouvrage, qu'est fiable, qu'est sobre comme moi, qui mange pas plusse qu'un autre, et qui fait la partie de dames pour me désennuyer : j'en trouverais pas un autre pour faire mieux ma besogne quand même qu'y s'userait les genoux du matin au soir à faire le Chemin de la Croix†.

1. Chemin du roi : sous le Régime français, route principale qui longeait le fleuve Saint-Laurent entre Montréal et Québec. Aujourd'hui, nous la connaissons sous le nom de route 132 ou chemin du Roy.
2. Garçon : célibataire, vieux garçon.
3. Hauts : principales exploitations forestières de l'époque (chantiers de la Gatineau, de l'Outaouais et du Saint-Maurice).
4. Cages : nom donné à l'assemblage de billots et de madriers de bois qui, une fois attachés ensemble, forment un genre de radeau. Ces « trains de bois » facilitent le transport, par voie maritime, depuis le chantier jusqu'au port pour l'exportation.
5. Chenique : se dérobe.

130 Comme on le voit, Joachim Crête était un joueur de dames : et si quéqu'un avait jamais gagné une partie de polonaise avec lui, y avait personne dans la paroisse qui pouvait se vanter de y avoir vu faire queuque chose de pas propre sus le damier.

Mais faut craire aussi que le Sauvageau était pas loin de l'accoter, 135 parce que – surtout quand le meunier avait remonté de la ville dans la journée avec une cruche – ceux qui passaient le soir devant le moulin les entendaient crier à tue-tête chacun leux tour : — Dame ! — Mange ! — Soufflé ! — Franc-coin ! — Partie nulle !... Et ainsi de suite, que c'était comme une vraie rage d'ambition.

140 Mais arrivons à l'aventure que vous m'avez demandé de vous raconter.

Ce soir-là, c'était la veille de Noël†, et Joachim Crête était revenu de Québec§ pas mal lancé, et – faut pas demander ça – avec un beau stock de provisions dans le coffre de sa carriole* pour les fêtes.

145 La gaieté était dans le moulin.

Mon grand-oncle, le bonhomme José Corriveau, qu'avait une pochetée de grain à faire moudre, y était entré sus le soir, et avait dit à Joachim Crête :

— Tu viens à la messe de Mênuit[1] sans doute ?

150 Un petit éclat de rire sec y avait répondu. C'était Hubert Sauvageau qu'entrait, et qu'allait s'assire dans un coin, en allumant son bougon.

— On voira ça, on voira ça ! qu'y dit.

— Pas de blague, la jeunesse ! avait ajouté bonhomme Corriveau en sortant : la messe de Mênuit, ça doit pas se manquer, ça.

155 Puis il était parti, son fouet à la main.

— Ha ! ha ! ha !... avait ricané Sauvageau ; on va d'abord jouer une partie de dames, monsieur Joachim, c'pas ?

— Dix, si tu veux, mon vieux ; mais faut prendre un coup premièrement, avait répondu le meunier.

160 Et la ribote avait commencé.

1. Messe de Mênuit : messe de Noël traditionnellement à minuit, heure symbolique célébrant la naissance de Jésus, Fils de Dieu.

Quand ça vint sus les onze heures, un voisin, un nommé Vincent Dubé, cogna à la porte:

— Coute donc, Joachim, qu'y dit, si tu veux une place dans mon berlot[1] pour aller à la messe de Mênuit, gêne-toi pas: je suis tout seul 165 avec ma vieille.

— Merci, j'ai ma guevale*, répondit Joachim Crête.

— Vont'y nous ficher patience avec leux messe de Mênuit! s'écria le Sauvageau, quand la porte fut fermée.

— Prenons un coup! dit le meunier.

170 Et en avant la pintochade[2], avec le jeu de dames!

Les gens qui passaient en voiture* ou à pied se rendant à l'église se disaient:

— Tiens, le moulin de Joachim Crête marche encore: faut qu'il ait gros de farine à moudre.

175 — Je peux pas craire qu'il va travailler comme ça sus le saint jour de Noël.

— Il en est ben capable.

— Oui, surtout si son Sauvageau s'en mêle...

Ainsi de suite.

180 Et le moulin tournait toujours, la partie de dames s'arrêtait pas! et la brosse allait son train.

Une santé attendait pas l'autre.

Queuqu'un alla cogner à la fenêtre:

— Holà! vous autres; y s'en va mênuit. V'là le dernier coup de la 185 messe qui sonne. C'est pas ben chrétien c'que vous faites là.

Deux voix répondirent:

— Allez au sacre! et laissez-nous tranquilles!

Les derniers passants disparurent. Et le moulin marchait toujours.

Comme il faisait un beau temps sec, on entendait le tic-tac de loin; 190 et les bonnes gens faisaient le signe de la croix en s'éloignant.

Quoique l'église fût à ben proche d'une demi-lieue* du moulin, les sons de la cloche y arrivaient tout à clair.

1. Berlot: brelot. Voiture d'hiver, posée sur des patins et tirée par un ou deux chevaux.
2. Pintochade: soirée bien arrosée (de « pintocher », boire avec excès).

Quand il entendit le tinton, Joachim Crête eut comme une espèce de remords :

— V'là mênuit, qu'y dit, si on levait la vanne…

— Voyons, voyons, faites donc pas la poule mouillée, hein ! que dit le Sauvageau. Tenez, prenons un coup et après ça je vous fais gratter[1].

— Ah ! quant à ça, par exemple, t'es pas bletté pour[2], mon jeune homme !… Sers-toi, et à ta santé !

— À la vôtre, monsieur Joachim !

Ils n'avaient pas remis les tombleurs[3] sus la table que le dernier coup de cloche passait sus le moulin comme un soupir dans le vent.

Ça fut plus vite que la pensée… crac ! v'là le moulin arrêté net, comme si le tonnerre y avait cassé la mécanique. On aurait pu entendre marcher une souris.

— Quoi c'que ça veut dire, c'te affaire-là ? que s'écrie Joachim Crête.

— Queuques joueurs de tours, c'est sûr ! que fit l'engagé.

— Allons voir c'que y a, vite !

On allume un fanal, et v'là nos deux joueurs de dames partis en chambranlant du côté de la grand'roue. Mais ils eurent beau chercher et fureter dans tous les coins et racoins, tout était correct ; y avait rien de dérangé.

— Y a du sorcier là-dedans ! qu'y dirent en se grattant l'oreille.

Enfin, la machine fut remise en marche, on graissit les mouvements, et nos deux fêtards s'en revinrent en baraudant[4] reprendre leux partie de dames – en commençant par reprendre un coup d'abord, ce qui va sans dire.

— Salut, Hubert !

— C'est tant seulement, monsieur Joachim…

Mais les verres étaient à peine vidés que les deux se mirent à se regarder tout ébarouis. Y avait de quoi : ils étaient soûls comme des barriques d'abord, et puis le moulin était encore arrêté.

1. Je vous fais gratter : (au jeu de dames) je vous fais perdre la partie sans que vous n'ayez pu damer un seul pion.
2. Bletté pour : apte à (anglicisme).
3. Tombleurs : verres à bière (québécisme).
4. En baraudant : en marchant lentement tout en se balançant (québécisme).

— Faut que des maudits aient jeté des cailloux dans les mou-
225 langes[1], balbutia Joachim Crête.

— Je veux que le gripette[2] me torde le cou, baragouina l'engagé, si on trouve pas c'qu'en est, c'te fois-citte!

Et v'là nos deux ivrognes, le fanal à la main, à rôder tout partout dans le moulin, en butant pi en trébuchant sus tout c'qu'y rencontraient.
230 Va te faire fiche! y avait rien, ni dans les moulanges ni ailleurs.

On fit repartir la machine; mais ouichte, un demi-tour de roue, et pi crac!... Pas d'affaires: ça voulait pas aller.

— Que le diable emporte la boutique! vociféra Joachim Crête. Allons-nous-en!

235 Un juron de païen lui coupa la parole. Hubert Sauvageau, qui s'était accroché les jambes dans queuque chose, manquable[3], venait de s'élonger sus le pavé comme une bête morte.

Le fanal, qu'il avait dans la main, était éteindu mort comme de raison; de sorte qu'y faisait noir comme chez le loup: et Joachim
240 Crête, qu'avait pas trop à faire que de se piloter tout seul, s'inventionna[4] pas d'aller porter secours à son engagé.

— Que le pendard se débrouille comme y pourra! qu'y dit, moi j'vas prendre un coup.

Et, à la lueur de la chandelle qui reluisait de loin par la porte
245 ouverte, il réussit, de Dieu et de grâce, et après bien des zigzags, à se faufiler dans la cambuse*, où c'qu'il entra sans refermer la porte par derrière lui, à seule fin de donner une chance au Sauvageau d'en faire autant.

Quand il eut passé le seuil, y piqua tout dret sus la table où
250 c'qu'étaient les flacons, vous comprenez ben; et il était en frais de se verser une gobe en swignant sus ses hanches, lorsqu'il entendit derrière lui comme manière de gémissement.

— Bon, c'est toi? qu'y dit sans se revirer; arrive c'est le temps.

Pour toute réponse, il entendit une nouvelle plainte, un peu plus
255 forte que l'autre.

1. Moulanges: meules à moudre des céréales.
2. Gripette: Diable (orthographe variable).
3. Manquable: probablement, sans doute.
4. S'inventionna: s'avisa.

— Quoi c'que y a!… T'es-tu fait mal?… Viens prendre un coup, ça te remettra.

Mais bougez pas, personne venait ni répondait.

Joachim Crête, tout surpris, se revire en mettant son tombleur* sus 260 la table, et reste figé, les yeux grands comme des piastres françaises et les cheveux drets sus la tête.

C'était pas Hubert Sauvageau qu'il avait devant la face: c'était un grand chien noir, de la taille d'un homme, avec des crocs longs comme le doigt, assis sus son derrière, et qui le regardait avec des yeux 265 flamboyants comme des tisons.

Le meunier était pas d'un caractère absolument peureux: la première souleur[1] passée, il prit son courage à deux mains et appela Hubert:

— Qui c'qu'a fait entrer ce chien-là icitte?

270 Pas de réponse.

— Hubert! insista-t-il la bouche empâtée comme un homme qu'a trop mangé de cisagrappes, dis-moi donc d'où c'que d'sort ce chien-là!

Motte!

— Y a du morfil là-dedans! qu'y dit: marche te coucher, toi!

275 Le grand chien lâcha un petit grognement qui ressemblait à un éclat de rire, et grouilla pas.

Avec ça, pas plus d'Hubert que sus la main.

Joachim Crête était pas aux noces, vous vous imaginez. Y comprenait pas c'que ça voulait dire; et comme la peur commençait à le 280 reprendre, y fit mine de gagner du côté de la porte. Mais le chien n'eut qu'à tourner la tête avec ses yeux flambants, pour y barrer le chemin.

Pour lorsse, y se mit à manœuvrer de façon à se réfugier tout doucement et de raculons entre la table et la couchette, tout en perdant le chien de vue.

285 Celui-ci avança deux pas en faisant entendre le même grognement.

— Hubert! cria le pauvre homme sur un ton désespéré.

Le chien continua à foncer sus lui en se redressant sus ses pattes de derrière, et en le fisquant toujours avec ses yeux de braise.

1. Souleur: peur.

— À moi!... hurla Joachim Crête hors de lui, en s'acculant à
290 la muraille.

Personne ne répondit; mais au même instant, on entendit la cloche de l'église qui sonnait l'Élévation[1].

Alors une pensée de repentir traversa la cervelle du malheureux.

— C'est un loup-garou! s'écria-t-il, mon Dieu, pardonnez-moi!

295 Et il tomba à genoux.

En même temps l'horrible chien se précipitait sus lui.

Par bonheur, le pauvre meunier, en s'agenouillant, avait senti quèque chose derrière son dos, qui l'avait accroché par ses hardes.

C'était une faucille.

300 L'homme eut l'instinct de s'en emparer, et en frappa la brute à la tête.

Ce fut l'affaire d'un clin d'œil, comme vous pensez bien. La lutte d'un instant avait suffi pour renverser la table, et faire rouler les verres, les bouteilles et la chandelle sus le plancher. Tout disparut dans
305 la noirceur.

Joachim Crête avait perdu connaissance.

Quand il revint à lui, quéqu'un y jetait de l'eau frette au visage, en même temps qu'une voix ben connue y disait:

— Quoi c'que vous avez donc eu, monsieur Joachim?

310 — C'est toi, Hubert?

— Comme vous voyez.

— Où c'qu'il est?

— Qui?

— Le chien.

315 — Queu chien?

— Le loup-garou.

— Hein!...

— Le loup-garou que j'ai délivré avec ma faucille.

— Ah! ça, venez-vous fou, monsieur Joachim?

320 — J'ai pourtant pas rêvé ça... Pi toi, d'où c'que tu deviens?

1. L'Élévation: dans la célébration eucharistique, moment où le prêtre élève vers Dieu l'hostie et le vin, représentant le corps et le sang du Christ. À cet instant, des clochettes se font entendre pour souligner le caractère solennel du geste. Dans les grandes occasions, comme à Noël et à Pâques, on fait tinter les cloches de l'église.

Le Loup-garou (1900).
Henri Julien (1852-1908).

— Du moulin.
— Mais y marche à c'te heure, le moulin ?
— Vous l'entendez.
— Va l'arrêter tout de suite : faut pas qu'y marche sus le jour
325 de Noël.
— Mais il est passé le jour de Noël, c'était hier.
— Comment ?
— Oui, vous avez été deux jours sans connaissance.
— C'est-y bon Dieu possible ! Mais quoi c'que t'as donc à l'oreille,
330 toi ? du sang !
— C'est rien.
— Où c'que t'as pris ça ? Parle !
— Vous savez ben que j'ai timbé dans le moulin, la veille de Noël
au soir.
335 — Oui.
— Eh ben, j'me suis fendu l'oreille sus le bord d'un sieau.
Joachim Crête, mes enfants, se redressit sur son séant, hagard et
secoué par un frémissement d'épouvante :
— Ah ! malheureux des malheureux ! s'écria-t-il ; c'était toi !…
340 Et le pauvre homme retomba sus son oreiller avec un cri de fou.
Il est mort dix ans après, sans avoir retrouvé sa raison.
Quant au moulin, la débâcle du printemps l'avait emporté.

UNE HISTOIRE DE LOUP-GAROU

CONTE (EXTRAIT) – 1899

PREMIÈRE PARUTION : dans *La Presse* du 15 février 1899.

ŒUVRES CHOISIES :
Les Boules de neige (1935)
La Revanche de Maria Chapdelaine (1938)
Au pays de Québec. Contes et images (1945)

Louvigny de Montigny
1876-1955

TRADITION

NON SEULEMENT Louvigny de Montigny fréquente les jeunes poètes de son temps, mais il les reçoit chez lui. À 19 ans, il fonde avec un ami l'École littéraire de Montréal, ensuite reconnue pour les déclamations poétiques d'un jeune prodige, Émile Nelligan. Sa propre œuvre, constituée d'essais, de théâtre et de contes, sera diffusée et récompensée autant au Canada qu'en France. D'ailleurs, son constant souci de représenter fidèlement la langue québécoise dans ses œuvres lui vaudra quelques critiques acerbes, soulevant déjà un débat sur la place du français populaire dans la littérature, et ce, bien avant le scandale des *Belles-Sœurs* de Michel Tremblay en 1968. L'extrait qui suit en témoigne bien. Avec une langue crue et imagée, il relate les mésaventures d'un homme qui doit se réfugier dans un chantier lors d'une nuit de tempête.

~

PORTE-VOIX

Louvigny de Montigny, ce gai dilettante qui a toujours eu le tempérament d'un Mécène avec la bourse d'un Diogène, les [futurs membres de l'École littéraire de Montréal] réunissait chez lui et était par son entrain l'âme de leurs ébats.

LOUIS DANTIN, *ÉMILE NELLIGAN ET SON ŒUVRE* (1925)

Toujours qu'pour lorse j'gagne l'vieux chanquier[1], qui avait été abandonné l'printemps d'avant, pour passer la nuit à l'abri, ou tant seulement me r'niper[2] un p'tit brin et attendre qu'la pluie soit passée. Mais vous savez si c'est d'meure, ces pluies d'hiver : quand ça commence, ça finit pus.

J'fume trois, quatre pipes en faisant sécher mes hardes contre la cambuse* ousque j'avais allumé une bonne attisée après avoir eu une misère de cheval maigre pour trouver des écopeaux sèches. Et comme j'étais à moquié mort d'éreintement et que j'cognais des clous d'six pouces et demi, j'me résine donc, en sacraillant ben un peu, à passer la nuit dans un chanquier.

J'accote la porte avec une bonne bûche, j'étends quéques branches de cèdre su l'bed qu'les hommes du chanquier avaient laissé correct, j'plie mon capot* d'sus, j'snob mon fusil à la tête, et dors garçon !…

Ben sûr plusieurs heures plus tard, – parce que l'feu était éteindu, – mon chien Boulé, qui s'était couché avec moué, m'réveille en grognant… J'écoute et ça rôdait autour du chanquier. J'entendais rouler les quarts[3] vides qui avaient été laissés là par les raftmen[4], comme si quéque finfin avait essayé d'faire des belles gestes avec… Et pis les marchements s'approchent, et tout au ras d'la porte, j'entends un tas de r'niflages avec des grognements d'ours. J'compte ben qu'c'est pas la peine d'vous dire si i' faisait noir, en grand, dans not' sacrée cabane pas d'feu, par c'te nuit mouillée.

J'me dis : C'est drôle qu'un ours ait sorti de sa ouache[5] de c'temps-cite ; mais l'crapet a p't'être ben cru que c'était l'printemps, rapport à la pluie, et fatigué de se licher la patte, i' aurait aussi ben voulu recommencer à manger pour tout de bon. Toujours que j'm'assis su l'bed, j'décroche mon tisonnier, j'y rentre deux balles par-dessus la charge de posses qu'i avait déjà et j'me dis qu'si l'vingueux venait roffer trop proche, j'y vrillerais un pruneau qui y ferait changer les idées.

1. Chanquier : chantier (québécisme).
2. R'niper : de « renipper », améliorer sa situation, se remettre en état (québécisme).
3. Quarts : bidons.
4. *Raftmen* : draveurs ou « cageurs », ouvriers surveillant la descente des cages, du chantier jusqu'au port de livraison (anglicisme).
5. Ouache : tanière, abri hivernal de l'ours et d'autres animaux (mot algonquin).

J'me disais : J'voué rien, c'est ben clair, mais si l'ours rentre dans l'chanquier* ousqu'i' sent son pareil et pis l'chevreux mort, i' pourra pas faire autrement que d'faire canter[1] la porte et j'watcherai l'moment d'le garrocher.

Ben, j'avais pas aussitôt dit ça qu'l'animal était entré dans la cabane sans qu'la porte eusse canté d'une ligne.

Ça bite le iable ![2] que j'dis. Et j'étais ben sûr qu'i' était rentré, par c'qu'i marchait en faisant craquer l'plancher comme si un animal de deux cents se s'rait promené su' l'side walk…

La peur, ça m'connaît pas, mais j'vous persuade qu'j'aurais une tapée mieux aimé m'voir à danser quelque rigodon d'Mardi gras† et à passer la diche[3] avec mes voisins du lac Long.

Pis, c'était d'voir mon Boulé ; lui qu'i' aurait pas kické d's'engueuler avec un cocodrile enragé, le v'là qui s'racotille, qui s'colle su moué, la queue entour les jambes, et si débiscaillé qu'i' devait pus avoir formance de chien en toute.

J'le poigne pour tâcher d'le sacrer en bas, d'le soukser, pas d'affaire. I' s'grippe après moué, et s'met à siller comme un chien qu'i' aurait attrapé l'aspe[4] et qu'i' aurait senti sa mort.

Tandis c'temps-là, l'animal qui tournaillait dans la place nous avait aperçus, et j'me trouve tout d'un coup face à face avec une paire de z'yeux d'flammes, qui remuaient, tenez, pareils à des trous d'feu dans une couverte de laine ; c'était pas des yeux d'ours, c'est moué qui vous l'dis. Le v'là qui s'met à grogner, pis à rire, pis à brailler, pis à s'rouler su' l'dos, à planter l'chêne[5], à swingner qui timbe dans son jack[6]. I' achevait pus d'culbuter, l'maudit.

Débarque donc, véreux d'chien, que j'dis à Boulé. Mais i' était collé au bed, i' tremblait comme une feuille avec pus une coppe de cœur…

Vous pensez qu'j'étais pas gros, moué non plus, avec c'te gibier dans c'te noirceur d'enfer… J'avais les cheveux dret su' la tête ; l'eau

1. Canter : pencher, incliner (québécisme).
2. Ça bite le iable ! : Que le Diable l'emporte !
3. Passer la diche : faire la fête (de l'anglais *dish*, « assiette »).
4. Aspe : asthme.
5. Planter l'chêne : se tenir debout sur la tête.
6. Timbe dans son jack : fait le bouffon.

m'coulait dans l'dos et même que j'me tenais la gueule pour empêcher mes dents d'faire du train…

À la fin, y'a un sacré boute, que j'dis. J'griffe mon fusil et j'vise l'animal dans ses yeux de feu: V'lan! L'coup part pas… Ah ben, ça y
65 est, c'est l'iable qui nous a ensorcelés. Mais avant d'me laisser emporter tout rond par le gripet*, j'voulais au moins essayer l'aut'coup, et pour pas l'manquer, j'attends que l'animal arrive au ras moué.

Comme si i' avait diviné mon idée, le v'là qui arrive aussitôt… Ah! mon blasphème! que j'dis, puisque t'en veux, poigne-le. Et, mes
70 vieux, c'coup-là partit en faisant un éclair qui m'fit voir une bête effrayante avec un corps d'ours, une grande queue et haut su pattes comme un veau.

Mais aussitôt l'éclair passé, v'la-t-i pas que j'entends appeler mon nom, oui: Jos. Noël! Jos. Noël! et par une voix que j'connaissais
75 d'puis des années, par Ti-Toine Tourteau.

Là, j'vous l'dis, j'ai eu peur, un peu croche. Et, ma foi d'gueux! j'aurais aimé mieux m'voir entouré d'une gang de chats tigrés en furie que d'me savoir face à face avec c'pendard, c'vendu au mistigris [1], c't'étripeur d'poules noires [2], c'te chasseur de galeries*… c'te tout
80 c'que vous voudrez d'maudit. On rencontre pas des églises à tous les pas dans l'bois et pis on n'a pas toujours le temps d'faire ses dévotions *all right*; mais j'vous dis que c'pendard-là nous escandalisait tous et qu'pas un chrétien voulait y parler sans avoir quéque médaille bénite dans l'gousset [3]: un sacreur qui faisait lever les poêles… c'est
85 bien simple, un sorcier qui méritait d'être cruxifié su' un poteau de télégraphe.

C'était lui, l'possédé, qui m'parlait, sûr comme vous êtes là, avec un' voix d'mourant:

— Tu m'as tué, Jos. Noël, tu m'as tué, mon Dieu, mon Dieu.
90 Pardon…

---

1. Vendu au mistigris: vendu au Diable, en référence aux chats en furie qui agissent comme des possédés.
2. Étripeur d'poules noires: voir la section thématique sur le Diable, p. 240.
3. Gousset: petite poche dans un gilet ou un veston.

— Hein, c't'y toué, Ti-Toine, c't'y toué ? qu' j'y criais quasiment plus mort que lui. Mais lève-toi donc, animal, es-tu mort ?… Batème ! réponds donc ; as-tu envie que l'iable m'emporte avec toué ?

I' continuait à s'lamenter :

— J'vas mourir, j'vas mourir.

— Torrieux d'sarpent, veux-tu m'faire mourir de peur ? Réponds donc une bonne fois. C't'y toué, Ti-Toine Tourteau ?

— Oui,… oui,… tu m'as tué,… j'vas mourir.

— Ous tu d'viens ?…

I' répondait pus, mais j'l'entendais qui gigotait comme un croxignole[1] dans la graisse bouillante.

J'ai p't'-être ben rêvé, que j'me dis, en fin d'compte ; l'gars est p't'être ben malade ; ça s'peut ben que j'me trouve chez lui… Quoi penser dans un ravau pareil ? J'essaye d'allumer une allumette, mais i' s'cassaient à mesure que j'les frottais su' l'mur.

Ah ben, y'a des sacrées imites, que j'dis. J'saute en bas du lite pour voir si c'était du lard ou du cochon, mais v'là que j'timbre su' un corps étendu cont' la cambuse*. Des grands doigts fretes comme d'la glace m'attrapent le poignet et me mettent la main dans une mare chaude et collante comme du sang.

— Tu m'as tué, soupirait-il encore, tu m'as tué… Fallait inque m'égratigner… une goutte de sang.

Ah ! sainte bénite ! j'me rappelle tout d'un coup qu'on délivre les loups-garous en les grafignant, en leur faisant sortir une goutte de sang, et j'y d'mande ben vite :

— T'es-tu loup-garou ?

I' répétait :

— Tu m'as trop fait mal, tu m'as tué… oui, j'sus loup-garou…

C'est tout c'que j'ai entendu parce que je revins à moué inque le sourlendemain, ou plutôt le lendemain, puisque c'ravau-là s'était passé l'mercredi des Cendres†. Depuis sept ans que c'pendard de Tourteau faisait pas ses pâques†, i' avait viré en loup-garou à la première heure du huitième carême† qui i' allait encore commencer comme un chien.

1. Un croxignole : une pâtisserie.

HÉCATE À LA GUEULE SANGLANTE

NOUVELLE (EXTRAIT) – 1981

PREMIÈRE PARUTION : dans *Antarès*, nº 1, mars 1981.

ŒUVRES CHOISIES :
Le Cercle de Khaleb (1991)
Chronoreg (1992)
La Suite du temps (2004-2006)

Daniel Sernine
NÉ EN 1955

MODERNITÉ

AUTEUR DE LITTÉRATURE fantastique et de science-fiction réputé également en littérature jeunesse, Daniel Sernine a été maintes fois récompensé pour la qualité de son œuvre, et ce, dans toute la francophonie. S'inspirant des auteurs fantastiques du XIXe siècle – Théophile Gautier, Guy de Maupassant, Edgar Allan Poe –, Sernine situe son histoire de loup-garou dans une ville fictive de la Nouvelle-France, Granverger. Ignorant son hybridité, Louis Leroux se sait pourtant le fils d'un incube. Fraîchement arrivé dans son village natal, il est tout de même considéré comme un étranger. Coïncidence alarmante : une bête énorme sévit dans les environs, dévorant animaux et reluquant enfants. L'extrait qui suit dévoile un visage presque *vampiresque* du loup-garou québécois contemporain. Et il est bien loin de celui de Beaugrand, de Fréchette ou de Montigny…

~

PORTE-VOIX

Comme dans le conte folklorique, les héros de Sernine apprennent qu'il est dangereux de fréquenter chez le diable même, et surtout lorsque ce monstre est en nous, notre double, et qu'il nous mon(s)tre de quoi sont faits nos désirs les plus intimes.

MICHEL LORD, *LETTRES QUÉBÉCOISES* (1984)

La lune se lève derrière le flanc abrupt d'une montagne. Comme si elle m'avait appelé, de sa voix lointaine et glacée, je suis sorti de mon assoupissement et j'ai regardé vers l'est. Elle est énorme ! L'ai-je jamais vue si grosse et si rouge ? Ses contours vacillent un peu dans le flou de l'air ; elle monte à vue d'œil. Les rochers et quelques conifères squelettiques se profilent sur elle avec la netteté d'un dessin à l'encre de Chine.

Une lueur rousse se répand sur la campagne, dévoile autour de moi les pierres froides du cimetière. Dans cet éclairage crépusculaire elles paraissent teintes avec une dilution de sang.

Les cauchemars m'ont montré la voie et l'onguent mystérieusement apparu a été l'amorce, mais maintenant je n'en ai plus besoin : le sang du Malin coule dans mes veines depuis que me mit au monde cette femme qui s'accoupla à un démon. Maintenant je n'ai qu'à invoquer son nom, celui du Malin, pour que bouillonne en moi le sang des loups.

Les pierres tombales prennent un éclat argenté. Là-haut la lune s'est éloignée de l'horizon et s'est concentrée en un disque éblouissant. Cette nuit de pleine lune verra mon passage définitif au clan des loups, ce sera le triomphe de la griffe sur la peau douce, du croc sur la tendre chair. Cette nuit je boirai le sang tout chaud et lècherai les viscères encore palpitants.

Il est heureux que ce cimetière n'ait plus de gardien : j'y puis aller et venir à ma guise. Le gazon, sous les fenêtres aux volets cadenassés de la maison du gardien, est parfois le site d'amours clandestines. Tel est le cas ce soir. Des halètements m'ont fait dresser l'oreille. Sans bruit je me rapproche de la grille, jusqu'à l'un des pilastres flanquant l'entrée.

Ils sont là, juste à l'extérieur du cimetière. Ce sont les mêmes : je reconnais la tête blonde de Jasmin, le jeune berger, même s'ils sont dans l'ombre de la maison. Les longs cheveux de la fille sont comme une méduse plus noire que la nuit étalée sur le gazon.

Le branlement a cessé, les deux amants sont immobiles, repus de plaisir. La fille murmure quelque chose.

Le silence se fait. Criquets et grenouilles se taisent. Une chauve-
35 souris s'enfuit, de son vol erratique.

Je le sens venir.

Peut-être ne suis-je pas le seul, car la fille a un murmure inquiet. Mais moi je le sens entrer en moi. C'est comme s'il montait des profondeurs de la terre et, du sol, rejoignait mon cerveau. C'est comme
40 une chaleur qui naît dans mes os, se diffuse dans ma chair, enfièvre tout mon corps. La sensation s'affine, s'aiguise, l'envahisseur acquiert une personnalité.

C'est lui, c'est le maître des loups, celui qui s'est donné pour mission de terroriser l'homme. L'hiver, au froid crépuscule, il court les
45 campagnes, excitant ses loups de l'aiguillon ardent de la faim. La nuit, nuit chaude d'été, il hante la forêt et instille à ses prédateurs la soif du sang. Les anciens l'ont vu, parcourant prés et chemins sous la lune, une bête gigantesque aux yeux de braise, franchissant dix aunes[1] à chaque foulée. Parfois incube, il répand sa semence dans le ventre des
50 sorcières et des drôlesses pour que sa progéniture entretienne la plus antique peur de l'homme : les loups-garous.

Une bouffée de méchanceté me grise. Je sens croître la puissance de mes muscles, la souplesse de mon corps, la force de mes mâchoires. Je me dresse, une main sur le montant supérieur de la grille, l'autre
55 sur le faîte du pilastre. D'un bond je me retrouve accroupi en équilibre sur la clôture, ramassé tel un fauve prêt à bondir.

La fille a hurlé : sous la lune je suis visible comme en plein jour, du moins le haut de mon corps, qui émerge de l'ombre de la maison.

D'un même mouvement le garçon se retire d'elle, se retourne et
60 s'assied. Mais déjà je me suis élancé et en deux enjambées je lui saute à la gorge.

Instinctivement plus que par adresse au combat, il m'accueille avec ses pieds, jambes repliées, et en culbutant par derrière il m'envoie planer au-delà de lui. Les mains tendues pour le prendre à la gorge,

1. Aunes : ancienne mesure de longueur, supprimée en 1840, équivalant à 1,20 mètre (orthographe variable).

65 je le griffe au passage, mais déjà je frappe le mur de pierre et me retrouve étalé dans un buisson qui croît devant la maison.

J'ai vu mille lueurs lorsque mon crâne a heurté la pierre et j'ai même entendu un craquement. La douleur m'a littéralement coupé le souffle. Le temps que je récupère, que je me dépêtre du buisson, 70 le garçon s'est reculotté et la fille s'est relevée.

Mais je bondis à nouveau et cette fois je ne lâche pas prise. Mes crocs s'enfoncent dans la gorge, le sang chaud jaillit de ma gueule, fade goût de fer, enivrant élixir de vie. Le garçon se secoue, en un spasme désespéré, mais mes griffes dans ses épaules sont plus fortes 75 que ses mains qui me repoussent. Il s'effondre, tandis que mes crocs se rejoignent au milieu des chairs.

Derrière moi la fille hurle, me vrille les oreilles jusqu'au cerveau et attise ma fureur de tuer. Laissant là l'amant pantelant je me retourne vers la catin, dont les cheveux sont noirs comme la nuit et longs 80 comme l'hiver. Une caricature de la terreur, grotesque dans ses trépignements et ses grimaces. Je la culbute à mon tour, mais avec les jupons c'est toute la peau d'une cuisse que je retrousse. Comme un amant trop ardent je déchire le corsage et du même coup lacère les seins déjà lourds d'une fille trop vite devenue femme. La peau est un 85 satin que mes griffes déchirent, la chair s'ouvre devant elles comme devant une lame.

Le ventre est blanc sous la lune ; il appelle ma gueule comme une fontaine la bouche d'un assoiffé. Deux poignées de mon poil restent dans les mains crispées de la fille, mais cette douleur passagère 90 n'atteint même pas mon cerveau que comble la volupté. C'est un baiser passionné ; ma langue croit en caresser une autre, chaude, mouillée, palpitante, mon museau s'enfonce comme pour les plus impudiques amours.

La fille râle comme jamais son amant ne la fit râler et mon étreinte 95 l'emporte dans la plus vertigineuse des extases.

Mais ces entrailles ont un goût âcre, une odeur fétide. Il me faut une chair ferme et un sang clair. Le sein est pulpeux comme un fruit mûr ; les soubresauts de ma proie poussent la cage thoracique contre mes crocs. L'ivoire grince sur l'os, les canines trouvent leur prise, les 100 côtes craquent sous mes mâchoires puissantes. Et là, tressaillant, se rétractant devant mes babines comme pour échapper à son sort, le cœur bat encore.

La vie gicle dans ma gorge avide.

Les Vieux Fusils (1998).
Françoise Pascals.

Les revenants

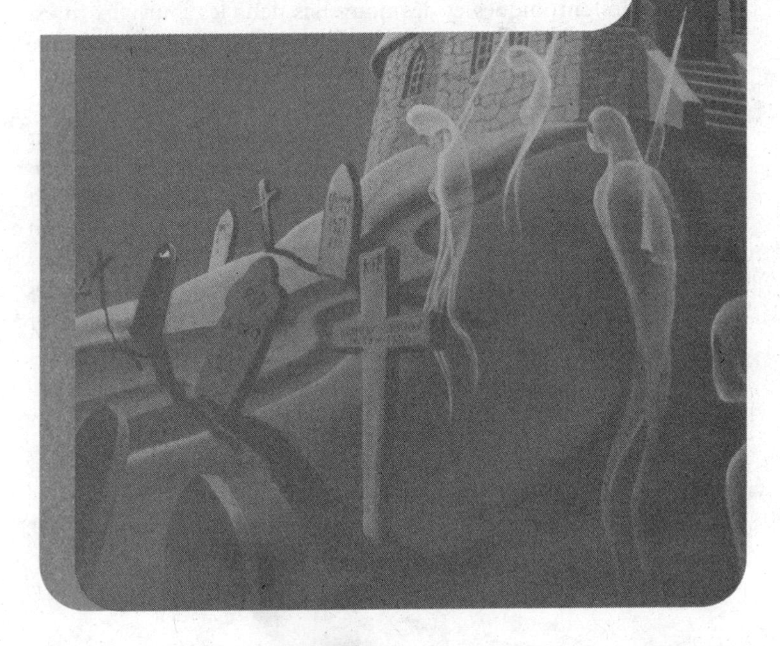

UN ÉPISODE DE RÉSURREC-TIONNISTES

NOUVELLE – 1876

PREMIÈRE PARUTION : dans *L'Opinion publique*, vol. 7, nº 19, 11 mai 1876.

ŒUVRES CHOISIES :
Le Roi des étudiants (1876)
L'Enfant mystérieux (1880)
Un drame au Labrador (1897)
Légendes et Revenants (1918)

Wenceslas-Eugène Dick
1848-1919

TRADITION

NATIF DE L'ÎLE D'ORLÉANS, Wenceslas-Eugène Dick côtoie très jeune légendes et superstitions. Publiant régulièrement des chroniques et des nouvelles dans les journaux, il est même considéré par les lecteurs du *Monde illustré* comme un « romancier national ». Féru de romans de cape et d'épée, il écrira lui-même trois œuvres d'aventures, aux intrigues bien ficelées, s'inspirant de James Fenimore Cooper (*Le Dernier des Mohicans*), d'Alexandre Dumas (*Les Trois Mousquetaires*) et de Paul Féval (*Le Bossu*). Comme Dick était médecin de profession, ce n'est pas un hasard qu'il ait abordé une légende très en vogue au XIXe siècle : la *résurrection*. Les voleurs de cadavres, méprisés par les familles des défunts, avaient pourtant une noble cause : approvisionner les amphithéâtres d'anatomie des classes de médecine.

~

PORTE-VOIX

Il y a eu un temps où des gardiens infidèles se laissaient corrompre par l'appât de l'or, et faisaient du charnier un réservoir où les clercs-docteurs venaient, à prix fixe, y choisir les sujets de dissection qui leur convenaient. Il s'y faisait un trafic régulier de chair humaine […]

PATRICE LACOMBE, *LA TERRE PATERNELLE* (1846)

I

Il y a de cela quelques années, j'étais à Montréal§, finissant mon cours de médecine à l'Université.

Or, il arriva qu'un hiver, nous manquâmes absolument de *sujets* pour la dissection. Le professeur d'anatomie avait inutilement épuisé
5 toutes les ressources légales pour en fournir nos salles : c'est à peine si trois ou quatre pauvres cadavres d'individus, morts à l'hôpital ou en prison, s'offraient à nos scalpels avides.

Que faire ?

Fallait-il, lorsque tant de nos compatriotes dormaient leur dernier
10 sommeil dans les *charniers*[1] environnants, abandonner nos fructueuses études et rengainer dans leurs étuis nos instruments vierges ? devions-nous plier le cou sous la fatalité et renoncer à chercher dans la mort le secret de la vie[2] ? Ou bien, la circonstance était-elle assez grave pour humilier notre orgueil national jusqu'au point de recourir
15 à l'étranger, de faire venir nos morts des États-Unis et de promener nos scalpels royalistes[3] dans des chairs républicaines[4] ?

Plutôt faire de l'anatomie comparée, plutôt déclarer la guerre aux chiens errants et aux chats de gouttières, que d'en venir à une si déshonorante extrémité !

20 Et, pourtant, il fallait des *sujets,* coûte que coûte !

En face d'une aussi impérieuse nécessité, nous convoquâmes le ban et l'arrière-ban[5] de l'école de médecine et nous tînmes un conseil de guerre… à la mort.

La réunion fut nombreuse et bruyante.

1. Charniers : lieux où l'on entreposait les cercueils l'hiver dans les cimetières, car le sol gelé empêchait l'inhumation.
2. Allusion directe au roman mythique de Mary Shelley, *Frankenstein,* paru en 1818.
3. Royalistes : fidèles au roi d'Angleterre (en opposition à « républicain »).
4. Républicaines : de la république. La « guerre de l'Indépendance américaine » qui opposait les 13 colonies britanniques d'Amérique du Nord à leur métropole, la Grande-Bretagne, a débuté par la Déclaration d'indépendance du 4 juillet 1776. Elle se termine par la signature du traité de Versailles, le 3 septembre 1783, où la couronne britannique reconnaît l'indépendance des États-Unis d'Amérique.
5. Le ban et l'arrière-ban : tout le monde.

25 Jamais les murs de la grande salle de l'école, habitués cependant aux savantes dissertations de nos professeurs, n'avaient répercuté d'aussi sonores éclats de voix, entendu d'aussi éloquents discours; jamais les boiseries de son plafond n'avaient retenti d'aussi amères protestations contre la salubrité du climat montréalais et la gredinerie 30 de la mort!

Telle, aux grands jours de péril de la république[1], dut retentir autrefois, aux accents patriotiques des sénateurs romains, la voûte du capitole[2]!

Enfin, les circonstances du cas ayant été exposées sous toutes leurs 35 faces, nous en vînmes à une décision formidable. Ce fut d'aller EN RÉSURRECTION!

II

En terme de rapin[3], aller *en résurrection* signifie aller enlever des cadavres, soit dans les charniers*, en hiver, soit dans les cimetières en été.

40 Ce n'est pas gai, je vous assure.

À part la salutaire frayeur qu'inspirent toujours ces lieux d'éternel repos, il y a encore une foule de petits désagréments avec lesquels le résurrectionniste doit compter; et, parmi ces derniers, le moindre n'est pas la vigilance des bedeaux*, je vous prie de le croire.

45 L'on serait porté à se représenter tous les bedeaux comme gens de paix et bons enfants. Que l'on se détrompe. Il y en a de terribles, il y en a de féroces… qui vous flanquent des coups de fusil dans le dos, ou plus bas, sans plus de cérémonie que si vous étiez des corbeaux.

Combien de mes honorables confrères portent encore, dans 50 quelque partie bien charnue de leur grassouillette individualité, les

1. République: régime politique où les dirigeants sont élus. La république s'établit à Rome de 509 à 27 av. J.-C.
2. Capitole: centre politique de la Rome antique, construit sur l'une des sept collines de Rome qui porte le même nom.
3. De rapin: de jeune élève, d'apprenti.

preuves évidentes de ce déplorable penchant qu'ont certains bedeaux à tirer sur les « voleurs de morts » !

Je ne parle pas des chiens de garde. Ces quadrupèdes-là ont plus mangé de « fonds de culottes » médicaux qu'ils n'ont rongé de gigots 55 de mouton.

Le plus singulier, c'est qu'ils n'en sont pas morts et que leur race abhorrée continue à se propager d'une façon tout à fait désastreuse pour l'avancement de la science médicale.

Il faudra recourir aux boulettes.

III

60 Donc, les étudiants en médecine de mon Université, réunis en assemblée solennelle, avaient décrété d'urgence la *résurrection*.

Il n'y avait plus à regimber[1] et il fallait s'exécuter sous le plus court délai.

Je fus désigné, avec un de mes amis du nom de Georges, pour 65 opérer dans une paroisse des environs, à plusieurs lieues* de la ville.

C'était justement la place natale de mon compagnon. Il en connaissait, par conséquent, toutes les arcanes, et nous n'étions pas exposés à revenir bredouille.

Nous partîmes en *carriole**, par une nuit sombre de janvier. Il n'y 70 avait pas de lune, ce qui était une circonstance favorable, et une neige large, morte, tombant en flocons serrés, augmentait encore l'obscurité, déjà fort épaisse, de l'atmosphère.

Le trajet se fit gaiement. Nous devisions de choses et d'autres, comme deux bons camarades qui se rendent à une partie de plaisir. 75 Georges me racontait ses amours avec une jeune fille de sa paroisse, du nom de Louise, qu'il devait épouser dans quelques mois, aussitôt après avoir reçu son diplôme de médecin. Moi, je lui parlais des charmantes Québecquoises[2] que j'avais laissées au départ et dont le souvenir me trottait toujours dans la tête…

1. Regimber : se rebiffer, se révolter.
2. Québecquoises : au XIXe siècle, nom donné aux résidantes de la ville de Québec.

80 Bref, le temps passa assez agréablement, et je vous assure que nous n'avions aucunement la mine de deux résurrectionnistes en campagne. Il serait peut-être juste d'ajouter qu'il y avait probablement une légère dose d'affectation dans notre gaieté, et qu'elle ressemblait singulièrement au chant énervé d'un homme qui marche seul, la nuit, 85 ayant la peur aux talons.

Ce qui pourrait justifier cette hypothèse, c'est que la conversation alla décroissant à mesure que nous approchions, pour tomber tout à fait à notre entrée dans la paroisse.

Quoi qu'il en soit, nous ne tardâmes pas à arriver en vue de l'église. 90 Tout dormait dans le village. Pas une lumière ne brillait aux fenêtres soigneusement closes.

Seule, la veilleuse du sanctuaire* scintillait faiblement dans le brouillard. Nous cachâmes notre voiture* derrière un bouquet de sapins ; puis, munis de nos outils, entre autres d'une fausse-clé que 95 Georges s'était procurée je ne sais trop comment, nous nous acheminâmes silencieusement vers le charnier*.

IV

« Où demeure votre bedeau* ? demandai-je à voix basse.

— Tiens, là, à un arpent* environ du presbytère, répondit Georges.

— C'est un bon garçon, qui ne s'amuse pas à veiller quand les 100 autres dorment ?

— Ne crains rien : c'est la crème de la profession – une nature lymphatique portée au sommeil.

— Brave homme ! a-t-il un chien ?

— Il déteste tous les animaux à quatre pattes.

105 — Excellent cœur !... Tu as la lanterne sourde, au moins ?

— Oui, la voici.

— Tout est bien. Ouvre-moi cette grosse porte : Je te suis. »

Nous étions arrivés.

Georges introduisit sa fausse-clé dans la serrure du charnier, fit 110 jouer la lourde penne, donna un vigoureux coup d'épaule et s'engouffra bravement dans l'ouverture béante.

J'en fis autant, et la porte se referma derrière nous.

Il était alors deux heures du matin.

Vous êtes-vous jamais trouvés dans un charnier, au beau milieu de la nuit, entourés de cercueils que vous heurtiez à chaque pas et aspirant à plein nez cette âcre odeur de cadavre qui y sature l'atmosphère ?

J'espère que non. Eh bien ! c'est une position assez terrifiante, je vous le certifie. Les braves y éprouvent une forte émotion, et les peureux y sentent leur coiffure se soulever sous la poussée des cheveux qui se hérissent.

Mais, nous, nous étions trop pressés pour nous amuser à analyser ces fâcheuses sensations.

Georges ouvrit la lanterne sourde, et une pâle clarté se répandit aussitôt dans le caveau mortuaire.

V

Il y avait là une dizaine de tombes : des grandes, des petites, les unes en humble bois de sapins, les autres en chêne vernissé, avec des clous d'argent.

L'égalité n'existe pas même dans la mort – pour les cadavres, s'entend.

Nous attaquâmes la tombe la plus proche. C'était un de ces beaux cercueils en chêne, ornementés d'argent, dont je viens de parler.

Pendant que je tenais la lampe, Georges enlevait les vis et faisait sauter le couvercle avec un ciseau.

Mon digne camarade semblait avoir beaucoup d'expérience en ces sortes d'opérations, car, en cinq minutes, ce fut fait.

Il souleva alors le suaire blanc et se mit en devoir de tirer le cadavre à lui, en le prenant par la tête.

J'approchai la lanterne pour constater sur quelle espèce de *sujet* nous étions tombés ; mais Georges poussa aussitôt un grand cri : « Louise ! » lâcha la tête et se renversa en arrière.

Au même moment, le cadavre se redressa lentement et, s'aidant des mains, se mit sur son séant.

La jeune fille – car c'en était une – fixa un instant ses yeux éteints sur la physionomie bouleversée de l'étudiant, murmura le nom de
145 Georges, puis, promenant autour d'elle un regard terrifié, elle parut soudain avoir conscience de sa position. Alors, un rictus effrayant crispa sa figure marmoréenne[1]... Elle essaya de joindre les mains et retomba lourdement dans son cercueil !

Georges, fou de douleur et d'effroi, se précipita sur la tombe
150 ouverte, couvrit de baisers délirants le visage glacé de la jeune fille et l'appela des noms les plus tendres...

Inutiles démonstrations ! la fiancée de Georges était bien morte, cette fois, morte après s'être réveillée un instant d'un long sommeil léthargique et avoir vu son amant en train de profaner sa tombe !...

VI

155 Qu'on n'aille pas croire que je fais ici de l'horrible à froid et pour le seul plaisir de causer une bonne peur à mes lectrices.

Pas du tout.

Les enterrements prématurés sont trop fréquents, malheureusement, et les exemples de sommeil cataleptique ressemblant à la mort
160 trop souvent rapportés, pour que mon histoire ne soit pas au moins vraisemblable, si l'on me refuse l'honneur de la croire vraie.

Mais je reprends mon récit, pour le terminer en deux mots.

Glacés d'horreur, Georges et moi, nous replaçâmes tant bien que mal le couvercle de la tombe de Louise ; puis, après avoir fermé la
165 porte du charnier*, nous courûmes à notre voiture* et reprîmes à toute vitesse le chemin de la ville.

En arrivant à la pension, Georges trouva sur sa table une lettre en deuil à son adresse.

Il l'ouvrit fiévreusement...

170 C'était l'annonce de la mort de Louise, sa fiancée, arrivée deux jours auparavant.

1. Marmoréenne : qui a la blancheur, l'éclat et la froideur du marbre.

Un malentendu insignifiant avait empêché que cette lettre lui fût remise avant son départ, et causé l'effroyable aventure qui venait de nous arriver.

175 Nous fîmes alors la promesse solennelle de ne plus jamais aller *en résurrection* !

LE FANTÔME DE L'AVARE

CONTE – 1875

PREMIÈRE PARUTION: dans *L'Écho du Canada, journal illustré* du 2 janvier 1875.

ŒUVRES CHOISIES:
Jeanne la fileuse. Épisode de l'émigration franco-canadienne aux États-Unis (1878)
La Chasse-galerie, légendes canadiennes (1900)

Honoré Beaugrand
1848-1906

TRADITION

L'OBJECTIF MORALISATEUR des contes québécois apparaît clairement dans ce récit d'Honoré Beaugrand. Le châtiment infligé à Jean-Pierre Beaudry est d'autant plus exemplaire que Dieu lui-même en a fixé le décret. Contrairement à plusieurs histoires surnaturelles de la même époque, la faute du personnage n'est pas attribuable à une simple entorse à un quelconque rituel catholique, mais à un péché, l'avarice, qui conduit à la mort d'un homme en péril. Devenu franc-maçon en 1873, Beaugrand, dont les idées subversives et la position anticléricale lui ont attiré la réprobation des religieux, accorde peu d'importance à l'observance des rites de l'Église. L'homme n'est redevable de sa conduite que devant Dieu, juge suprême, et *Le Fantôme de l'avare* en est sans nul doute l'exemple le plus représentatif.

~

PORTE-VOIX

Sa vie, dès l'adolescence et jusqu'aux dernières années, n'est que ruptures, voyages, mobilité incessante, comme s'il voulait parcourir et mesurer tout l'espace de son époque.

FRANÇOIS RICARD (1989)

— Vous connaissez tous, vieillards et jeunes gens, l'histoire que je vais vous raconter. La morale de ce récit, cependant, ne saurait vous être redite trop souvent, et rappelez-vous que, derrière la légende, il y a la leçon terrible d'un Dieu vengeur qui ordonne au riche de faire la charité.

C'était la veille du jour de l'an de grâce 1858.

Il faisait un froid sec et mordant.

La grande route qui longe la rive nord du Saint-Laurent§ de Montréal§ à Berthier§ était couverte d'une épaisse couche de neige, tombée avant la Noël†.

Les chemins étaient lisses comme une glace de Venise[1]. Aussi, fallait-il voir si les fils des fermiers à l'aise des paroisses du fleuve se plaisaient à « pousser » leurs chevaux fringants, qui passaient comme le vent au son joyeux des clochettes de leurs harnais argentés.

Je me trouvais en veillée chez le père Joseph Hervieux[2], que vous connaissez tous. Vous savez aussi que sa maison, qui est bâtie en pierre, est située à mi-chemin entre les églises de Lavaltrie§ et de Lanoraie§. Il y avait fête ce soir-là chez le père Hervieux. Après avoir copieusement soupé, tous les membres de la famille s'étaient rassemblés dans la grande salle de réception.

Il est d'usage que chaque famille canadienne* donne un festin au dernier jour de chaque année, afin de pouvoir saluer, à minuit, avec toutes les cérémonies voulues, l'arrivée de l'inconnue qui nous apporte à tous une part de joies et de douleurs.

Il était dix heures du soir.

Les bambins, poussés par le sommeil, se laissaient les uns après les autres rouler sur les robes* de buffle qui avaient été étendues autour de l'immense poêle à fourneau de la cuisine.

Seuls, les parents et les jeunes gens voulaient tenir tête à l'heure avancée et se souhaiter mutuellement une bonne et heureuse année avant de se retirer pour la nuit.

1. Glace de Venise : miroir vénitien, objet luxueux réputé pour sa forme et sa pureté.
2. Joseph Hervieux : personnage centenaire que l'auteur a connu à Lanoraie, né en 1768 et mort en 1874.

Une fillette vive et alerte, qui voyait la conversation languir, se leva tout à coup et, allant déposer un baiser respectueux sur le front du grand-père de la famille, vieillard presque centenaire, lui dit d'une 35 voix qu'elle savait irrésistible :

— Grand-père, redis-nous, je t'en prie, l'histoire de la rencontre avec l'esprit de ce pauvre Jean-Pierre Beaudry – que Dieu ait pitié de son âme – que tu nous racontas l'an dernier, à pareille époque. C'est une histoire bien triste, il est vrai, mais ça nous aidera à passer le 40 temps en attendant minuit.

— Oh ! oui ! grand-père, l'histoire du jour de l'An, répétèrent en chœur les convives, qui étaient presque tous les descendants du vieillard.

— Mes enfants, reprit d'une voix tremblotante l'aïeul aux cheveux 45 blancs, depuis bien longtemps, je vous répète, à la veille de chaque jour de l'An, cette histoire de ma jeunesse. Je suis bien vieux et, peut-être pour la dernière fois, vais-je vous la redire ici ce soir. Soyez tout attention, et remarquez surtout le châtiment terrible que Dieu réserve à ceux qui, en ce monde, refusent l'hospitalité au voyageur en détresse.

50 Le vieillard approcha son fauteuil du poêle, et, ses enfants ayant fait cercle autour de lui, il s'exprima en ces termes :

— Il y a de cela soixante-dix ans aujourd'hui. J'avais vingt ans alors.

Sur l'ordre de mon père, j'étais parti de grand matin pour 55 Montréal afin d'aller y acheter divers objets pour la famille ; entre autres, une magnifique dame-jeanne[1] de jamaïque*, qui nous était absolument nécessaire pour traiter dignement les amis à l'occasion du Nouvel An. À trois heures de l'après-midi, j'avais fini mes achats, et je me préparais à reprendre la route de Lanoraie. Mon « brelot* » était 60 assez bien rempli, et comme je voulais être de retour chez nous avant neuf heures, je fouettai vivement mon cheval qui partit au grand trot. À cinq heures et demie, j'étais à la traverse du bout de l'île[2], et j'avais

1. Dame-jeanne : grande cruche dont le contenu équivaut à environ trois bouteilles.
2. Traverse du bout de l'île : chemin tracé sur la glace d'une rivière et allant d'une rive à l'autre. Ici, il s'agit de la traverse de Repentigny, située à l'extrémité est de l'île de Montréal. Aujourd'hui, ce trajet correspond à la route 138.

jusqu'alors fait bonne route. Mais le ciel s'était couvert peu à peu et tout faisait présager une forte bordée de neige. Je m'engageai sur la 65 traverse, et avant que j'eusse atteint Repentigny§ il neigeait à plein temps. J'ai vu de fortes tempêtes de neige durant ma vie, mais je ne m'en rappelle aucune qui fût aussi terrible que celle-là. Je ne voyais ni ciel ni terre, et à peine pouvais-je suivre le « chemin du roi* » devant moi, les « balises[1] » n'ayant pas encore été posées, comme l'hiver 70 n'était pas avancé. Je passai l'église Saint-Sulpice§ à la brunante[2]; mais bientôt, une obscurité profonde et une poudrerie qui me fouettait la figure m'empêchèrent complètement d'avancer. Je n'étais pas bien certain de la localité où je me trouvais, mais je croyais alors être dans les environs de la ferme du père Robillard. Je ne crus pouvoir 75 faire mieux que d'attacher mon cheval à un pieu de la clôture du chemin, et de me diriger à l'aventure à la recherche d'une maison pour y demander l'hospitalité en attendant que la tempête fût apaisée. J'errai pendant quelques minutes et je désespérais de réussir, quand j'aperçus, sur la gauche de la grande route, une masure à demi ense-80 velie dans la neige et que je ne me rappelais pas avoir encore vue. Je me dirigeai en me frayant avec peine un passage dans les bancs de neige vers cette maison que je crus tout d'abord abandonnée. Je me trompais cependant ; la porte en était fermée, mais je pus apercevoir par la fenêtre la lueur rougeâtre d'un bon feu de « bois franc[3] » qui 85 brûlait dans l'âtre. Je frappai et j'entendis aussitôt les pas d'une personne qui s'avançait pour m'ouvrir. Au « Qui est là ? » traditionnel, je répondis en grelottant que j'avais perdu ma route, et j'eus le plaisir immédiat d'entendre mon interlocuteur lever le loquet. Il n'ouvrit la porte qu'à moitié, pour empêcher autant que possible le froid de 90 pénétrer dans l'intérieur, et j'entrai en secouant mes vêtements qui étaient couverts d'une couche épaisse de neige.

1. Balises : petits arbres coupés et placés l'hiver de chaque côté d'un chemin pour indiquer la voie à suivre. Ces « tracés » passaient parfois à travers champs ou sur les rivières et les lacs afin d'éviter des passages difficiles.
2. À la brunante : au coucher du soleil, à la tombée de la nuit (québécisme).
3. Bois franc : bois dur, comme l'érable, le chêne et le merisier.

« Soyez le bienvenu », me dit l'hôte de la masure en me tendant une main qui me parut brûlante, et en m'aidant à me débarrasser de ma ceinture fléchée* et de mon capot* d'étoffe du pays.

Je lui expliquai en peu de mots la cause de ma visite, et après l'avoir remercié de son accueil bienveillant, et après avoir accepté un verre d'eau-de-vie qui me réconforta, je pris place sur une chaise boiteuse qu'il m'indiqua de la main au coin du foyer. Il sortit en me disant qu'il allait sur la route quérir mon cheval et ma voiture*, pour les mettre sous une remise, à l'abri de la tempête.

Je ne pus m'empêcher de jeter un regard curieux sur l'ameublement original de la pièce où je me trouvais. Dans un coin, un misérable banc-lit, sur lequel était étendue une peau de buffle, devait servir de couche au grand vieillard aux épaules voûtées qui m'avait ouvert la porte. Un ancien fusil, datant probablement de la domination française, était accroché aux soliveaux en bois brut qui soutenaient le toit en chaume de la maison. Plusieurs têtes de chevreuils, d'ours et d'orignaux étaient suspendues comme trophées de chasse aux murailles blanchies à la chaux. Près du foyer, une bûche de chêne solitaire semblait être le seul siège vacant que le maître de céans eût à offrir au voyageur qui, par hasard, frappait à sa porte pour lui demander l'hospitalité.

Je me demandai quel pouvait être l'individu qui vivait ainsi en sauvage* en pleine paroisse de Saint-Sulpice, sans que j'en eusse jamais entendu parler ? Je me torturai en vain la tête, moi qui connaissais tout le monde, depuis Lanoraie jusqu'à Montréal, mais je n'y voyais goutte. Sur ces entrefaites, mon hôte rentra et vint, sans dire mot, prendre place vis-à-vis de moi, à l'autre coin de l'âtre.

« Grand merci de vos bons soins, lui dis-je, mais voudriez-vous bien m'apprendre à qui je dois une hospitalité aussi franche. Moi qui connais la paroisse de Saint-Sulpice comme mon "pater†", j'ignorais jusqu'aujourd'hui qu'il y eût une maison située à l'endroit qu'occupe la vôtre, et votre figure m'est inconnue. »

En disant ces mots, je le regardai en face, et j'observai pour la première fois les rayons étranges que produisaient les yeux de mon hôte ; on aurait dit les yeux d'un chat sauvage*. Je reculai instinctivement mon siège en arrière, sous le regard pénétrant du vieillard qui me regardait en face, mais qui ne me répondait pas.

Le silence devenait fatigant, et mon hôte me fixait toujours de ses yeux brillants comme les tisons du foyer.

Je commençais à avoir peur.

Rassemblant tout mon courage, je lui demandai de nouveau son nom. Cette fois, ma question eut pour effet de lui faire quitter son siège. Il s'approcha de moi à pas lents, et posant sa main osseuse sur mon épaule tremblante, il me dit d'une voix triste comme le vent qui gémissait dans la cheminée :

« Jeune homme, tu n'as pas encore vingt ans, et tu demandes comment il se fait que tu ne connaisses pas Jean-Pierre Beaudry, jadis le richard du village. Je vais te le dire, car ta visite ce soir me sauve des flammes du purgatoire[1] où je brûle depuis cinquante ans sans avoir jamais pu jusqu'aujourd'hui remplir la pénitence que Dieu m'avait imposée. Je suis celui qui jadis, par un temps comme celui-ci, avait refusé d'ouvrir sa porte à un voyageur épuisé par le froid, la faim et la fatigue. »

Mes cheveux se hérissaient, mes genoux s'entrechoquaient, et je tremblais comme la feuille du peuplier pendant les fortes brises du nord. Mais le vieillard, sans faire attention à ma frayeur, continuait toujours d'une voix lente :

« Il y a de cela cinquante ans. C'était bien avant que l'Anglais eût jamais foulé le sol de ta paroisse natale. J'étais riche, bien riche, et je demeurais alors dans la maison où je te reçois, ici, ce soir. C'était la veille du jour de l'An, comme aujourd'hui, et seul près de mon foyer, je jouissais du bien-être d'un abri contre la tempête et d'un bon feu qui me protégeait contre le froid qui faisait craquer les pierres des murs de ma maison. On frappa à ma porte, mais j'hésitais à ouvrir. Je craignais que ce ne fût quelque voleur, qui, sachant mes richesses, ne vînt pour me piller, et qui sait, peut-être m'assassiner.

« Je fis la sourde oreille et, après quelques instants, les coups cessèrent. Je m'endormis bientôt, pour ne me réveiller que le lendemain,

1. Purgatoire : dans la religion catholique, lieu où les âmes des défunts expient leurs péchés avant d'accéder à la vie éternelle.

160 au grand jour, au bruit infernal que faisaient deux jeunes hommes du voisinage qui ébranlaient ma porte à grands coups de pied. Je me levai à la hâte pour aller les châtier de leur impudence, quand j'aperçus, en ouvrant la porte, le corps inanimé d'un jeune homme qui était mort de froid et de misère sur le seuil de ma maison. J'avais, par amour de 165 mon or, laissé mourir un homme qui frappait à ma porte, et j'étais presque un assassin. Je devins fou de douleur et de repentir.

« Après avoir fait chanter un service solennel pour le repos de l'âme du malheureux, je divisai ma fortune entre les pauvres des environs, en priant Dieu d'accepter ce sacrifice en expiation du crime que 170 j'avais commis. Deux ans plus tard, je fus brûlé vif dans ma maison et je dus aller rendre compte à mon créateur de ma conduite sur cette terre que j'avais quittée d'une manière si tragique. Je ne fus pas trouvé digne du bonheur des élus et je fus condamné à revenir, à la veille de chaque nouveau jour de l'An, attendre ici qu'un voyageur vînt frapper 175 à ma porte, afin que je puisse lui donner cette hospitalité que j'avais refusée de mon vivant à l'un de mes semblables. Pendant cinquante hivers, je suis venu, par l'ordre de Dieu, passer ici la nuit du dernier jour de chaque année, sans que jamais un voyageur dans la détresse ne vînt frapper à ma porte. Vous êtes enfin venu ce soir, et Dieu m'a 180 pardonné. Soyez à jamais béni d'avoir été la cause de ma délivrance des flammes du purgatoire*, et croyez que, quoi qu'il vous arrive ici-bas, je prierai Dieu pour vous là-haut. »

Le revenant, car c'en était un, parlait encore quand, succombant aux émotions terribles de frayeur et d'étonnement qui m'agitaient, je 185 perdis connaissance…

Je me réveillai dans mon brelot*, sur le chemin du roi*, vis-à-vis l'église de Lavaltrie.

La tempête s'était apaisée et j'avais sans doute, sous la direction de mon hôte de l'autre monde, repris la route de Lanoraie.

190 Je tremblais encore de frayeur quand j'arrivai ici à une heure du matin et que je racontai aux convives assemblés la terrible aventure qui m'était arrivée.

Mon défunt père – que Dieu ait pitié de son âme – nous fit mettre à genoux et nous récitâmes le rosaire[†], en reconnaissance de la 195 protection spéciale dont j'avais été trouvé digne, pour faire sortir ainsi

des souffrances du purgatoire une âme en peine qui attendait depuis si longtemps sa délivrance. Depuis cette époque, jamais nous n'avons manqué, mes enfants, de réciter, à chaque anniversaire de ma mémorable aventure, un chapelet† en l'honneur de la Vierge Marie, pour le
200 repos des âmes des pauvres voyageurs qui sont exposés au froid et à la tempête.

Quelques jours plus tard, en visitant Saint-Sulpice, j'eus l'occasion de raconter mon histoire au curé de cette paroisse. J'appris de lui que les registres de son église faisaient en effet mention de la mort tra-
205 gique d'un nommé Jean-Pierre Beaudry, dont les propriétés étaient alors situées où demeure maintenant le petit Pierre Sansregret. Quelques esprits forts ont prétendu que j'avais rêvé sur la route. Mais où avais-je donc appris les faits et les noms qui se rattachaient à l'incendie de la ferme du défunt Beaudry, dont je n'avais jusqu'alors
210 jamais entendu parler ? M. le curé de Lanoraie, à qui je confiai l'affaire, ne voulut rien en dire, si ce n'est que le doigt de Dieu était en toutes choses et que nous devions bénir son saint nom.

* * *

Le maître d'école avait cessé de parler depuis quelques moments, et personne n'avait osé rompre le silence religieux avec lequel on avait
215 écouté le récit de cette étrange histoire. Les jeunes filles émues et craintives se regardaient timidement sans oser faire un mouvement, et les hommes restaient pensifs en réfléchissant à ce qu'il y avait d'extraordinaire et de merveilleux dans cette apparition surnaturelle du vieil avare, cinquante ans après son trépas.

220 Le père Montépel fit enfin trêve à cette position gênante en offrant à ses hôtes une dernière rasade de bonne eau-de-vie de la Jamaïque en l'honneur du retour heureux des voyageurs.

On but cependant cette dernière santé avec moins d'entrain que les autres, car l'histoire du maître d'école avait touché la corde sen-
225 sible dans le cœur du paysan franco-canadien : la croyance à tout ce qui touche aux histoires surnaturelles et aux revenants.

Après avoir salué cordialement le maître et la maîtresse de céans et s'être redit mutuellement de sympathiques bonsoirs, garçons et filles reprirent le chemin du logis. Et, en parcourant la grande route qui

230 longe la rive du fleuve, les fillettes serraient en tremblotant le bras de leurs cavaliers, en entrevoyant se balancer dans l'obscurité la tête des vieux peupliers et en entendant le bruissement des feuilles, elles pensaient encore, malgré les doux propos de leurs amoureux, à la légende du « Fantôme de l'avare ».

LE REVENANT DE GENTILLY

CONTE – 1892

PREMIÈRE PARUTION:
dans *Canada-Revue*,
vol. III, n° 1, janvier 1892.

ŒUVRES CHOISIES:
La Légende d'un peuple (1887)
Originaux et détraqués (1892)
La Noël au Canada (1900)

Louis Fréchette
1839-1908

TRADITION

À TRAVERS SES CONTES, Louis Fréchette se révèle parfois complice du merveilleux, parfois pourfendeur des superstitions populaires. Même si l'auteur est fortement attiré par le surnaturel, son esprit rationnel, façonné par une large instruction, l'incite à reléguer fantômes et diables au rang des croyances battues en brèche par les progrès de la science positiviste du XIXe siècle. Paradoxalement, cette période est très féconde en récits de revenants, tant en France qu'en Angleterre. Les auteurs semblent nourrir cette nostalgie d'une époque où la magie de l'inexplicable rompait le cycle ennuyant d'une vie sans mystère. Dans *Le Revenant de Gentilly*, un authentique fantôme se manifeste et les témoins de l'évènement ne sont plus de quelconques paysans crédules, mais des étudiants cultivés. Résistant à des esprits aussi éclairés, le surnaturel n'en devient que plus inquiétant.

~

PORTE-VOIX

Moi j'adore les légendes autant que les enfants aiment les contes de fées… Mais […] il faut que la légende soit jolie, touchante ou héroïque. Il faut qu'elle soit auréolée de poésie.

LOUIS FRÉCHETTE, *LES CLOCHES DE PÂQUES* (1892)

Église et presbytère de Gentilly (vers 1915).

Collection Pinsonneault.

Si vous demandez à quelqu'un s'il croit aux revenants, quatre-vingt-dix-neuf fois sur cent il vous répondra : Non.

Ce qui n'empêche pas qu'il se passe ou tout au moins qu'il se raconte des choses bien inexplicables.

Témoin l'histoire suivante que je tiens du père d'un de mes confrères, un homme de profession libérale[1], à l'esprit très large et très éclairé, sur qui la crédulité populaire n'avait aucune prise, et dont la bonne foi était – vous pouvez m'en croire – au-dessus de tout soupçon.

Voici le récit qu'il nous fit un soir, à quelques amis et à moi, en présence de sa femme et de ses trois fils, avec le ton sérieux qu'il savait prendre quand il parlait de choses sérieuses.

Je lui laisse la parole.

Je ne prétends pas, dit-il, qu'il faille croire à ceci et à cela, ou qu'il n'y faille pas croire ; je veux seulement vous relater ce que j'ai vu et entendu ; vous en conclurez ce que vous voudrez.

Quant à moi, je me suis creusé la tête bien longtemps pour trouver une explication, sans pouvoir m'arrêter à rien de positif ; et j'ai fini par n'y plus songer.

C'était en 1823.

J'achevais mes études au Collège de Nicolet[2]§, et j'étais en vacances dans le village de Gentilly[3]§, avec quelques-uns de mes confrères et deux ou trois séminaristes en congé auprès de leurs parents.

Nous fréquentions assidûment le presbytère, où le bon vieux curé du temps, très sociable, grand ami de la jeunesse, nous recevait comme un père.

C'était un fier fumeur devant le Seigneur, et pendant les beaux soirs d'été nous nous réunissions sur sa véranda pour déguster un fameux tabac canadien que le bon vieillard cultivait lui-même avec une sollicitude de connaisseur et d'artiste.

---

1. Profession libérale : profession à caractère intellectuel exercée sous le contrôle d'une association professionnelle ; avocat, notaire, médecin.
2. Collège de Nicolet : fondé en 1803, le Séminaire de Nicolet était une institution d'enseignement réputée offrant le cours classique, et ce, jusqu'à la réforme de l'éducation dans les années 1960.
3. Gentilly : aujourd'hui faisant partie de la ville de Bécancour. Cependant, le complexe nucléaire de Gentilly a conservé la dénomination de l'ancien village.

À onze heures sonnant :

— Bonsoir, mes enfants !

— Bonsoir, monsieur le curé !

Et nous regagnions nos pénates respectifs.

35 Un soir – c'était vers la fin d'août, et les nuits commençaient à fraîchir – au lieu de veiller à l'extérieur, nous avions passé la soirée à la chandelle, dans une vaste pièce où s'ouvrait la porte d'entrée, et qui servait, ordinairement, de bureau d'affaires, de fumoir ou de salle de causerie.

40 Coïncidence singulière, la conversation avait roulé sur les apparitions, les hallucinations, les revenants ou autres phénomènes de ce genre.

Onze heures approchaient, et le débat se précipitait un peu, lorsque monsieur le curé nous interrompit sur un ton quelque 45 peu inquiet :

— Tiens, dit-il, on vient me chercher pour un malade.

En même temps, nous entendions le pas d'un cheval et le roulement d'une voiture* qui suivait la courbe de l'allée conduisant à la porte du presbytère, et qui parut s'arrêter en face du perron.

50 Il faisait beau clair de lune ; quelqu'un se mit à la fenêtre.

— Tiens, dit-il, on ne voit rien.

— Ils auront passé outre.

— C'est étrange.

Et nous allions parler d'autre chose, quand nous entendîmes dis-55 tinctement des pas monter le perron, et quelqu'un frapper à la porte.

— Entrez ! fit l'un de nous.

Et la porte s'ouvrit.

Jusque-là, rien d'absolument extraordinaire ; mais jugez de notre stupéfaction à tous lorsque la porte se referma d'elle-même, comme 60 après avoir laissé passer quelqu'un, et que, là, sous nos yeux, presque à portée de la main, nous entendîmes des pas et comme des frôlements de soutane se diriger vers l'escalier qui conduisait au premier, et dont chaque degré – sans que nous pussions rien apercevoir – craqua comme sous le poids d'une démarche lourde et fatiguée.

65 L'escalier franchi, il nous sembla qu'on traversait le corridor sur lequel il débouchait, et qu'on entrait dans une chambre s'ouvrant

droit en face. Nous avions écouté sans trop analyser ce qui se passait, ahuris et nous regardant les uns les autres, chacun se demandant s'il n'était pas le jouet d'un rêve.

70 Puis les questions s'entrecroisèrent :

— Avez-vous vu quelqu'un, vous autres ?

— Non.

— Ni moi !

— Nous avons entendu, cependant.

75 — Bien sûr.

— Quelqu'un entrer…

— Puis traverser la chambre…

— Puis monter l'escalier…

— Oui.

80 — Puis s'introduire là-haut.

— Exactement.

— Qu'est-ce que cela veut dire ?

Et, à mesure que nous nous rendions compte de ce qui venait d'arriver, je voyais les autres blêmir et je me sentais blêmir moi aussi.

85 En effet, nous avions tous bien entendu…

Et sans rien voir…

Nous n'étions point des enfants, cependant, et le courage ne nous manquait pas.

Le curé prit un chandelier, j'en pris un autre ; et nous montâmes
90 l'escalier.

Rien !

Nous ouvrîmes la chambre où le mystérieux personnage avait paru s'enfermer.

Personne !

95 Absolument rien de dérangé ; absolument rien d'insolite.

Nous redescendîmes bouleversés et parlant bas.

— C'était pourtant bien quelqu'un.

— Il n'y a pas à dire.

— Et vous n'avez rien découvert ?

100 — Pas une âme !

— C'est renversant.

En ce moment un bruit terrible éclata dans la chambre que nous venions de visiter, comme si un poids énorme fût tombé sur le plancher.

Le vieux curé reprit froidement sa chandelle, remonta l'escalier et entra de nouveau dans la chambre.

Personne ne le suivit cette fois.

Il reparut pâle comme un spectre ; et pendant que nous entendions des cliquetis de chaînes et des gémissements retentir dans la chambre qu'il venait de quitter :

— J'ai bien regardé partout, mes enfants, dit-il ; je vous jure qu'il n'y a rien ! Prions le bon Dieu.

Et nous nous mîmes en prière.

À une heure du matin, le bruit cessa.

Deux des séminaristes passèrent le reste de la nuit au presbytère, pour ne pas laisser le bon curé seul ; et les collégiens – j'étais fort tremblant pour ma part – rentrèrent chacun chez soi, se promettant toutes sortes d'investigations pour le lendemain.

La seule chose que nous découvrîmes fut, en face du presbytère, les traces de la voiture* mystérieuse, qui apparaissaient très distinctes et toutes fraîches, dans le sable soigneusement ratissé de la veille.

Inutile de vous dire si cette histoire eut du retentissement.

Elle ne se termina pas là, du reste.

Tous les soirs, durant plus d'une semaine, les bruits les plus extraordinaires se firent entendre dans la chambre où l'invisible visiteur avait paru se réfugier.

Les hommes les plus sérieux et les moins superstitieux du village de Gentilly* venaient tour à tour passer la nuit au presbytère, et en sortaient le matin blancs comme des fantômes.

Le pauvre curé ne vivait plus.

Il se décida d'aller consulter les autorités du diocèse[1] ; et, comme Trois-Rivières§ n'avait pas encore d'évêque à cette époque[2], il partit pour Québec§.

---

1. Diocèse : circonscription ecclésiastique (territoire) placée sous l'autorité d'un évêque ou d'un archevêque.
2. Le diocèse de Trois-Rivières est fondé en 1852, et Mgr Thomas Cooke fut désigné comme premier évêque.

Le soir de son retour, nous étions réunis comme les soirs précédents, attendant le moment des manifestations surnaturelles, qui ne 135 manquaient jamais de se produire sur le coup de minuit.

Le curé était très pâle, et plus grave encore que d'habitude.

Quand le tintamarre recommença, il se leva, passa son surplis et son étole, et, s'adressant à nous :

— Mes enfants, dit-il, vous allez vous agenouiller et prier ; et quel 140 que soit le bruit que vous entendiez, ne bougez pas, à moins que je ne vous appelle. Avec l'aide de Dieu je remplirai mon devoir.

Et, d'un pas ferme, sans arme et sans lumière – je me rappelle encore, comme si c'était d'hier, le sentiment d'admiration qui me gonfla la poitrine devant cette intrépidité si calme et si simple –, le 145 saint prêtre monta bravement l'escalier, et pénétra sans hésitation dans la chambre hantée.

Alors, ce fut un vacarme horrible.

Des cris, des hurlements, des fracas épouvantables.

On aurait dit qu'un tas de bêtes féroces s'entre-dévoraient, en 150 même temps que tous les meubles de la chambre se seraient écrabouillés sur le plancher.

Je n'ai jamais entendu rien de pareil dans toute mon existence.

Nous étions tous à genoux, glacés, muets, les cheveux dressés de terreur.

155 Mais le curé n'appelait pas.

Cela dura-t-il longtemps ? je ne saurais vous le dire, mais le temps nous parut bien long.

Enfin le tapage infernal cessa tout à coup, et le brave abbé reparut, livide, tout en nage, les cheveux en désordre, et son surplis 160 en lambeaux…

Il avait vieilli de dix ans.

— Mes enfants, dit-il, vous pouvez vous retirer : c'est fini ; vous n'entendrez plus rien. Au revoir ; parlez de tout ceci le moins possible.

Après ce soir-là, le presbytère de Gentilly reprit son calme habituel.

165 Seulement, tous les premiers vendredis du mois, jusqu'à sa mort, le bon curé célébra une messe de Requiem[1] pour quelqu'un qu'il ne voulut jamais nommer.

Voilà une étrange histoire, n'est-ce pas, messieurs ? conclut le narrateur.

170 Eh bien, je ne vous ai pourtant conté là que ce que j'ai vu de mes yeux et entendu de mes oreilles, – avec nombre d'autres personnes parfaitement dignes de foi.

Qu'en dites-vous ?

Rien ?

175 Ni moi non plus.

1. *Requiem* : premier mot latin de la prière pour les morts, *Requiem aeternam dona eis* – « Donnez-leur le repos éternel ». Le terme évoque aussi la musique composée pour la messe des morts ; le *Requiem* de Mozart.

L'AUTO-STOPPEUSE DU MAINE

LÉGENDE URBAINE – 1994

ÉDITION ORIGINALE : *Fantastiques Légendes du Québec, récits de l'ombre et du sombre,* sous la direction de Nicole Guilbault, Montréal, Éditions Asted, 2001.

Légende recueillie en 1994 par Annick Gilbert.
INFORMATEUR : Ian Ajmo, 21 ans, Québec.
LOCALISATION : Maine, États-Unis.

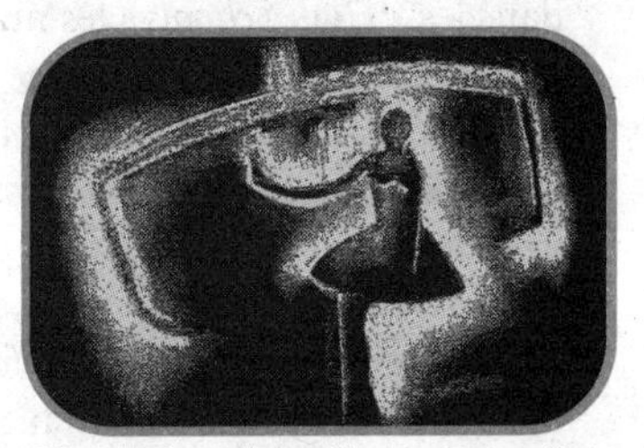

Illustration de madame Geneviève DeCelles. Éditions Asted.

MODERNITÉ

IL PEUT PARAÎTRE étonnant qu'une légende québécoise dite « urbaine » relate l'aventure d'un adolescent américain dans les années 1940. Mais il n'en est rien puisque l'existence de la légende même se fonde sur le « bouches-à-oreilles ». Et l'expression exige le pluriel. D'autant plus depuis l'avènement d'Internet. La légende se mondialise et se métisse désormais à une vitesse telle que la plus acharnée des commères de village ne saurait rivaliser. Et cette rumeur est toujours colportée par des gens *sincères* qui n'ont d'autre but que d'informer leurs interlocuteurs en racontant *exactement* ce qu'ils ont vu ou entendu. Ce n'est jamais nous qui enjolivons ou amplifions le récit. Jamais.

~

PORTE-VOIX

Si la tradition orale québécoise évoque [de] prime abord un retour vers le passé, les récits de croyances que sont les légendes, présentés souvent comme des « vérités vraies » par les conteurs et les conteuses qui les rapportent, puisent ici leurs sujets et leurs actions dans un présent si proche de nous qu'il en devient troublant.

NICOLE GUILBAULT (2001)

Je vais vous raconter une légende américaine qui est répandue dans les « *High Schools* » les nuits de bal. C'est une sorte de tradition. C'est mon grand-père qui me l'a racontée. Il était américain et cette histoire-là circulait quand il était jeune, vers 1940. Ça se passe au Maine[§].

C'est un garçon qui, après un bal de finissants, va à son après-bal. Et en revenant, sur la route 51, il voit une fille qui porte une belle robe rose, une robe de bal. Elle *fait du pouce.* Il s'arrête pour la faire monter. Elle entre dans l'auto, mais elle insiste pour s'asseoir en arrière. Comme il était sur une autoroute, les voitures roulaient vite. La fille avait froid, elle grelottait.

En regardant dans son rétroviseur, il s'est rendu compte de cela et il lui a prêté son veston. Dès qu'elle l'a mis, il a vu sur son visage qu'elle se sentait mieux. Ils ont parlé assez longtemps, puis il lui a demandé son adresse pour pouvoir la conduire directement chez elle, vu qu'il était tard, sans qu'il lui arrive quelque chose. Elle lui a donné l'adresse : le 51 Greenfield Road. Il savait où se trouvait cette rue-là.

Il a donc emprunté une route beaucoup plus sombre qui menait vers cet endroit. Ils ont continué de parler ensemble et il a fini par lui demander : « Qu'est-ce que tu faisais en plein milieu de la route à pareille heure ? » Comme il n'avait aucune réponse, il a regardé à nouveau dans son rétroviseur, mais la fille n'était plus là. Il a regardé en arrière, sur la banquette, pour voir si elle ne s'était pas cachée. Elle n'y était pas. Il ne comprenait plus ! Il ne s'était pas arrêté, et il avait roulé à soixante, soixante-dix milles à l'heure depuis quinze ou vingt minutes.

Il a décidé de se rendre à l'adresse qu'elle lui avait donnée. Arrivé là, il sonne, en pleine nuit. Une dame vient lui répondre. Il lui dit : « Excusez-moi, mais j'ai rencontré votre fille sur la route ; elle m'a donné votre adresse quand elle était dans mon auto et ensuite, je ne sais pas ce qui s'est passé mais elle est disparue. »

À ce moment-là, la femme tombe à genoux et éclate en sanglots. Son mari arrive, l'air contrarié. Il dit : « Qu'est-ce que c'est que ces affaires-là ? » Sa femme lui explique : « Il vient de me dire qu'il a vu notre fille. Ça n'a pas de bon sens de nous faire un coup pareil ! » Le mari a continué : « Aie ! Tu nous fais marcher ! » Il l'a pratiquement traité de menteur. Il ajoute: « Notre fille est morte il y a trois ans, la nuit de son après-bal. Si tu ne nous crois pas, regarde la photo sur le piano. » Le garçon a répondu: « Oui, c'est bien elle que j'ai vue. »

40 Le père a encore monté le ton: « Aie! moque-toi pas, elle est au cimetière, à deux pâtés de maisons d'ici. Va voir si tu ne nous crois pas. Tu vas trouver sa pierre tombale. »

Il est parti, plutôt mal à l'aise. Il les avait quand même réveillés et leur avait rappelé des souvenirs douloureux. Mais il était sûr de l'avoir 45 bien vue, cette fille-là.

Il se rend donc au cimetière. Il cherche, il cherche encore. Et à un moment donné, il voit une pierre tombale qui portait le nom de la fille.

Et son veston était là.

La Cage (1916).
Henri Julien (1852-1908).

La Corriveau

UNE NUIT AVEC LES SORCIERS

ROMAN (EXTRAIT) – 1863

PREMIÈRE PARUTION :
Les Anciens Canadiens, Québec, Desbarats & Derbishire, 1863.

ŒUVRES CHOISIES :
Mémoires (1866)
Divers (1893)

Philippe Aubert de Gaspé, père
1786-1871

TRADITION

DESCENDANT d'une illustre famille de France, Philippe Aubert de Gaspé est le cinquième et dernier seigneur de Saint-Jean-Port-Joli. Il étudie au Petit Séminaire de Québec aux côtés de Louis-Joseph Papineau. Devenu avocat, il s'implique activement dans la vie sociale, culturelle et politique de Québec. Nommé shérif de ce district en 1816, il doit quitter ces fonctions puisqu'il est compromis dans un scandale financier. Il se retire au manoir familial et ce n'est qu'en 1863, à un âge bien avancé, qu'il publie l'histoire de deux amis de collège, l'un canadien, Jules d'Haberville, et l'autre écossais, Archibald Cameron of Locheill. Pour les vacances, ces deux compagnons décident de passer le dernier été ensemble au manoir seigneurial d'Haberville. C'est en arrivant à la Pointe-Lévis que José Dubé, leur « écuyer », leur raconte l'aventure que son père a vécue à ce même endroit. L'extrait qui suit est tiré des chapitres III et IV du roman.

~

PORTE-VOIX

Gaspé voulut, lui aussi, participer au mouvement de récupération de notre folklore et consigner par écrit quelques épisodes du bon vieux temps.

MAURICE LEMIRE (1978)

Angels and minister of grace, defend us!
Be thou a spirit of health, or goblin damned,
Bring with three airs from heaven, or blast from hell.
HAMLET[1]

Écoute comme les bois crient. Les hiboux fuient épouvantés [...]
5 *Entends-tu ces voix dans les hauteurs,*
dans le lointain, ou près de nous? [...]
Eh! oui! La montagne retentit, dans toute sa longueur
d'un furieux chant magique.
FAUST[2]

Lest bogles catch him unawares; [...]
10 *Where ghaits and howlets nightly cry. [...]*
When out the hellish legion sallied.
BURNS

Si donc qu'un jour, mon défunt père, qui est mort, avait laissé la ville pas mal tard, pour s'en retourner chez nous; il s'était même diverti, comme qui dirait, à pintocher tant soit peu avec ses connais-
15 sances de la Pointe-Lévis§: il aimait un peu la goutte le brave et honnête homme! à telle fin qu'il portait toujours, quand il voyageait, un flacon d'eau-de-vie dans son sac de loup-marin[3]; il disait que c'était le lait des vieillards. [...]

Si donc que, quand mon défunt père voulut partir, il faisait tout à
20 fait nuit. Ses amis firent alors tout leur possible pour le garder à coucher, en lui disant qu'il allait bien vite passer tout seul devant la cage de fer où la Corriveau faisait sa pénitence, pour avoir tué son mari.

Vous l'avez vue vous-mêmes, mes messieurs, quand j'avons quitté la Pointe-Lévis à une heure: elle était bien tranquille dans sa cage, la
25 méchante bête, avec son crâne sans yeux; mais ne vous y fiez pas; c'est une sournoise, allez! si elle ne voit pas le jour, elle sait bien trouver son chemin la nuit pour tourmenter le pauvre monde.

Si bin, toujours, que mon défunt père, qui était brave comme l'épée de son capitaine, leur dit qu'il ne s'en souciait guère; qu'il ne lui

1. *Hamlet*: œuvre de Shakespeare.
2. *Faust*: œuvre de Goethe.
3. Loup-marin: phoque.

30 devait rien à la Corriveau ; et un tas d'autres raisons que j'ai oubliées. Il donne un coup de fouet à sa guevalle* (cavale), qui allait comme le vent, la fine bête ! et le voilà parti.

Quand il passa près de l'esquelette, il lui sembla bin entendre quelque bruit, comme qui dirait une plainte ; mais, comme il venait 35 un gros *sorouet*[1], il crut que c'était le vent qui lui sifflait dans les os du calabre (cadavre). Pu n'y moins, ça le tarabusquait (tarabustait), et il prit un bon coup, pour se réconforter. Tout bin considéré, à ce qu'i se dit, il faut s'entr'aider entre chrétiens : peut-être que la pauvre créature (femme) demande des prières. Il ôte donc son bonnet, et récite 40 dévotement un *deprofundi*[2] à son intention ; pensant que si ça lui faisait pas de bien, ça ne lui ferait pas de mal, et que lui, toujours, s'en trouverait mieux.

Si donc, qu'il continua à filer grand train ; ce qui ne l'empêchait pas d'entendre derrière lui, tic tac, tic tac, comme si un morceau de fer eût 45 frappé sur des cailloux. Il crut que c'était son bandage de roue ou quelques fers de son cabrouette[3] qui étaient décloués. Il descend donc de sa voiture* ; mais tout était en règle. Il toucha sa guevalle pour réparer le temps perdu ; mais, un petit bout de temps après, il entend encore tic tac, sur les cailloux. Comme il était brave, il n'y fit pas 50 grande attention.

Arrivé sur les hauteurs de Saint-Michel§, que nous avons passées tantôt, l'endormitoire le prit. Après tout, ce que se dit mon défunt père, un homme n'est pas un chien ! faisons un somme ; ma guevalle et moi nous nous en trouverons mieux. Si donc, qu'il dételle sa gue-55 valle, lui attache les deux pattes de devant avec ses cordeaux, et lui dit : Tiens, mignonne, voilà de la bonne herbe, tu entends couler le ruisseau : bonsoir.

1. Sorouet : suroît, vent du sud-ouest.
2. *Deprofundi* : prière pour les défunts tirée des Psaumes (129, 1-6), *De profundis ad te domine. Domine, exaudi vocem meam* – « Des profondeurs, je crie vers toi, Seigneur. Seigneur, écoute mon appel ! ». Le missel (livre de prières – voir p. 223) précise que ce psaume est surtout récité lorsque « l'âme, remplie de crainte, implore la bonté divine ». C'est pourquoi les gens terrifiés par les esprits le récitent à plusieurs reprises comme une incantation pour se conjurer du Mal et libérer du même coup l'âme damnée.
3. Cabrouette : « cabrouet », cabriolet. Voiture légère à deux roues et à un seul cheval.

Comme mon défunt père allait se fourrer sous son cabrouette pour se mettre à l'abri de la rosée, il lui prit fantaisie de s'informer de l'heure. Il regarde donc les trois Rois au sud, le Chariot au nord, et il en conclut qu'il était minuit. C'est l'heure, qu'il se dit, que tout honnête homme doit être couché.

Il lui sembla, cependant, tout à coup, que l'île d'Orléans§ était tout en feu. Il saute un fossé, s'accote sur une clôture, ouvre de grands yeux, regarde, regarde… Il vit à la fin que des flammes dansaient le long de la grève, comme si tous les fifollets* du Canada, les damnés, s'y fussent donné rendez-vous pour tenir leur sabbat*. À force de regarder, ses yeux, qui étaient pas mal troublés, s'éclaircirent, et il vit un drôle de spectacle : c'étaient comme des manières (espèces) d'hommes, une curieuse engeance tout de même ! ça avait bin une tête grosse comme un demi-minot[1], affublée d'un bonnet pointu d'une aulne* de long, puis des bras, des jambes, des pieds et des mains armés de griffes, mais point de corps pour la peine d'en parler. Ils avaient, sous votre respect, mes messieurs, le califourchon fendu jusqu'aux oreilles. Ça n'avait presque pas de chair : c'était quasiment tout en os, comme des esquelettes. Tous ces jolis gas (garçons) avaient la lèvre supérieure fendue en bec de lièvre, d'où sortait une dent de rhinoféroce d'un bon pied* de long, comme on en voit, monsieur Arché, dans votre beau livre d'images de l'histoire surnaturelle. Le nez ne vaut guère la peine qu'on en parle ; c'était ni plus ni moins qu'un long groin de cochon, sous votre respect, qu'ils faisaient jouer à demande, tantôt à droite tantôt à gauche de leur grande dent : c'était, je suppose, pour l'affiler. J'allais oublier une grande queue, deux fois longue comme celle d'une vache, qui leur pendait dans le dos, et qui leur servait, je pense, à chasser les moustiques.

Ce qu'il y avait de drôle, c'est qu'ils n'avaient que trois yeux par couple de fantômes. Ceux qui n'avaient qu'un seul œil au milieu du front, comme ces cyriclopes (cyclopes) dont votre oncle le chevalier, M. Jules, qui est un savant, lui, nous lisait dans son gros livre, tout

1. Minot : ancienne mesure de capacité équivalant à un peu plus de 36 litres.

90 latin comme un bréviaire† de curé, qu'il appelle son Vigile[1], ceux donc qui n'avaient qu'un seul œil tenaient par la griffe deux acolytes qui avaient bin, eux, les damnés, tous leurs yeux. De tous ces yeux sortaient des flammes qui éclairaient l'île d'Orléans comme en plein jour. Ces derniers semblaient avoir de grands égards pour leurs voisins, qui
95 étaient comme qui dirait, borgnes; ils les saluaient, s'en rapprochaient, se trémoussaient les bras et les jambes, comme des chrétiens qui font le carré d'un menuette (menuet).

Les yeux de mon défunt père lui en sortaient de la tête. Ce fut bin pire quand ils commencèrent à sauter, à danser, sans pourtant
100 changer de place, et à entonner, d'une voix enrouée comme des bœufs qu'on étrangle, la chanson suivante:

Allons, gai, compèr' lutin!
Allons, gai, mon cher voisin!
Allons, gai, compèr' qui fouille,
105 *Compèr' crétin la grenouille!*
Des chrétiens, des chrétiens,
J'en f'rons un bon festin.

— Ah! les misérables carnibales (cannibales), dit mon défunt père, voyez si un honnête homme peut être un moment sûr de son bien!
110 Non contents de m'avoir volé ma plus belle chanson que je réservais toujours pour la dernière dans les noces et les festins, voyez comme ils me l'ont étriquée! C'est à ne plus s'y reconnaître! Au lieu de bon vin, ce sont des chrétiens dont ils veulent se régaler, les indignes!

Et puis après, les sorciers continuèrent leur chanson infernale, en
115 regardant mon défunt père et en le couchant en joue avec leurs grandes dents de rhinoféroce.

Ah! viens donc, compèr' François,
Ah! viens donc, tendre porquet!
Dépêch'-toi, compèr' l'andouille,

1. Vigile: déformation de « Virgile », auteur romain qui vécut de 70 à 19 av. J.-C., et allusion à son œuvre l'*Énéide*.

120 *Compèr' boudin, la citrouille;*
Du Français, du Français,
J'en f'rons un bon saloi[1].

— Tout ce que je pense vous dire pour le moment, mes mignons, leur cria mon défunt père, c'est que si vous en mangez jamais d'autre 125 lard que celui que je vous porterai, vous n'aurez pas besoin de dégraisser votre soupe.

Les sorciers paraissaient, cependant, attendre quelque chose, car ils tournaient souvent la tête en arrière; mon défunt père regarde itou (aussi). Qu'est-ce qu'il aperçoit sur le coteau? un grand diable bâti 130 comme les autres, mais aussi long que le clocher de Saint-Michel, que nous avons passé tout à l'heure. Au lieu de bonnet pointu, il portait un chapeau à trois cornes surmonté d'une épinette en guise de plumet. Il n'avait bin qu'un œil, le gredin qu'il était! Mais ça en valait une douzaine: c'était, sans doute, le tambour-major du régiment, car 135 il tenait, d'une main, une marmite deux fois aussi grosse que nos chaudrons à sucre, qui tiennent vingt gallons; et, de l'autre, un battant[2] de cloche qu'il avait volé, je crois, le chien d'hérétique, à quelque église avant la cérémonie du baptême[3]. Il frappe un coup sur la marmite, et tous ces *insécrables* se mettent à rire, à sauter, à se trémousser, 140 en branlant la tête du côté de mon défunt père, comme s'ils l'invitaient à venir se divertir avec eux.

Vous attendrez longtemps, mes brebis, pensait à part lui mon défunt père, dont les dents claquaient dans la bouche comme un homme qui a les fièvres tremblantes, vous attendrez longtemps, mes 145 doux agneaux: il y a de la presse de quitter la terre du bon Dieu pour celle des sorciers!

1. Saloi: saloir, où l'on salait les aliments pour mieux les conserver.
2. Battant: longue pièce métallique suspendue à l'intérieur d'une cloche qui vient frapper les parois et qui produit le tintement.
3. Cérémonie du baptême: le baptême des cloches est une coutume remontant au XIIe siècle. Tout comme le sacrement du baptême d'un nouveau-né, on leur donnait un nom, souvent celui de leur donateur, et le prêtre les bénissait pour conjurer le mauvais sort.

Tout à coup le diable géant entonne une ronde infernale, en s'accompagnant sur la marmite qu'il frappait à coups pressés et redoublés et tous les diables partent comme des éclairs ; si bien qu'ils ne mettaient pas une minute à faire le tour de l'île. Mon pauvre défunt père était si embêté de tout ce vacarme, qu'il ne put retenir que trois couplets de cette belle danse ronde ; et les voici :

C'est notre terre d'Orléans (BIS)
Qu'est le pays des beaux enfants,
Toure-loure ;
Dansons à l'entour,
Toure-loure ;
Dansons à l'entour.

Venez-y tous en survenants (BIS)
Sorciers, lézards, crapauds, serpents,
Toure-loure ;
Dansons à l'entour,
Toure-loure ;
Dansons à l'entour.

Venez-y tous en survenants (BIS)
Impies, athées et mécréants,
Toure-loure ;
Dansons à l'entour,
Toure-loure ;
Dansons à l'entour. […]

Sganarelle: Seigneur commandeur, mon maître, Don Juan, vous demande si vous voulez lui faire l'honneur de venir souper avec lui.
Le Même: La statue m'a fait signe.
Le Festin de Pierre

What! The ghost are growing ruder,
175 *How they beard me […]*
To-night–Why this is a Goblin Hall,
Spirits and spectres all in all.
Faustus

[…]

— Ce n'est pas un conte de curé, reprit vivement José; mais c'est aussi vrai que quand il nous parle dans la chaire de vérité: car mon 180 défunt père ne mentait jamais.

— Nous vous croyons, mon cher José, dit de Locheill; mais continuez, s'il vous plaît, votre charmante histoire.

— Si donc, reprit José, que mon défunt père, tout brave qu'il était, avait une si fichue peur, que l'eau lui dégouttait par le bout du nez, 185 gros comme une paille d'avoine. Il était là, le cher homme, les yeux plus grands que la tête, sans oser bouger. Il lui sembla bien qu'il entendait derrière lui le tic tac qu'il avait déjà entendu plusieurs fois pendant sa route; mais il avait trop de besogne par devant, sans s'occuper de ce qui se passait derrière lui. Tout à coup, au moment où il s'y attendait 190 le moins, il sent deux grandes mains sèches comme des griffes d'ours, qui lui serrent les épaules: il se retourne tout effarouché, et se trouve face à face avec la Corriveau, qui se grappignait amont lui. Elle avait passé les mains à travers les barreaux de sa cage de fer, et s'efforçait de lui grimper sur le dos; mais la cage était pesante, et, à chaque élan 195 qu'elle prenait, elle retombait à terre avec un bruit rauque, sans lâcher pourtant les épaules de mon pauvre défunt père, qui pliait sous le fardeau. S'il ne s'était pas tenu solidement avec ses deux mains à la clôture, il aurait écrasé sous la charge. Mon pauvre défunt père était si saisi d'horreur, qu'on aurait entendu l'eau qui lui coulait de la tête 200 tomber sur la clôture comme des grains de gros plomb à canard.

— Mon cher François, dit la Corriveau, fais-moi le plaisir de me mener danser avec mes amis de l'île d'Orléans.

— Ah ! satanée bigre de chienne ! cria mon défunt père (c'était le seul jurement dont il usait, le saint homme, et encore dans les grandes
205 traverses[1]). […]

— Satanée bigre de chienne, est-ce pour me remercier de mon *deprofundi** et de mes autres bonnes prières que tu veux me mener au sabbat* ? Je pensais bien que tu en avais, au petit moins, pour trois à quatre mille ans dans le purgatoire* pour tes fredaines[2]. Tu n'avais tué
210 que deux maris : c'était une misère ! Aussi ça me faisait encore de la peine, à moi qui ai toujours eu le cœur tendre pour la créature, et je me suis dit : Il faut lui donner un coup d'épaule ; et c'est là ton remerciement, que tu veux monter sur les miennes, pour me traîner en enfer comme un hérétique !

215 — Mon cher François, dit la Corriveau, mène-moi danser avec mes bons amis ; et elle cognait sa tête sur celle de mon défunt père, que le crâne lui résonnait comme une vessie sèche pleine de cailloux.

— Tu peux être sûre, dit mon défunt père, satanée bigre de fille de Judas l'Escariot[3], que je vais te servir de bête de somme pour te mener
220 danser au sabbat avec tes jolis mignons d'amis !

— Mon cher François, répondit la sorcière, il m'est impossible de passer le Saint-Laurent§, qui est un fleuve bénit, sans le secours d'un chrétien.

— Passe comme tu pourras, satanée pendue, que lui dit mon défunt
225 père ; passe comme tu pourras : chacun son affaire. Oh ! oui ! compte que je t'y mènerai danser avec tes chers amis, mais ça sera à poste de chien comme tu es venue, je ne sais comment, en traînant ta belle cage, qui aura déraciné toutes les pierres et tous les cailloux du chemin du roi*, que ça sera une *escandale*, quand le grand voyageur passera ces
230 jours ici, de voir un chemin dans un état si piteux ! Et puis, ça sera le pauvre habitant* qui pâtira, lui, pour tes fredaines, en payant l'amende pour n'avoir pas entretenu son chemin d'une manière convenable !

Le tambour-major cesse enfin tout à coup de battre la mesure sur sa grosse marmite. Tous les sorciers s'arrêtent et poussent trois cris, trois
235 hurlements comme font les sauvages* quand ils ont chanté et dansé « la guerre », cette danse et cette chanson par laquelle ils préludent toujours

1. Traverses : épreuves, difficultés.
2. Fredaines : écarts de conduite.
3. Judas l'Escariot : l'un des 12 apôtres de Jésus, celui qui l'a trahi en le « vendant » aux grands prêtres juifs.

à une expédition guerrière. L'île en est ébranlée jusque dans ses fondements. Les loups, les ours, toutes les bêtes féroces, les sorciers des montagnes du nord s'en saisissent, et les échos les répètent jusqu'à ce qu'ils
240 s'éteignent dans les forêts qui bordent la rivière Saguenay§.

Mon pauvre défunt père crut que c'était, pour le petit moins, la fin du monde et le jugement dernier.

Le géant au plumet d'épinette frappe trois coups ; et le plus grand silence succède à ce vacarme infernal. Il élève le bras droit du côté de
245 mon défunt père, et lui crie d'une voix de tonnerre : Veux-tu bien te dépêcher, chien de paresseux, veux-tu bien te dépêcher, chien de chrétien, de traverser notre amie ? Nous n'avons plus que quatorze mille quatre cents rondes à faire autour de l'île avant le chant du coq : veux-tu lui faire perdre le plus beau du divertissement ?

250 — Va-t'en à tous les diables d'où tu sors, toi et les tiens, lui cria mon défunt père, perdant enfin toute patience.

— Allons, mon cher François, dit la Corriveau, un peu de complaisance ! tu fais l'enfant pour une bagatelle ; tu vois pourtant que le temps presse : voyons, mon fils, un petit coup de collier[1].

255 — Non, non, fille de satan ! dit mon défunt père. Je voudrais bien que tu l'eusses encore le beau collier que le bourreau t'a passé autour du cou, il y a deux ans : tu n'aurais pas le sifflet si affilé.

Pendant ce dialogue, les sorciers de l'île reprenaient leur refrain :

Dansons à l'entour,
260 *Toure-loure ;*
Dansons à l'entour.

— Mon cher François, dit la sorcière, si tu refuses de m'y mener en chair et en os, je vais t'étrangler ; je monterai sur ton âme et je me rendrai au sabbat. Ce disant, elle le saisit à la gorge et l'étrangla [...]

265 Quand je dis étranglé, il n'en valait guère mieux, le cher homme, reprit José, car il perdit tout à fait connaissance. Lorsqu'il revint à lui, il entendit un petit oiseau qui criait : *qué-tu ?*

— Ah ! ça ! dit mon défunt père, je ne suis donc point en enfer, puisque j'entends les oiseaux du bon Dieu. Il risque un œil, puis un
270 autre, et voit qu'il fait grand jour : le soleil lui reluisait sur le visage.

1. Coup de collier : en référence au « collier », partie du harnais que l'on attache au cou des bêtes attelées, des bêtes de somme.

Le petit oiseau, perché sur une branche voisine, criait toujours : *qué-tu ?*

— Mon cher petit enfant, dit mon défunt père, il m'est malaisé de répondre à ta question, car je ne sais trop qui je suis ce matin ; hier
275 encore je me croyais un brave et honnête homme créant (craignant) Dieu ; mais j'ai eu tant de traverses* cette nuit, que je ne saurais assurer si c'est bien moi, François Dubé, qui suis ici présent en corps et en âme. Et puis il se mit à chanter, le cher homme :

Dansons à l'entour,
280 *Toure-loure ;*
Dansons à l'entour.

Il était encore à moitié ensorcelé. Si bien toujours, qu'à la fin il s'aperçut qu'il était couché de tout son long dans un fossé où il y avait heureusement plus de vase que d'eau, car sans cela, mon pauvre
285 défunt père, qui est mort comme un saint, entouré de tous ses parents et amis, et muni de tous les sacrements de l'Église sans en manquer un, aurait trépassé sans confession†, comme un orignal au fond des bois, sauf le respect que je lui dois et à vous, mes jeunes messieurs. Quand il se fut déhâlé du fossé où il était serré comme dans une
290 étoque (étau), le premier objet qu'il vit fut son flacon sur la levée du fossé ; ça lui ranima un peu le courage. Il étendit la main pour prendre un coup ; mais bernique ! Il était vide ! La sorcière avait tout bu.

— Mon cher José, dit de Locheill, je ne suis pourtant pas plus lâche qu'un autre ; mais, si pareille aventure m'était arrivée, je n'aurais
295 jamais voyagé seul de nuit.

— Ni moi non plus, interrompit d'Haberville.

— À vous dire le vrai, mes messieurs, dit José, puisque vous avez tant d'esprit, je vous dirai en confidence que mon défunt père, qui, avant cette aventure, aurait été dans un cimetière en plein cœur de
300 minuit, n'était plus si hardi après cela ; car il n'osait aller seul faire son train dans l'étable, après soleil couché.

— Il faisait très prudemment ; mais achève ton histoire, dit Jules.

— Elle est déjà finie, reprit José ; mon défunt père attela sa guevalle*, qui n'avait eu connaissance de rien, à ce qu'il paraît, la pauvre
305 bête, et prit au plus vite le chemin de la maison ; ce ne fut que quinze jours après qu'il nous raconta son aventure.

LA CORRIVEAU

Chanson – 1966

Première édition: *Exergues*, Montréal, Nouvelles Éditions de l'Arc, 1971.

Œuvres choisies:
Contes sur la pointe des pieds (1960)
Contes du coin de l'œil (1966)
L'Armoire des jours (1998)

Gilles Vigneault
Né en 1928

MODERNITÉ

L'œuvre de Gilles Vigneault, grand chantre de notre pays, est connue de toutes les générations de Québécois. Ses plus que célèbres chansons *Mon pays* et *Les Gens de mon pays* constituent à elles seules l'hymne national de tout un peuple bercé par le froid et les légendes. C'est tout naturellement qu'on s'adresse à lui pour relater, tel un troubadour, le triste destin de la Corriveau lorsque Ludmilla Chiriaeff, chorégraphe des Grands Ballets Canadiens, projette d'en faire un ballet. Expressément pour cette production, Gilles Vigneault compose *La Corriveau* au printemps 1966. La première a lieu à la Place des Arts de Montréal le 21 décembre de la même année. La pièce de Vigneault est mise en musique par Alexander Brott et interprétée par Brydon Paige sur scène. Elle a été popularisée cependant par l'interprétation qu'en a fait Pauline Julien.

~

Porte-voix

La voix rauque de Vigneault chante le Québec de toujours; sa parole est faite à la mesure de l'espace géographique et mythique; la forme de ses chansons se module au creux d'un sentiment qui a pour source première son légendaire Natashquan.

Réginald Hamel (1978)

Y paraît que… (2003).

Oyez ! Oyez ! Gens de ce pays
Gens de la ville et d'ailleurs aussi
Je viens vous dire un conte effrayant
Pour le chanter, c'est en se signant[1]

5 Oyez ! Oyez ! Gens de ce pays
Gens du présent, du passé aussi
Gens du futur qui en parlerez
La Corriveau vous l'appellerez

C'était du temps que tout ce pays
10 Était trahi, envahi, conquis
L'Anglais vainqueur était maître et roi
Était le juge et faisait sa loi

Merles et pinsons annonçaient printemps
Feuilles au-dehors et fruits au-dedans
15 Au cœur, amour ; au jardin, muguet
Neige fondait, herbe reverdait

La Corriveau comme fut nommée
Et qui laissa triste renommée
D'avoir tué son second mari
20 Pour le premier, on l'a dit aussi…

Dans son village et les alentours
Pour la nommer, on parlait d'amour
Tant était belle et pure en ce temps
Noire de crimes et laide à présent…

25 Une servante au nom d'Isabeau
Et qui trouvait le mari fort beau
Mit en ce lieu si grand désaccord
Que le mari fut retrouvé mort

1. En se signant : en faisant le signe de la croix, symbole de la bénédiction divine qui préserve du Mal.

Son père avec son second mari
30 Se disputait, c'est ce qu'elle a dit
La Corriveau aurait découvert
Son mari mort et le crâne ouvert

En découvrant cet affreux forfait
Tout le pays en fut stupéfait
35 On arrêta son père en premier
On le prenait pour le meurtrier

On l'emmenait pour être pendu
Mais quand le prêtre l'eut entendu
Il avoua s'être condamné
40 Pour son enfant, il fut pardonné

Le colonel et le gouverneur
Et les témoins de ce grand malheur
Ont prononcé même jugement
Ont demandé même châtiment

45 Dans les barreaux d'une cage en fer
Mise vivante et pendue en l'air
La Corriveau devait expier
De faim de froid devait expirer

Oyez ! Oyez ! Gens de ce pays
50 Gens du présent, du passé aussi
Gens du futur qui en parlerez
La Corriveau vous l'appellerez

LA CAGE

THÉÂTRE (EXTRAIT) – 1990

PREMIÈRE ÉDITION : *La Cage*, suivi de *L'Île de la Demoiselle*, Paris, Seuil/Montréal, Boréal, 1990.

ŒUVRES CHOISIES : *Le Torrent* (1950)
Kamouraska (1970)
Les Enfants du sabbat (1975)
Les Fous de Bassan (1982)
Le Premier Jardin (1988)

Anne Hébert
1916-2000

MODERNITÉ

ANNE HÉBERT, emblème littéraire de la modernité québécoise, a pourtant vécu à Paris pendant 32 ans. Le Québec rural d'antan n'a pas cessé de l'inspirer pour autant. Nombreuses sont ses œuvres qui *trahissent* son attachement à la terre ancestrale. En 1990, elle fixe au théâtre la vie, revue et corrigée, de la Corriveau. Dans le prologue, elle imagine sur scène deux cages : l'une dorée et enrubannée promise à la jolie Rosalinde, l'autre grise et d'acier destinée à la petite Ludivine Corriveau. Autour des deux fillettes s'affaire tout un cortège virevoltant de fées maléfiques et bienfaisantes qui les couvrent de leurs dons néfastes ou salutaires. Anne Hébert esquisse ainsi le portrait d'une femme du XVIIIe siècle soumise aux impératifs d'une Fatalité et d'une Justice défaillantes.

~

PORTE-VOIX

Anne Hébert écrivait des romans violents dans lesquels elle explorait toutes les facettes de la sexualité, entraînant des personnages aux passions inavouables dans des décors de neige et d'eau. Peut-être parlait-elle aux démons, mais elle conservera, jusqu'à la fin de sa vie, un air angélique ; on l'aurait cru immortelle.

JACQUES GODBOUT (2000)

Les mouvements des Fées sont réglés comme un ballet. Durant la scène qui vient de finir, les Fées Noires ont franchi l'océan plusieurs fois, relevant leurs jupes, se tenant les reins comme des femmes enceintes.
Voici que les Fées Noires se précipitent à droite, auprès de Ludivine, couchée à même le sol, entre ses parents agenouillés. Tandis que les Fées Blanches accrochent aux barreaux de la cage de Rosalinde des nœuds de ruban blanc et des fleurs blanches comme pour un mariage.

PREMIÈRE FÉE BLANCHE

(*À Rosalinde.*) Dors bien, petite fille. Que ton enfance te soit douce. Ton destin est déjà tout tracé. À quinze ans tu te réveilleras et tu te marieras. Vois comme nous ornons ta future demeure, en prévision du jour de tes noces.

DEUXIÈME FÉE BLANCHE

Vite, mes sœurs ! Rien n'est encore terminé et il faut recommencer nos magnificences à droite. Le temps presse. Mon ventre n'a pas fini de livrer ses trésors. Je rêve de devenir plate comme une limande[1] et de m'envoler vers la Floride pour me reposer un peu.

Pendant que les Fées Blanches s'attardent auprès de Rosalinde, les Fées Noires entourent Ludivine, leurs sept baguettes magiques levées sur l'enfant. Précipitation des Fées Blanches qui n'arrivent pas à atteindre Ludivine. Les Fées Noires font un barrage autour de l'enfant. Elles glapissent leurs dons maléfiques.

PREMIÈRE FÉE NOIRE

Ludivine, fille de pauvre, pauvre tu seras et la misère sur toi étendra son manteau galeux.

DEUXIÈME FÉE NOIRE

Famélique tu seras, maigre et noire, tout au long des jours noirs.

---

1. Limande : poisson ovale et plat. L'expression « être plat comme une limande » signifie pour une femme « être sans poitrine ».

Troisième Fée Noire

Tu ne sauras ni lire ni écrire et ton intelligence obscure ressemblera
25 à s'y méprendre au pur instinct des bêtes sauvages.

Quatrième Fée Noire

Ton ventre ne produira pas de fruit ni ton sein de lait.

Cinquième Fée Noire

Ton mari ne te dira jamais bonjour ni bonsoir, avec un grand cri furieux il entrera dans ton lit.

Sixième Fée Noire

Tu connaîtras la solitude qui t'enfermera dans son poing fermé.

Septième Fée Noire

30 Tu travailleras à la sueur de ton front dans le soleil d'été et la neige d'hiver, ton fin squelette se brisera comme une baguette de bois, sous le faix et sous le joug.

Les Fées Blanches tentent de s'approcher. Les Fées Noires déchaînées dansent autour de Ludivine.

Le chœur des Fées Noires

35 Pauvre, maigre, noire, ingrate, stérile, seule au monde, attelée aux plus rudes tâches comme un ruminant qui mâche des herbes pleines d'écume verte, nous te maudissons et nous te couvrons de cadeaux détestables.

Les Fées Noires tombent à terre épuisées, l'une après l'autre, comme des quilles qu'on abat. Elles se frottent le ventre et elles geignent.

Le chœur des Fées Noires

40 Ô la la ! Quelle affaire ! Ce n'est pas rien que de sentir le mal nous sortir du corps, sept fois, comme des caillots de sang noir se pressant les uns les autres. Ça y est. C'est fait. Nous pouvons dormir en paix. Notre tâche est accomplie. Cette petite Ludivine, à nos pieds, par nous comblée, regorgera d'infortunes et nous serons loin, bien à l'abri,
45 nous nous reposerons, vautrées à loisir sur un nuage d'équinoxe, tendu au-dessus de l'océan Atlantique.

Les Fées Noires se relèvent et se préparent à partir. Remue-ménage du côté des Fées Blanches. Après un mouvement de départ elles se rappellent les unes les autres, franchissent la barre de craie et se dirigent vers Ludivine,
50 *à droite.*

PREMIÈRE FÉE BLANCHE

Vite, mes sœurs ! Il est encore temps. Il ne sera pas dit que nous abandonnons la petite Ludivine à son triste sort.

DEUXIÈME FÉE BLANCHE

Parviendrons-nous à défaire ce qui a été fait ? Les Fées Noires ont le bras long et la fureur jaillissante. Il s'agit pour nous d'être de bon
55 augure et prodigues de bienfaits.

PREMIÈRE FÉE BLANCHE

(*Se penchant sur Ludivine.*) Petite, petite, vois-nous, reconnais-nous, du fond de ta malédiction. Nous sommes les bonnes Fées et nous accourons vers toi pour conjurer le sort.

Les Fées Noires surveillent la scène et ricanent.

LE CHŒUR DES FÉES NOIRES

60 Légères comme des jeunes accouchées, au troisième jour, entourées de fleurs et de félicitations, nous surveillons la scène du coin de l'œil.

PREMIÈRE FÉE NOIRE

Pauvre Ludivine, la bonté sur toi n'aura pas de prise. Il est trop tard. Te voilà bourrée de dons funestes, pareille à une corne d'abon-
65 dance empoisonnée. Les Fées Blanches seront sans pouvoir devant ta petite frimousse que déjà le malheur froisse et plisse comme sa proie. Tu nous appartiens de A jusqu'à Z et toutes les manigances des Fées Blanches ne serviront à rien.

LE CHŒUR DES FÉES BLANCHES

Ludivine ! Ludivine ! Nous t'appelons. Réveille-toi. Réveille-toi. Au
70 plus haut de l'éveil reçois-nous afin que nos dons t'atteignent en

pleine lumière. Il faut que tu saches que rien n'est perdu. En ton âme enfantine nous ferons reculer la nuit comme le jour repousse les ténèbres, en larges lames roulées sur l'horizon. Nous contrarierons l'amer destin auquel t'ont vouée sept sorcières déchaînées.

PREMIÈRE FÉE BLANCHE

75 Pauvre es-tu déjà, aux prises avec la misère et le froid. Vois, ton cœur s'apprête à boire et à manger à même la terre, tout alentour, donnée. Les saisons n'auront pas de secrets pour toi et t'apporteront, grâce à tes soins infinis, provende légère et quotidienne.

DEUXIÈME FÉE BLANCHE

Maigre et noire, l'amour te trouvera belle et délectable et te parera 80 de félicité, comme d'un costume de reine.

TROISIÈME FÉE BLANCHE

Ignorante des livres et des grimoires, tu liras les signes dans le ciel et sur la neige, à l'heure où les ombres sont bleues.

QUATRIÈME FÉE BLANCHE

S'il est vrai que dans ton ventre les racines pourriront sans donner de fruits, tu cueilleras l'enfant sauvage dans les fermes abandonnées, 85 auprès des femmes en couches, violentes et courroucées, tandis que les petits des bêtes s'attacheront à tes pas et te lècheront les pieds.

CINQUIÈME FÉE BLANCHE

Ton mari, au loin, dans la forêt, parmi les fardoches*, sous les arbres rabougris, poursuivant le gibier, tout lié à sa rage de tuer, comme un cheval attelé à une noria [1] forcenée, tu seras libre d'ac- 90 cueillir l'amour à visage découvert et le danger de mort n'aura pas de prise sur toi.

SIXIÈME FÉE BLANCHE

Ta solitude sera rompue comme un pain amer et tu régneras sur les merveilles de l'hiver et de l'été, parmi les créatures fraternelles.

1. Noria : machine hydraulique à godets qui sert à élever l'eau, mue par des bœufs ou des chevaux.

Septième Fée Blanche

Suante et harassée de travail tu te baigneras, à midi, dans la rivière qui passe devant ta maison, la joie surgissant sur les cailloux, mieux que tout eau de rivière, te lavera de toute peine et misère, de la tête aux pieds.

Les Fées Noires, après avoir mimé un faux départ, sont restées cachées à gauche pendant que les Fées Blanches entouraient Ludivine. Voici qu'elles surgissent comme un essaim noir en vrille, encerclent Ludivine à nouveau, tandis que les Fées Blanches effrayées reculent.

ligende tirée dun fait

OCC / britanique

Coupable en 1963 d'avoir tui son second mari

santance pr montrer pouvoir britannique

LA FIANCÉE DU VENT

ROMAN (EXTRAIT) – 2003

PREMIÈRE ÉDITION : *La Fiancée du vent*, Outremont, Libre Expression, 2003.

ŒUVRES CHOISIES :
Les Figues de Barbarie (1990)
Le Secret (1993)
Objets de mémoire (1997)

Monique Pariseau
NÉE EN 1948

MODERNITÉ

ENSEIGNANTE au cégep de Saint-Jérôme depuis plus de 30 ans, Monique Pariseau quitte cependant les Laurentides, l'été venu, pour sa propriété de Saint-Vallier, sise sur la berge même du Saint-Laurent. Elle est, toute petite, apeurée par cette légende d'une sorcière et meurtrière ayant vécu dans ce village et surnommée la Corriveau. Lorsqu'elle est devenue écrivaine, cette frayeur s'est muée en fascination. Elle entreprend alors des recherches minutieuses afin de rétablir la véritable histoire de Marie-Josephte Corrivaux, ensevelie sous des strates de versions légendaires. Alors que celles-ci la présentaient comme la fiancée des loups-garous, Monique Pariseau préfère rendre à la Corriveau son prénom, trop vite éclipsé de la mémoire collective. Par délicatesse, elle écrit d'ailleurs son nom comme Marie-Josephte le signait : Corrivaux. Ses lointains ancêtres, selon la rumeur, auraient été deux frères épris d'une même femme, ainsi devenus des *cœurs rivaux*.

~

PORTE-VOIX

Sur fond de Nouvelle-France déliquescente et de Conquête anglaise, Monique Pariseau trace avec grâce et générosité le portrait de cette amoureuse du monde [...]

LOUIS CORNELLIER, *LE DEVOIR* (2003)

La cour martiale avait d'abord songé à faire monter le gibet dans la paroisse de Saint-Vallier§, mais Murray avait préféré les buttes à Nepveu, tout près des plaines d'Abraham. À Saint-Vallier, peu de gens auraient assisté à la pendaison. Murray voulait donner une leçon aux 5 Canadiens*. Il désirait une foule nombreuse.

Il avait aussi commandé une cage de fer aux dimensions de la condamnée. Le cadavre, comme le voulait la coutume anglaise, serait exposé à la vue de tous. Le forgeron Richard Dee fut chargé par Murray de la fabrication de la cage. Le gouverneur voulait ainsi faire 10 réfléchir les habitants aux conséquences d'une mauvaise vie. Le cadavre et l'odeur de putréfaction susciteraient les réflexions, dissuaderaient peut-être certains de commettre des crimes. Un cadavre suspendu terroriserait les habitants. En ordonnant qu'après la pendaison le cadavre soit exposé dans une cage suspendue à la croisée des quatre 15 chemins de Lauzon, Murray voulait asseoir son autorité. L'exemple du corps de Marie-Josephte se balançant sous un arbre montrerait la fermeté du nouveau régime anglais.

La nuit précédant son exécution, Marie-Josephte ne dormit pas. Le matin, très tôt, un soldat était venu lui offrir la présence d'un prêtre pour 20 qu'elle fasse la paix avec elle-même. Elle avait accepté, puis avait demandé qu'on lui permette de faire sa toilette. On avait acquiescé à sa demande.

Le lundi 18 avril 1763, les habitants de Québec§ et des environs, attroupés devant la prison, virent sortir une femme d'à peine trente ans, encore séduisante. Elle avait dans les yeux un courage et une 25 fierté qui déplurent à plusieurs. Mains et pieds enchaînés, elle se tenait debout dans une charrette entourée de soldats et regardait, fière, droit devant elle. Un silence se fit. Un poids semblait écraser la foule. Curieux de voir celle qui était condamnée, on se bousculait en silence pour être au premier rang.

30 Les gens furent déçus. Celle qu'on surnommait « la Corrivaux » ne semblait ni accablée ni résignée, elle portait beau. Une colère grossit dans la foule. Une attitude teintée de remords et d'accablement manquait au spectacle. Quelques cris, quelques insultes tranchèrent le silence, mais Marie-Josephte ne se retourna pas, ne regarda personne, 35 ne baissa pas non plus les yeux.

Le vent s'était levé. Il vint jouer dans les cheveux de Marie-Josephte, déplaça quelques boucles, accentua l'acajou de sa crinière.

C'était un vent chaud, un vent d'avril, un vent de renouveau. Marie-Josephte reçut sa caresse comme un allié qui l'aiderait à se rendre au lieu de sa pendaison. Il la soutiendrait comme il l'avait toujours fait. Un geai bleu passa devant elle. Elle le suivit des yeux quelques instants, le vit se percher sur une branche qui bourgeonnait déjà. Elle avait oublié que c'était le printemps et, sans s'occuper des hurlements qui s'amplifiaient à mesure que la charrette se rapprochait du gibet, elle prit la peine de regarder autour d'elle.

C'était son dernier regard sur le monde, ce monde qu'elle avait tant aimé, qu'elle avait tant prisé. Elle respira l'odeur de la terre, une odeur toute neuve, une odeur de terre qui vient de se réveiller. Elle entendit les merles qui étaient déjà arrivés et, quelques instants, ferma les yeux pour mieux s'en aller avec, en elle, toutes ses merveilles.

Il lui sembla alors qu'une auréole la protégeait de la foule. Elle eut l'impression que la comète qui avait dessiné une route de lumière dans le ciel de son village s'était alliée au vent et était venue l'escorter. Puis surgit dans sa tête, comme les notes d'un air de bombarde, tout ce qu'elle avait aimé et qu'elle allait abandonner : l'amour de sa fille aînée pour la lecture, la douceur d'Angélique, la superbe de son cadet. Elle ressentit aussi la présence de son chien aux yeux vairons. Elle revit la pêche à fascines, le ginseng qu'elle cueillait, la liberté que son premier mari lui accordait, l'amitié de Martine, l'amour silencieux de sa mère, le regard si bleu du curé Leclair, les chasses d'hiver, les bolées de bouillon chaud, la sortie des animaux au printemps, les feux sur la grève au Nouvel An, ceux dont elle s'était occupée pendant la conquête, l'éternel recommencement des marées, les promenades à cheval, le lin encore vert qu'elle avait ramassé en cachette pour confectionner un chemisier, celui-là même qu'elle portait alors qu'on l'emmenait pour la pendre. Tout cela l'accompagna jusqu'au gibet. Le vent se fit bombarde. De tous ses amours, il fit une musique.

La foule ne comprenait pas le calme de la condamnée. Cette sérénité insultait les gens. À mesure que la charrette avançait, les cris se firent plus nombreux. On lui lança des projectiles. Une pierre l'atteignit au cou et elle crut, quelques instants, qu'à cause de la douleur elle s'affaisserait.

Marie-Josephte ne savait pas si ses enfants étaient présents dans la foule. Elle ne le souhaitait pas, mais, s'ils y étaient, elle tenait à ce qu'ils la voient debout, telle qu'ils l'avaient toujours connue. C'était, se disait-elle, le dernier présent qu'elle pouvait leur offrir. Elle se demanda, ensuite, si son père assisterait à la pendaison. Elle aurait voulu lui pardonner, lui signifier, du moins, par un regard, qu'elle acceptait sa décision.

Elle se voulait au-dessus de cette foule qui l'invectivait. Le curé Leclair l'aiderait. Elle garderait la tête haute, elle n'offrirait pas sa peur à ceux qui étaient venus la voir mourir.

Nul projectile, nulle insulte ne réussirent à briser sa volonté. Tout le long du parcours, elle garda les yeux fixés sur l'horizon, debout bien droite dans la charrette, offrant son visage au vent, sourde aux hurlements de haine qui marquaient son passage.

Un marin qui la vit passer songea à une figure de proue. Elle en avait la beauté et le courage. Elle affrontait une mer orageuse sans frémir. Il en fut touché. Surpris par la force de celle qu'on insultait de partout, il s'éloigna, ne voulant plus participer aux agapes. Il ne pourrait plus jamais oublier cette femme. Debout dans sa charrette, aussi noble qu'une figure de proue, celle qui allait être pendue l'avait impressionné. Jamais encore dans sa vie, il n'avait ressenti un tel respect pour une femme. Il serait incapable d'assister à l'exécution, de voir le corps de cette femme se balancer au bout d'une corde.

Marie-Josephte ne souffrit pas. Elle pria le curé Leclair de l'aider et fut exaucée. Lorsque le bourreau s'avança avec le prêtre, et que ce dernier commença à réciter des prières, elle regarda la foule devant elle. Elle vit alors sa mère et Martine. Elles se tenaient par la main. Elles semblaient calmes et Marie-Josephte eut le courage de leur dire adieu. Parce qu'elle avait les mains et les pieds enchaînés, elle ne put le faire que par le regard. Elle leur adressa aussi un sourire, un sourire un peu tremblant, à peine visible. Puis, elle ferma quelques instants les yeux. Elle ne pouvait faire plus. Déjà, cela avait été au-delà de ce qu'elle pensait pouvoir donner.

Lorsque le bourreau s'approcha d'elle, le silence se fit. Des gens lancèrent sur la plate-forme de bois quelques chapelets[†] et autres objets pieux. D'un geste solennel, le bourreau lui mit une cagoule sur la tête. Marie-Josephte ne pouvait plus voir le monde. Dans cette noirceur où, déjà, le monde n'existait plus, elle revit Martine et sa mère. Pour conserver un peu de solidité et de courage, elle voulut s'imprégner de leur douceur. Puis, elle parla, dans sa tête, à ses trois enfants, s'imaginant en train de les caresser le plus délicatement possible. Marie-Josephte pria pour que, même de loin, ils reçoivent cette ultime caresse. Lorsqu'elle sentit la corde que le bourreau lui installait 115 autour du cou, la peur prit alors toute la place, l'empêcha de penser à quoi que ce soit d'autre. Elle implora une dernière fois le curé Leclair.

Lorsque le plancher céda, elle était déjà très loin. Même si son corps fut longtemps secoué de spasmes, même si elle fut longue à mourir, le curé Leclair lui avait tendu les bras et l'avait aidée à s'en 120 aller comme elle l'avait souhaité.

La foule attendit longtemps avant de se disperser. Elle voulait voir le corps de Marie-Josephte enfermé dans la cage de fer. Elle voulait voir la cage dans une charrette, la cage avec la Corrivaux morte dedans.

Marie-Josephte n'était plus une figure de proue qui bravait la tem-125 pête. Son corps emprisonné dans d'énormes barres de fer était étendu dans la charrette. On l'emmenait de l'autre côté du fleuve, à la Pointe-Lévis[§], près de la fourche des chemins de Lauzon et de Bienville, là où son cadavre serait exposé dans un corset de métal.

Marie-Josephte n'était plus qu'une figure de proue brisée, une 130 figure de proue qu'on avait arrachée de la coque d'un navire et qui ne braverait plus rien.

Portrait de Louis Cyr, son épouse et leur fille (1894).

Université du Québec à Montréal. Fonds d'archives Louis-Cyr.

Les hommes forts

JOS MONFERRAND

Chanson – 1959

L'Inimitable Jacques Labrecque, London, 1959. Musique de Christian Larsen.

Œuvres choisies : *Étraves* (1959)
Les Gens de mon pays (1967)
Assonance (1984)

Gilles Vigneault
Né en 1928

MODERNITÉ

En 1956, Gilles Vigneault quitte son poste de professeur au camp militaire de Valcartier. C'est à Québec l'année suivante, alors qu'il travaille pour une agence de publicité, qu'il crée son *Jos Monferrand*. Interprétée par Jacques Labrecque, la chanson, par son « deuxième mot » (*cul*), provoque tout un scandale. La presse de l'époque reçoit quantité de commentaires désobligeants. Tantôt on traite le chanteur de vulgaire, tantôt on veut donner des leçons d'esthétisme à M. Vigneault : il aurait mieux valu employer le terme « sous-bassement » ! Tout ce tumulte a relégué la poésie du thème au second rang. Dès 1960, l'auteur interprète lui-même toutes ses compositions. À travers lui se dessine dès lors la figure du conteur de jadis, faisant de la chanson populaire la digne héritière de la tradition orale de nos ancêtres.

~

Porte-voix

Il a toujours une dimension poétique, il a toujours des MOTS, des mots majuscules. Il parle en lettres majuscules, j'pense qu'il est sur « Caps Lock » avant de parler.

Fred Pellerin (2006)

Le cul su'l'bord du Cap Diamant[§]
Les pieds dans l'eau du Saint-Laurent[§]
J'ai jasé un p'tit bout d'temps
Avec le grand Jos Monferrand
5 On a parlé de vent
De la pluie puis du beau temps
Puis j'ai dit : « Jos dis-moi comment
Que t'es devenu aussi grand
Que t'es devenu un géant »

10 Le cul su'l'bord du Cap Diamant
Les pieds dans l'eau du Saint-Laurent
J'ai jasé un p'tit bout d'temps
Avec l'eau pis le firmament

Là Jos m'a dit : « Mon p'tit garçon
15 Ah ! si t'apprends bien ta leçon
Tu viendras qu'ça sera pas long
À faire des pas de cent pieds* d'long »
J'ai dit : « Jos, faut qu'ça décolle
Parce que j'viens d'sortir d'l'école
20 Puis qu'par ici passé vingt ans
On est gréyé pour perdre ton temps,
Ah ! t'es gréyé pour perdre ton temps »

Le cul su'l'bord du Cap Diamant
Les pieds dans l'eau du Saint-Laurent
25 J'ai jasé un p'tit bout d'temps
Avec le grand Jos Monferrand

Puis i'dit : « Si tu veux faire un vrai géant
Va boire à même la rivière
Assieds-toi sur les montagnes
30 Puis lave-toi dans l'océan

Essuie-toi avec le vent
Éclaire-toi avec la lune
Dors les pieds su'l'bord d'la dune
Puis la tête au bout du champ
35 Et puis la tête au bout du champ »

Le cul su'l'bord du Cap Diamant
Les pieds dans l'eau du Saint-Laurent
C't'une posture de premier plan
Pour te donner de l'entregent

40 Puis un beau jour tu sentiras
En-dessous d'tes pieds tourner la terre
Puis tu comprendras le chinois
Aussi bien qu'la reine d'Angleterre
Tu sauras fermer ta gueule
45 T'arrêteras d'faire des sparages
Pour écouter les nuages
Mais petit gars tu s'ras tout seul
Mais mon p'tit gars tu seras tout seul

Le cul su'l'bord du Cap Diamant
50 Les pieds dans l'eau du Saint-Laurent
C'est pas fameux pour faire d'l'argent
Mais c'est bien bon pour perdre l'temps

J'ai jamais vu Jos Monferrand
Mais j'ai suivi sa p'tite idée
55 Quand j'ai voulu m'arrêter
J'avais déjà l'âme d'un géant
Je suis r'monté su'l Cap Diamant
Pour raconter mon histoire
Resté là à la nuit noire
60 À parler pour l'air du temps
Puis à parler pour l'air du temps

Le cul su'l'bord du Cap Diamant
Les pieds dans l'eau du Saint-Laurent
C'est pas fameux pour les cancans
65 Puis pour bien dire c'est fatigant

Autant vous dire la vérité
J'ai pas grandi d'un sacré pouce
En seulement le diable me pousse
Quand je m'arrête de turluter
70 Je r'vire un bordi-bordagne[1]
J'mets la ville dans la campagne
Puis Tit-Jean prend son violon
Que la province trousse son jupon
Que la province trousse son jupon

75 Le cul su'l'bord du Cap Diamant
Les pieds dans l'eau du Saint-Laurent
J'ai jasé un p'tit bout d'temps
Avec le grand Jos Monferrand

1. Bordi-bordagne : tumulte, grand bruit.

LOUIS CYR

Chanson – 1966

Premier enregistrement :
Barclay, 45 tours, 1966, France.

Œuvres choisies : *Jaune* (1970)
Bleu, blanc, blues (1992)
Le Petit Roi (2004)

Jean-Pierre Ferland
Né en 1934

MODERNITÉ

Auteur, compositeur et interprète montréalais, Jean-Pierre Ferland connaît un succès international lorsqu'il remporte le grand prix de l'Académie Charles-Cros en 1968 pour son huitième album. Avec entre autres *Le Petit Roi*, *Marie-Claire*, *Je reviens chez nous*, *Quand on aime on a toujours 20 ans* et *Une chance qu'on s'a*, on peut dire qu'il siège au panthéon de la chanson québécoise aux côtés de Félix Leclerc, Gilles Vigneault et Robert Charlebois. Avec *Louis Cyr*, écrite en une demi-heure, il rend hommage au plus célèbre homme fort du Québec. Tout comme Gilles Vigneault avec son *Jos Monferrand*, il perpétue la mémoire des hommes phares de toute une nation. Écrite à l'époque des boîtes à chansons, son ode rappelait aux plus jeunes générations les exploits inégalés d'un homme qui déjà à sa naissance en 1863 pesait plus de 18 livres.

~

Porte-voix

Prodige de la force dès son jeune âge, Cyprien Noé dit Louis Cyr était issu du terroir, illettré, contraint de s'expatrier dans l'enfer des usines de textile de la Nouvelle-Angleterre, forcé de défendre ses origines, sa culture, sa langue, jusqu'à son nom.

Paul Ohl (2005)

M'écouteriez-vous si je vous disais
Qu'il était plus fort qu'une paire de taureaux
Qu'il venait à bout quand il le voulait
D'un cheval sans licou* lancé au galop
5 Qu'il croquait du verre sans cracher du sang
Qu'il pouvait lever de terre un char de ciment
Louis Cyr

Et me croiriez-vous si je vous disais
Qu'il crevait un loup avec une seule main
10 Qu'il tirait un train comme je lève un sou
Qu'il plantait un clou avec un coup d'poing
Qu'il cassait une chaîne rien qu'en s'étirant
Qu'il couchait un chêne comme on couche un enfant
Louis Cyr

15 Et me croiriez-vous si je vous disais
Qu'il levait vingt taupins[1] sans forcer des reins
Heureusement pour nous y s'battait jamais
On rentrait chez nous quand ça y arrivait
Qu'une main dans sa poche et d'un bon coup d'genou
20 Il faisait d'une roche deux p'tits tas d'cailloux
Louis Cyr

Et me croiriez-vous si je vous disais
Qu'il est mort pourtant un si beau géant
Vous n'me croiriez pas si je vous racontais
25 Qu'il est mort un jour d'un chagrin d'amour
Pour une demoiselle grande comme un pommier
Qu'était même pas belle, un pommier d'l'année
Louis Cyr

1. Taupins : hommes de forte constitution.

MAURICE RICHARD

CHANSON – 1971

Pierre Létourneau, La Compagnie (London), 1971.

ŒUVRES CHOISIES : *Y'a du bonheur* (1988)
On a tous un rêve fou (1994)
J'te dis que c'est vrai (1999)

Pierre Létourneau
NÉ EN 1938

MODERNITÉ

SI LA CHANSON du Rocket *On est tous des Maurice Richard,* interprétée par Éric Lapointe dans *Les Boys II,* a été entonnée comme un hymne national par plusieurs partisans du hockey de l'an 2000, ceux des années 1970 n'étaient pas en reste. Parolier pour bon nombre de chanteurs et chanteuses populaires d'alors parmi lesquels on retrouve Michel Louvain, Michèle Richard et Nicole Martin, Pierre Létourneau connaît un franc succès en 1971 avec sa chanson hommage au numéro 9 du Canadien, Maurice Richard. Célébrant ses prouesses, ce refrain maintes fois répété ne remplit-il pas, par sa popularité, la même fonction que la légende traditionnelle ? Chanter les exploits d'un héros n'a cependant rien de moderne. Les ménestrels du Moyen Âge ne clamaient-ils pas les hauts faits de nobles chevaliers, véritables trésors nationaux ? Après la *Chanson de Roland,* celle de Maurice…

~

PORTE-VOIX

L'histoire de Maurice Richard mérite d'être présentée sur un écran démesuré, c'est-à-dire un écran à la grandeur du personnage.

DENISE ROBERT (2005)

Quand sur une passe de « Butch » Bouchard
Il prenait le puck[1] derrière ses goals[2]
On aurait dit qu'il portait le sort
De tout le Québec sur ses épaules
5 Pardonnez-moi si aujourd'hui
Je vous en parle comme s'il était mort
C'est qu'il était toute ma vie
Sous son chandail tricolore

Maurice Richard c'est pour toi que je chante
10 Maurice Richard c'est pour toi que je chante

S'il voulait vaincre tous les records
De ce fameux grand « Canadien »
Je vous assure que Bobby Orr[3]
Ferait mieux d'aiguiser ses patins
15 Oh mon Maurice oh mon idole
Oh mon numéro 9 en or
Sans toi les samedis me désolent
Je m'ennuie je me couche je m'endors

Maurice Richard c'est pour toi que je chante
20 Maurice Richard c'est pour toi que je chante

Aujourd'hui derrière ton cigare
Perdu dans tes pantoufles de laine
Tu fais semblant de vivre à l'écart
De cette gloire qui fut la tienne

1. Le *puck* : la rondelle (anglicisme).
2. *Goals* : buts (anglicisme).
3. Bobby Orr : Canadien né en 1948, joueur-vedette des Bruins de Boston, reconnu pour sa rapidité et son aisance sur la glace. Il est considéré comme le meilleur défenseur arrière de l'histoire du hockey.

Maurice Richard, *La Patrie* (années 1950).

25 Mais je sais que sans aucun doute
Tu t'ennuies de plus en plus fort
Des 15 000 spectateurs « deboute »
Au moindre body-check[1] de ta part

Maurice Richard c'est pour toi que je chante
30 Maurice Richard c'est pour toi que je chante

Maurice Richard
Maurice Richard

1. *Body-check*: mise en échec au hockey, c'est-à-dire neutraliser l'adversaire en l'immobilisant sur la bande de la patinoire.

LA TÂCHE DE NAISSANCE

CONTE – 2003

ÉDITION ORIGINALE : *Il faut prendre le taureau par les contes !* Montréal, Planète rebelle, 2003.

ŒUVRES CHOISIES :
Dans mon village, il y a belle lurette (2001)
Comme une odeur de muscles (2005)
Bois du thé fort, tu vas pisser drette ! (2005)

Fred Pellerin
NÉ EN 1978

MODERNITÉ

CITOYEN du petit village de Saint-Élie-de-Caxton près de Shawinigan, Fred Pellerin à 19 ans devient guide touristique à la demande du maire. Sur son tracteur tireur de touristes, il fait visiter son coin de pays pendant quatre heures bien qu'il n'y ait que quatre rues. Depuis ce jour, faisant de son don de la parole un petit baluchon, Fred s'est fait pèlerin. Sillonnant routes du pays et du monde, il laisse sur son passage autant de disciples nouvellement convertis au pouvoir ensorcelant de son Verbe. Le conteux, comme il se décrit lui-même, affirme croire en « un français qui explose dans la bouche pis qui goûte pas juste la feuille de grammaire, mais qui est ouvert à l'évolution, à l'invention ». Et il ne laisse aucun répit à ses auditeurs. La preuve : son homme fort, Ésimésac Gélinas, lui, ne « herculait devant rien » et « tordait [un] trente sous jusqu'à ce que la face de la reine saigne du nez ». Fred Pellerin doit se lire comme il s'écoute : à répétition.

~

PORTE-VOIX
C'est un poète !
ROBERT CHARLEBOIS (2005)

C'était un colosse, mais il savait désormais
qu'on ne mesure pas toujours les hommes à la brasse[1].

ABBÉ ELZÉAR DELAMARRE

Saint-Élie§ de Question, dont le nombre de réponses dépasse largement le lot des interrogations, c'est mon village. Un tempérament sûr qui trouve beaucoup plus qu'il ne cherche, et qui voit dans la multiplicité des clés une belle manière de ne pas se frapper à une seule porte. Saint-Élie de Question : des milliers de certitudes accumulées pour chaque doute éventuel.

Chez nous, la croyance populaire veut (et quand elle veut, celle-là, pas besoin de spécifier qu'elle peut) que le sexe d'un nouvel enfant soit déterminé par les premiers mots du précédent. C'est donc dire que si votre dernier-né prononce « Maman » en guise de premier mot, le bébé éventuel sera une fille. À l'inverse, s'il lance un « Papa », le prochain à naître sera un fiston. Chez les Gélinas, de la longue lignée que l'on retrouve à Saint-Élie de Question, le cadet avait été tardif dans ses mots, mais il avait fini par dire « Tracteur ».

* * *

La légende du Québec est peuplée d'hommes forts. On n'a qu'à penser à cette longue liste d'hypertrophiés dont les hauts faits ne sont plus à redire. Jos Montferrand[2], dans les Outaouais§, qui marquait les plafonds de ses talons par des stépettes magistrales. Celui-là qui était le seul à passer sur le pont quand soixante paires de bras voulaient lui rebrousser le poil. Puis Louis Cyr, qu'on envoya en Angleterre comme digne représentant pour écarteler des juments sous les yeux de la royauté. On se souvient facilement d'Alexis le Trotteur, qui signalait à Alma§ et arrivait à Jonquière§ avant que le téléphone n'ait sonné. Puis qui encore ? Victor DeLamarre, qui tenait sa force du Bon Dieu. On lui attachait un cheval sur le dos, il grimpait dans un poteau de téléphone avec la bête. Des géants ! Et ce ne sont là que quelques-unes de

1. Brasse : ancienne mesure de longueur équivalant à 1,60 mètre.
2. Montferrand : parfois orthographié Monferrand (voir p. 160).

ces nombreuses grandes pointures que les intempéries du Nouveau-Monde conditionnèrent. Je n'en ajouterai qu'un seul, pour faire le tour. Un seul, mais sans doute le plus fort de tous. Et j'ai nommé Ésimésac Gélinas. Si humble, qu'on n'en a jamais entendu parler. Mais d'une force qui mérite mention.

* * *

— Tracteur !

On retrace ses débuts dans la rencontre d'un supermatozoïde et d'un ovule exceptionnel frôlant les quatre livres au bas mot et au bas-ventre de sa mère. Développé comme en couveuse velcro. Sa maman le porta dix-sept ans. Puis elle déboula d'un enfant énorme. Son quatre cent soixante-quatorzième poupon. Voilà qu'elle considérait enfin sa part assumée dans le peuplement du pays. Quatre cent soixante-quatorze enfants baptisés. Dépourvue de prénom pour ce dernier-né, elle l'appela Ésimésac et on passa à autre chose.

Comme la population adulte du village ne dépassait pas les quatre cent soixante-treize, tous les enfants de la bonne femme comblaient les possibilités de parrainerie. Avec cette naissance supplémentaire, chaque habitant étant déjà investi, ne restait plus personne de disponible pour assumer le rôle auprès du gros dernier. On chercha alors dans les marges du recensement, dans les oubliés de la paperasse, pour tomber rapidement sur la seule femme encore libre : la sorcière du village. Elle fut consultée, puis accepta sur-le-champ. La vieille fée cabossée se pointa le nez au-dessus du berceau pour contempler son filleul puis, quand les géniteux eurent le dos tourné, elle jeta un sort au nouveau-né. Elle repartit bientôt en laissant derrière elle un sort, comme un destin gluant, logé chez l'enfant au niveau de son pli de coude. Une plaque qu'on eut beau frotter, gratter, rincer, laver, mais qui demeura indélébile. Une tache de naissance, comme une ombre au tableau des exploits à venir. Comme un cancer de la peau, mais encore pire.

Puis l'enfant grandit. Sept ou huit ans déjà quand sa mère lui demanda de l'eau et qu'il revint avec le puits. On ne comptait plus ses tours de taille. Et quand vint le temps de redresser la grange à Ferdinand Garceau, on remarqua toute la puissance de ses illimites.

On avait vu semblable chose à Lac Bouchette quand Victor DeLamarre, appelé sur les lieux d'une étable, nota le manque d'aplomb du bâtiment. Aussi, parce que les animaux compensaient en poussant croche, avec deux pattes courtes, il lui fallut réagir vitement. Une fois aux champs, les vaches tournaient sur elles-mêmes avec leurs deux longues pattes. Victor DeLamarre, pris par l'urgence, empoigna le coin de la grange. À force de surhomme, il souleva le tout, animaux inclus, en attendant que les hommes présents chiment[1] le coin avec de la roche, refassent le solage au niveau. Aujourd'hui encore, la grange droite est conservée pas loin de l'Ermitage Saint-Antoine[2] comme preuve du geste.

Événement similaire dans le quatrième rang de Saint-Élie de Question quand on décela un angle incertain dans les structures des bâtisses de Ferdinand Garceau. On convoqua Ésimésac Gélinas pour vérification et réparation. Doutant peu de la solidité des constructions de Ferdinand, Ésimésac crut prudent de procéder à une inspection complète. Conclusion de l'enquête : illusion d'optique. L'effet croche de la grange venait du fait que le village penchait en sens inverse. On eut alors droit à un hercule, à la jonction des villages de Saint-Élie, Saint-Paulin§ et Saint-Alexis§, se coinçant les mains ferme et soulevant vigoureusement le village en attendant que les hommes présents chiment le coin avec de la roche, refassent le solage au niveau. Aujourd'hui encore, le niveau juste du village est conservé comme preuve du geste.

* * *

Ésimésac accumulait forces et puissances, faits et gestes de grande ampleur. Personne ne remettait plus en cause la démesure de ses muscles et capacités. En grandissant, parce qu'il semblait ne pas vouloir s'arrêter de, on constatait que la tache de naissance qu'il portait au bras prenait plus de place. S'étendant en proportionnel, on parvint

1. Chiment : de l'anglais *to shim,* qui veut dire « ajuster avec ce qu'on a sous la main pour empêcher que ça branle », « bizouner » (note de l'auteur).
2. Ermitage Saint-Antoine : sanctuaire, lieu de pèlerinage du lac Bouchette au Saguenay–Lac-Saint-Jean.

bientôt à voir qu'il s'y trouvait des écritures. Le sort contenu dans la marque se révélait. En lettres de plus en plus claires, on comprit bientôt que le destin de cet homme dépassait tout ce-dont-à-quoi-duquel on pouvait s'attendre : « De cet homme naîtra trois fils, dont un Roi. »

Sort simple, concis, mais chargé de responsabilités. Les prévisions confondaient le réel. Issu d'une famille modeste, habitant d'une légende de village anodine, voilà qu'Ésimésac se devait d'entreprendre l'engendrement de trois fils, dont un Roi. Un Roi ! Vous imaginez bien son désarroi et celui de ses proches.

Ses parents le jetèrent bientôt à la porte sous prétexte qu'il devait entamer la quête d'une femme capable de lui donner trois fils. L'enfant prodigue chaussa ses bottes de sept lieues*, lassées jusqu'aux genoux, puis, avant de partir, il se racla la gorge. Mieux respirer pour le long chemin qui l'attendait. Il se gratta du fond de l'œsophage jusqu'au bout de langue. Cent pieds* de gorge en tout et partout. Puis, il cracha. Un morviat de milliards de litres de bave. Une flaque diluvienne qui se déversa dans un ruisseau débit.

Sept lieues au pas, il décolla vers le nord. Dans les récits qu'on lui avait faits de ce point cardinal, on rencontrait des personnages taillés d'énorme dans des paysages trop arides. Et pour tenir tête aux intempéries, il semblait que les habitants se développaient en exagéré. Il allait donc droit au but. Au nord, rencontrer femme à sa colossure. Il passa Shawinigan§, Les Piles§, La Tuque§, Mattawin§, Garde l'Autre pour demain. Il passa les chantiers*, leurs sentiers, puis encore plus haut. Il déboucha sur une toundra tordue. Une végétation rabougrie. Et il comprit tout de suite qu'il ne trouverait pas là porteuse de ses gènes géants. Tout était trop petit. Robuste, résistant, mais trop minuscule à son aise. Il comprit bien, parce qu'à voir on voit bien, qu'il ne trouverait pas porteuse à sa stature dans ce coin de la carte.

Avant de partir ailleurs, il se dézippa la flaille. Se décharger la citerne d'un brin pour le long chemin qui l'attendait. Il se soulagea la tank à pisse. Cent pieds de gorge, alors faites-vous une idée de l'évacuateur. Puis, il urina. Une pisse de milliards de litres de vitamines. Une flaque diluvienne qui se déversa dans un ruisseau débit.

Sept lieues au pas, il décolla vers le sud. Dans les récits qu'on lui avait faits de ce point cardinal, on rencontrait des personnages taillés d'énorme dans des paysages tropicaux. Et pour tenir tête au soleil, il semblait que les habitants se développaient en exagéré. Il allait donc droit au but. Au sud, rencontrer femme à sa colossure. Il passa les sentiers, les chantiers, et encore plus bas. Garde l'Autre pour demain, Mattawin, La Tuque, Les Piles, Shawinigan. Il continua toujours.

Une nuit, fait à noter, il passa près d'un homme couché le long d'un fossé. La silhouette ne lui était pas étrangère. Puis il remarqua, tout près du stationné, les deux petits suyiers neufs insomniaques. Il les essaya, parce qu'on ne sait jamais, mais ça ne lui chaussait même pas l'orteil. Alors il les laissa tomber, sans prendre soin de les replacer comme il faut. Les suyiers pointaient maintenant vers l'ouest.

Et il ré-embraya. Toujours franc sud, il déboucha sur une forêt dense. Une végétation humide, s'élançant vers le ciel. Et il comprit tout de suite qu'il ne trouverait pas là porteuse de ses gènes géants. Tout était grand, mais trop mince. Élancé, mais trop svelte à son aise. Il comprit bien, parce qu'à voir on voit bien, qu'il ne trouverait pas femme à sa stature dans ce coin de la carte. Ce dont il prit conscience, encore plus grave, c'est qu'aucune porteuse ne serait jamais à son gabarit. Du coup, il se résolut à croire que le destin de son pli de coude ne serait jamais satisfait. Lui, l'homme tant fort qu'aucun exploit rebutait. Il se voyait finalement déjoué par un sort minuscule incrusté dans sa chair. Il fut tant triste, qu'il brailla. Il versa cinq larmes. Cinq larmes de milliards de litres chacune. Cinq flaques diluviennes qui se déversèrent dans un ruisseau débit.

Il replia son bras, pour cacher sa tache à l'orgueil. Il replia son bras, en se jurant de ne plus jamais l'ouvrir. Ne plus jamais voir ce narguant *fatum*[1]. Puis, il revint au village et mena une existence sobre et dépouillée. Et c'est peut-être pourquoi on n'en entendit plus jamais parler. La tristesse dans l'œil, une honte rongeuse au cœur. Dans la force de l'âge, alors qu'il aurait pu détrôner les plus grands, il garda ses muscles serrés, ne déplaçant d'air que le strict nécessaire.

1. *Fatum* : mot latin signifiant « destin, fatalité ».

* * *

Sur la fin de ses jours, Ésimésac Gélinas sentit sa date d'expiration cailler. Au moment prévu de la fin, il alla se canter* sur une pierre, le long de la rivière, à cet endroit où la chute chuinte. Fermant ses grandes paupières, il se laissa aller au bruit hypnotisant des clapotis. Il se soumit à la mort, le coude toujours honteux. Replié sur lui-même.

Quelques minutes avant l'heure, les clapotes de l'eau se transformèrent en murmures. Un chuchotement aquatique déversa son flot de paroles aux tympans d'Ésimésac. Rassurante, la rivière berça l'homme fort.

— Laisse-toi aller, Ésimésac. Tu peux mourir sans honte. Ton destin est accompli.

Puis Ésimésac réagit. Non pas parce que la rivière parlait, mais pour ses propos mêmes. Son destin accompli ? Trois enfants dont un Roi ? Plutôt que de répondre, il déplia ce bras trop longtemps retenu et le tendit à l'eau. Le courant glissa sur la tache, y lut le sort, puis répéta ses bons soins.

— Ton destin est accompli. Rappelle-toi ton crachat avant de partir au nord. Un ruisseau en est né. C'est moi, ton premier enfant. La rivière Yamachiche.

Puis Ésimésac ronchonna.

— Trois enfants. Un Roi.

— Rappelle-toi ta pisse. La rivière Saint-Maurice[§].

Ésimésac doutait encore.

— Un Roi…

— Rappelle-toi tes larmes, ces cinq Grands Lacs qui se déversent dans le même lit. Une tristesse si abondante qu'elle nourrit le fleuve Saint-Laurent[§]. Un Roi ? Du moins un fleuve. Sucré comme l'eau d'érable à sa pointe des terres, et salé comme la mer des voyages à sa gueule d'océan. Un Roi aux marées hautes et basses, comme un pays

190 qui hésite. Qui dit oui, qui dit non, et qui tire son charme de l'hésitation. Un Roi sur la corde raide, avec pour seule idée de se tenir encore debout. Funambule au fil de l'eau… Vas-y, Ésimésac. Tu peux mourir…

***

Ce fut tout, mais bien assez. Ésimésac expira, l'âme en paix, le 195 destin lavé. On le retrouva au matin suivant, canté sur sa roche, avec un sourire de quarante-cinq pieds* étampé dans la tache.

FRED PELLERIN, *FESTIVAL GRAINE D'AUTOMNE, VAY EN LOIRE ATLANTIQUE* (200
J.-L. KLÉFIZE.

LE FOU DU VILLAGE

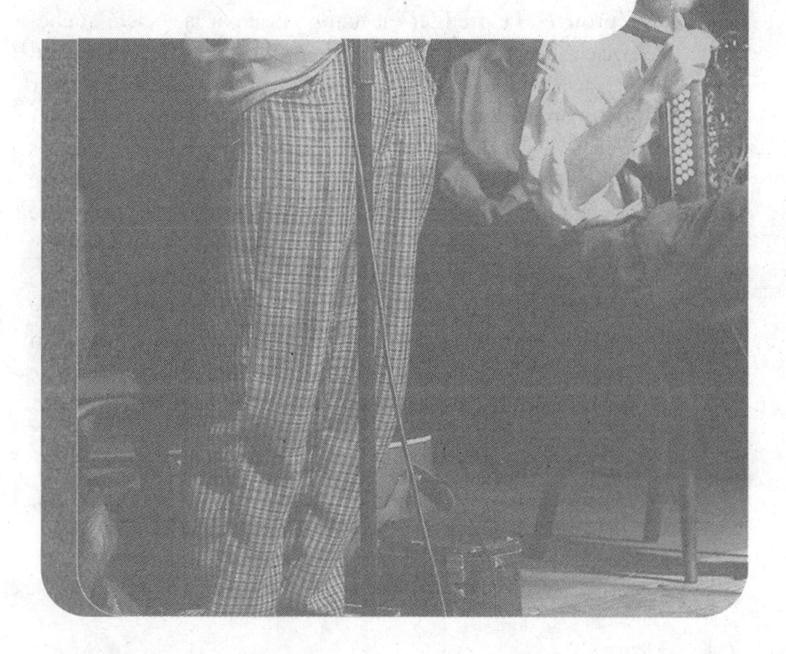

MACLOUNE

Conte – 1892

Première parution : dans le journal *La Patrie* du 21 janvier 1892.

Œuvres choisies :
Jeanne la fileuse. Épisode de l'émigration franco-canadienne aux États-Unis (1878)
La Chasse-galerie, légendes canadiennes (1900)

Honoré Beaugrand
1848-1906

TRADITION

Honoré Beaugrand et son personnage Macloune partagent une même condition : ils sont tous les deux des réprouvés. Le premier est marginalisé par la société québécoise du XIXe siècle pour ses idées progressistes, le second pour sa laideur physique. L'anticonformisme de l'auteur s'exprime notamment dans son appartenance à la franc-maçonnerie, son libéralisme en politique et ses opinions radicales à l'endroit du clergé dont il estime la sphère d'influence trop étendue. Par conséquent, il ne faut guère s'étonner qu'il fasse du prêtre dans *Macloune* le porte-parole d'une communauté figée qui s'oppose au bonheur de celui-ci. Macloune devient ainsi une figure romantique et le dénouement du récit épouse en tous points la convention du genre. Il faut voir en ce conte la condamnation d'une société dont le conservatisme brime la liberté individuelle.

~

Porte-voix

Dans le Canada français ou dans le Montréal des années 1880 et 1890, Beaugrand n'était certes pas le seul de son genre. Il devait être, cependant, l'un des plus colorés et des plus attachants.

François Ricard (1989)

I

Bien qu'on lui eût donné, au baptême†, le prénom de Maxime, tout le monde au village l'appelait *Macloune.*

Et cela, parce que sa mère, Marie Gallien, avait un défaut d'articulation qui l'empêchait de prononcer distinctement son nom. Elle 5 disait *Macloune* au lieu de Maxime et les villageois l'appelaient comme sa mère.

C'était un pauvre hère qui était né et qui avait grandi dans la plus profonde et dans la plus respectable misère.

Son père était un brave batelier qui s'était noyé alors que Macloune 10 était encore au berceau, et la mère avait réussi tant bien que mal, en allant en journée à droite et à gauche, à traîner une pénible existence et à réchapper la vie de son enfant qui était né rachitique et qui avait vécu et grandi, en dépit des prédictions de toutes les commères des alentours.

15 Le pauvre garçon était un monstre de laideur. Mal fait au possible, il avait un pauvre corps malingre auquel se trouvaient tant bien que mal attachés de longs bras et de longues jambes grêles qui se terminaient par des pieds et des mains qui n'avaient guère semblance humaine. Il était bancal, boiteux, tortu-bossu comme on dit dans nos 20 campagnes, et le malheureux avait une tête à l'avenant : une véritable tête de macaque en rupture de ménagerie. La nature avait oublié de le doter d'un menton, et deux longues dents jaunâtres sortaient d'un petit trou circulaire qui lui tenait lieu de bouche, comme des défenses de bête féroce. Il ne pouvait pas mâcher ses aliments et c'était une 25 curiosité que de le voir manger.

Son langage se composait de phrases incohérentes et de sons inarticulés qu'il accompagnait d'une pantomime très expressive. Et il parvenait assez facilement à se faire comprendre, même de ceux qui l'entendaient pour la première fois.

30 En dépit de cette laideur vraiment repoussante et de cette difficulté de langage, Macloune était adoré par sa mère et aimé de tous les villageois.

C'est qu'il était aussi bon qu'il était laid, et il avait deux grands yeux bleus qui vous fixaient comme pour vous dire :

35 — C'est vrai ! je suis bien horrible à voir, mais tel que vous me voyez, je suis le seul support de ma vieille mère malade et, si chétif que je sois, il me faut travailler pour lui donner du pain.

Et pas un gamin, même parmi les plus méchants, aurait osé se moquer de sa laideur ou abuser de sa faiblesse.

40 Et puis, on le prenait en pitié parce que l'on disait au village qu'une sauvagesse* avait jeté un *sort* à Marie Gallien, quelques mois avant la naissance de Macloune. Cette sauvagesse était une faiseuse de paniers qui courait les campagnes et qui s'enivrait dès qu'elle avait pu amasser assez de gros sous pour acheter une bouteille de whiskey ; et c'était 45 alors une orgie qui restait à jamais gravée dans la mémoire de ceux qui en étaient témoins. La malheureuse courait par les rues en poussant des cris de bête fauve et en s'arrachant les cheveux. Il faut avoir vu des sauvages sous l'influence de l'alcool pour se faire une idée de ces scènes vraiment infernales. C'est dans une de ces occasions que la 50 sauvagesse avait voulu forcer la porte de la maisonnette de Marie Gallien et qu'elle avait maudit la pauvre femme, à demi-morte de peur, qui avait refusé de la laisser entrer chez elle.

Et l'on croyait généralement au village que c'était la malédiction de la sauvagesse qui était la cause de la laideur de ce pauvre Macloune. 55 On disait aussi, mais sans l'affirmer catégoriquement, qu'un quêteux de Saint-Michel§ de Yamaska qui avait la réputation d'être un peu sorcier, avait jeté un autre sort à Marie Gallien parce que la pauvre femme n'avait pu lui faire l'aumône, alors qu'elle était elle-même dans la plus grande misère, pendant ses relevailles, après la naissance 60 de son enfant.

II

Macloune avait grandi en travaillant, se rendant utile lorsqu'il le pouvait et toujours prêt à rendre service, à faire une commission, ou à prêter la main lorsque l'occasion se présentait. Il n'avait jamais été à l'école et ce n'est que très tard, à l'âge de treize ou quatorze ans, que le curé du village lui avait permis de faire sa première communion. Bien qu'il ne fût pas ce que l'on appelle un simple d'esprit, il avait poussé un peu à la diable et son intelligence qui n'était pas très vive n'avait jamais été cultivée. Dès l'âge de dix ans, il aidait déjà sa mère à faire bouillir la marmite et à amasser la provision de bois de chauffage pour l'hiver. C'était généralement sur la grève du Saint-Laurent[§] qu'il passait des heures entières à recueillir les bois flottants qui descendaient avec le courant pour s'échouer sur la rive.

Macloune avait développé de bonne heure un penchant pour le commerce et le brocantage et ce fut un grand jour pour lui lorsqu'il put se rendre à Montréal[§] pour y acheter quelques articles de vente facile, comme du fil, des aiguilles, des boutons, qu'il colportait ensuite dans un panier avec des bonbons et des fruits. Il n'y eut plus de misère dans la petite famille à dater de cette époque, mais le pauvre garçon avait compté sans la maladie qui commença à s'attaquer à son pauvre corps déjà si faible et si cruellement éprouvé.

Mais Macloune était brave, et il n'y avait guère de temps qu'on ne l'aperçût sur le quai, au débarcadère des bateaux à vapeur, les jours de marché, ou avant et après la grand'messe, tous les dimanches et fêtes de l'année. Pendant les longues soirées d'été, il faisait la pêche dans les eaux du fleuve, et il était devenu d'une habileté peu commune pour conduire un canot, soit à l'aviron pendant les jours de calme, soit à la voile lorsque les vents étaient favorables. Pendant les grandes brises du nord-est, on apercevait parfois Macloune seul, dans son canot, les cheveux au vent, louvoyant en descendant le fleuve ou filant vent arrière vers les îles de Contrecœur[§].

Pendant la saison des fraises, des framboises et des *bluets*, il avait organisé un petit commerce de gros qui lui rapportait d'assez beaux bénéfices. Il achetait ces fruits des villageois pour aller les revendre sur les marchés de Montréal. C'est alors qu'il fit la connaissance d'une pauvre fille qui lui apportait ses bluets de la rive opposée du fleuve, où elle habitait, dans la concession de la Petite-Misère*.

III

La rencontre de cette fille fut toute une révélation dans l'existence du pauvre Macloune. Pour la première fois il avait osé lever les yeux sur une femme et il en devint éperdument amoureux.

100 La jeune fille, qui s'appelait Marie Joyelle, n'était ni riche, ni belle. C'était une pauvre orpheline maigre, chétive, épuisée par le travail, qu'un oncle avait recueillie par charité et que l'on faisait travailler comme une esclave en échange d'une maigre pitance et de vêtements de rebut qui suffisaient à peine pour la couvrir décemment. La pau-
105 vrette n'avait jamais porté de chaussures de sa vie et un petit châle noir à carreaux rouges servait à lui couvrir la tête et les épaules.

Le premier témoignage d'affection que lui donna Macloune fut l'achat d'une paire de souliers et d'une robe d'indienne à ramages, qu'il apporta un jour de Montréal et qu'il offrit timidement à la
110 pauvre fille, en lui disant, dans son langage particulier :

— Robe, mam'selle, souliers mam'selle. Macloune achète ça pour vous. Vous prendre, hein ?

Et Marie Joyelle avait accepté simplement devant le regard d'inexprimable affection dont l'avait enveloppée Macloune en lui offrant
115 son cadeau.

C'était la première fois que la pauvre Marichette, comme on l'appelait toujours, se voyait l'objet d'une offrande qui ne provenait pas d'un sentiment de pitié. Elle avait compris Macloune, et sans s'occuper de sa laideur et de son baragouinage, son cœur avait été profon-
120 dément touché.

Et à dater de ce jour-là, Macloune et Marichette s'aimèrent, comme on s'aime lorsque l'on a dix-huit ans, oubliant que la nature avait fait d'eux des êtres à part qu'il ne fallait même pas penser à unir par le mariage.

125 Macloune dans sa franchise et dans sa simplicité raconta à sa mère ce qui s'était passé, et la vieille Marie Gallien trouva tout naturel que son fils eût choisi une bonne amie et qu'il pensât au mariage.

Tout le village fut bientôt dans le secret, car le dimanche suivant Macloune était parti de bonne heure, dans son canot, pour se rendre

130 à la Petite-Misère* dans le but de prier Marichette de l'accompagner à la grand'messe à Lanoraie§. Et celle-ci avait accepté sans se faire prier, trouvant la demande absolument naturelle puisqu'elle avait accepté Macloune comme son cavalier, en recevant ses cadeaux.

Marichette se fit belle pour l'occasion. Elle mit sa robe à ramages 135 et ses souliers français ; il ne lui manquait plus qu'un chapeau à plumes comme en portaient les filles de Lanoraie, pour en faire une demoiselle à la mode. Son oncle, qui l'avait recueillie, était un pauvre diable qui se trouvait à la tête d'une nombreuse famille et qui ne demandait pas mieux que de s'en débarrasser en la mariant au pre- 140 mier venu ; et autant, pour lui, valait Macloune qu'un autre.

Il faut avouer qu'il se produisit une certaine sensation, dans le village, lorsque sur le troisième coup de la grand'messe Macloune apparut donnant le bras à Marichette. Tout le monde avait trop d'affection pour le pauvre garçon pour se moquer de lui ouvertement, 145 mais on se détourna la tête pour cacher des sourires qu'on ne pouvait supprimer entièrement.

Les deux amoureux entrèrent dans l'église sans paraître s'occuper de ceux qui s'arrêtaient pour les regarder, et allèrent se placer à la tête de la grande allée centrale, sur des bancs de bois réservés aux pauvres 150 de la paroisse.

Et là, sans tourner la tête une seule fois, et sans s'occuper de l'effet qu'ils produisaient, ils entendirent la messe avec la plus grande piété.

Ils sortirent de même qu'ils étaient entrés, comme s'ils eussent été seuls au monde et ils se rendirent tranquillement à pas mesurés chez 155 Marie Gallien où les attendait le dîner du dimanche.

— Macloune a fait une « blonde » ! Macloune va se marier !

— Macloune qui fréquente la Marichette !

Et les commentaires d'aller leur train parmi la foule qui se réunit toujours à la fin de la grand'messe, devant l'église paroissiale, pour 160 causer des événements de la semaine.

— C'est un brave et honnête garçon, disait un peu tout le monde, mais il n'y avait pas de bon sens pour un singe comme lui, de penser au mariage.

C'était là le verdict populaire !

165 Le médecin qui était célibataire et qui dînait chez le curé tous les dimanches lui souffla un mot de la chose pendant le repas, et il fut convenu entre eux qu'il fallait empêcher ce mariage à tout prix. Ils pensaient que ce serait un crime de permettre à Macloune malade, infirme, rachitique et difforme comme il l'était, de devenir le père 170 d'une progéniture qui serait vouée d'avance à une condition d'infériorité intellectuelle et de décrépitude physique. Rien ne pressait cependant et il serait toujours temps d'arrêter le mariage lorsqu'on viendrait mettre les bans à l'église.

Et puis ! ce mariage ; était-ce bien sérieux, après tout ?

IV

175 Macloune qui ne causait guère que lorsqu'il y était forcé par ses petites affaires ignorait tous les complots que l'on tramait contre son bonheur. Il vaquait à ses occupations selon son habitude, mais chaque soir, à la faveur de l'obscurité, lorsque tout reposait au village, il montait dans son canot et traversait à la Petite-Misère*, pour y rencontrer 180 Marichette qui l'attendait sur la falaise afin de l'apercevoir de plus loin. Si pauvre qu'il fût, il trouvait toujours moyen d'apporter un petit cadeau à sa bonne amie : un bout de ruban, un mouchoir de coton, un fruit, un bonbon qu'on lui avait donné et qu'il avait conservé, quelques fleurs sauvages qu'il avait cueillies dans les champs ou sur les 185 bords de la grande route. Il offrait cela toujours avec le même :

— Bôjou Maïchette !

— Bonjour Macloune !

Et c'était là toute leur conversation. Ils s'asseyaient sur le bord du canot que Macloune avait tiré sur la grève et ils attendaient là, quelque-190 fois pendant une heure entière, jusqu'au moment où une voix de femme se faisait entendre de la maison.

— Marichette ! oh ! Marichette !

C'était la tante qui proclamait l'heure de rentrer pour se mettre au lit.

Les deux amoureux se donnaient tristement la main en se regardant fixement, les yeux dans les yeux et :

— Bôsoi Maïchette !

— Bonsoir Macloune !

Et Marichette rentrait au logis et Macloune retournait à Lanoraie.

Les choses se passaient ainsi depuis plus d'un mois, lorsqu'un soir Macloune arriva plus joyeux que d'habitude.

— Bôjou Maïchette !

— Bonjour Macloune !

Et le pauvre infirme sortit de son gousset* une petite boîte en carton blanc d'où il tira un jonc d'or bien modeste qu'il passa au doigt de la jeune fille.

— Nous autres, mariés à Saint-Michel[1]. Hein ! Maïchette !

— Oui Macloune ! quand tu voudras.

Et les deux pauvres déshérités se donnèrent un baiser bien chaste pour sceller leurs fiançailles.

Et ce fut tout.

Le mariage étant décidé pour la Saint-Michel, il n'y avait plus qu'à mettre les bans à l'église. Les parents consentaient au mariage et il était bien inutile de voir le notaire pour le contrat, car les deux époux commenceraient la vie commune dans la misère et dans la pauvreté. Il ne pouvait être question d'héritage, de douaire et de séparation ou de communauté de biens.

Le lendemain, sur les quatre heures de relevée, Macloune mit ses habits des dimanches et se dirigea vers le presbytère où il trouva le curé qui se promenait dans les allées de son jardin, en récitant son bréviaire†.

— Bonjour Maxime !

Le curé seul, au village, l'appelait de son véritable prénom.

— Bôjou mosieur curé !

— J'apprends, Maxime, que tu as l'intention de te marier.

— Oui ! mosieur curé.

— Avec Marichette Joyelle de Contrecœur ?

— Oui ! mosieur curé.

1. Saint-Michel : le 29 septembre, fête de saint Michel archange.

— Il n'y faut pas penser, mon pauvre Maxime. Tu n'as pas les
230 moyens de faire vivre une femme. Et ta pauvre mère, que deviendrait-elle sans toi pour lui donner du pain ?

Macloune qui n'avait jamais songé qu'il pût y avoir des objections à son mariage regarda le curé d'un air désespéré, de cet air d'un chien fidèle qui se voit cruellement frappé par son maître sans comprendre
235 pourquoi on le maltraite ainsi.

— Eh non ! mon pauvre Maxime, il n'y faut pas penser. Tu es faible, maladif. Il faut remettre cela à plus tard, lorsque tu seras en âge.

Macloune atterré ne pouvait pas répondre. Le respect qu'il avait pour le curé l'en aurait empêché, si un sanglot qu'il ne put com-
240 primer, et qui l'étreignait à la gorge, ne l'eût mis dans l'impossibilité de prononcer une seule parole.

Tout ce qu'il comprenait, c'est qu'on allait l'empêcher d'épouser Marichette et dans sa naïve crédulité il considérait l'arrêt comme fatal. Il jeta un long regard de reproche sur celui qui sacrifiait ainsi son
245 bonheur, et sans songer à discuter le jugement qui le frappait si cruellement, il partit en courant vers la grève qu'il suivit, pour rentrer à la maison, afin d'échapper à la curiosité des villageois qui l'auraient vu pleurer. Il se jeta dans les bras de sa mère qui ne comprenait rien à sa peine. Le pauvre infirme sanglota ainsi pendant une heure et aux
250 questions réitérées de sa mère ne put que répondre :

— Mosieur curé veut pas moi marier Maïchette. Moi mourir, maman !

Et c'est en vain que la pauvre femme, dans son langage baroque, tenta de le consoler. Elle irait elle-même voir le curé et lui explique-
255 rait la chose. Elle ne voyait pas pourquoi on voulait empêcher son Macloune d'épouser celle qu'il aimait.

V

Mais Macloune était inconsolable. Il ne voulut rien manger au repas du soir et aussitôt l'obscurité venue, il prit son aviron et se dirigea vers la grève, dans l'intention évidente de traverser à la Petite-
260 Misère* pour y voir Marichette.

Sa mère tenta de le dissuader car le ciel était lourd, l'air était froid et de gros nuages roulaient à l'horizon. On allait avoir de la pluie et peut-être du gros vent. Mais Macloune n'entendit point ou fit semblant de ne pas comprendre les objections de sa mère. Il l'embrassa
265 tendrement en la serrant dans ses bras et sautant dans son canot, il disparut dans la nuit sombre.

Marichette l'attendait sur la rive à l'endroit ordinaire. L'obscurité l'empêcha de remarquer la figure bouleversée de son ami et elle s'avança vers lui avec la salutation accoutumée :

270 — Bonjour Macloune !

— Bôjou Maïchette !

Et la prenant brusquement dans ses bras, il la serra violemment contre sa poitrine en balbutiant des phrases incohérentes entrecoupées de sanglots déchirants :

275 — Tu sais Maïchette… Mosieur Curé veut pas nous autres marier… to pauvres, nous autres… to laid, moi… to laid… to laid, pour marier toi… moi veux plus vivre… moi veux mourir.

Et la pauvre Marichette comprenant le malheur terrible qui les frappait mêla ses pleurs aux plaintes et aux sanglots du malheureux
280 Macloune.

Et ils se tenaient embrassés dans la nuit noire, sans s'occuper de la pluie qui commençait à tomber à torrents et du vent froid du nord qui gémissait dans les grands peupliers qui bordent la côte.

Des heures entières se passèrent. La pluie tombait toujours ; le
285 fleuve agité par la tempête était couvert d'écume et les vagues déferlaient sur la grève en venant couvrir, par intervalle, les pieds des amants qui pleuraient et qui balbutiaient des lamentations plaintives en se tenant embrassés.

Les pauvres enfants étaient trempés par la pluie froide, mais ils
290 oubliaient tout dans leur désespoir. Ils n'avaient ni l'intelligence de discuter la situation, ni le courage de secouer la torpeur qui les envahissait.

Ils passèrent ainsi la nuit et ce n'est qu'aux premières lueurs du jour qu'ils se séparèrent dans une étreinte convulsive. Ils grelottaient en s'embrassant, car les pauvres haillons qui les couvraient les pro-
295 tégeaient à peine contre la bise du nord qui soufflait toujours en tempête.

La Chasse-galerie, légendes canadiennes (1900).
Raoul Barré (1874-1932).

Était-ce par pressentiment ou simplement par désespoir qu'ils se dirent :

— Adieu, Macloune !

— Adieu, Maïchette !

Et la pauvrette trempée et transie jusqu'à la moëlle, claquant des dents, rentra chez son oncle où l'on ne s'était pas aperçu de son absence, tandis que Macloune lançait son canot dans les roulins et se dirigeait vers Lanoraie. Il avait vent contraire et il fallait toute son habileté pour empêcher la frêle embarcation d'être submergée dans les vagues.

Il en eut bien pour deux heures d'un travail incessant avant d'atteindre la rive opposée.

Sa mère avait passé la nuit blanche à l'attendre, dans une inquiétude mortelle. Macloune se mit au lit tout épuisé, grelottant, la figure enluminée par la fièvre ; et tout ce que put faire la pauvre Marie Gallien, pour réchauffer son enfant, fut inutile.

Le docteur appelé vers les neuf heures du matin déclara qu'il souffrait d'une pleurésie mortelle et qu'il fallait appeler le prêtre au plus tôt.

Le bon curé apporta le viatique† au moribond qui gémissait dans le délire et qui balbutiait des paroles incompréhensibles. Macloune reconnut cependant le prêtre qui priait à ses côtés et il expira en jetant sur lui un regard de doux reproche et d'inexprimable désespérance et en murmurant le nom de Marichette.

VI

Un mois plus tard, à la Saint-Michel*, le corbillard des pauvres conduisait au cimetière de Contrecœur Marichette Joyelle morte de phtisie galopante chez son oncle de la Petite-Misère*.

Ces deux pauvres déshérités de la vie, du bonheur et de l'amour n'avaient même pas eu le triste privilège de se trouver réunis dans la mort, sous le même tertre, dans un coin obscur du même cimetière.

PROCÈS D'UNE CHENILLE

CONTE – 1944

ÉDITION ORIGINALE: *Allegro*, Montréal, Fides, 1944.

ŒUVRES CHOISIES: *Adagio* (1943)
Pieds nus dans l'aube (1946)
Le Fou de l'île (1958)

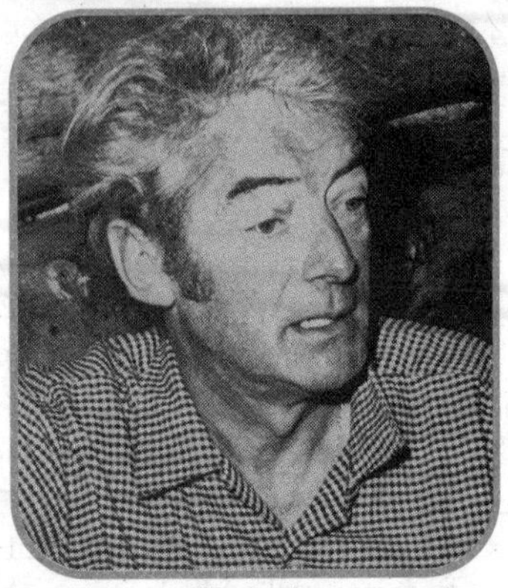

Félix Leclerc
1914-1988

MODERNITÉ

DANS LES ANNÉES 1940, Félix Leclerc, animateur radio et comédien, écrivait des chansons qui devaient servir d'intermèdes lors de représentations théâtrales. Il ravit alors l'attention du public. Il remporte cependant un succès éclatant en France en tant qu'auteur, compositeur et interprète bien avant d'être connu dans sa propre patrie. Au Québec, il restera heureusement associé à la consécration puisque les trophées de l'Association québécoise de l'industrie du disque, du spectacle et de la vidéo (ADISQ) portent son prénom. L'interprète du *P'tit Bonheur*, de *Moi, mes souliers* et du *Tour de l'île* est maintenant reconnu dans toute la francophonie. Mais Félix Leclerc s'est aussi fait conteur dans l'après-guerre. Déjà, dans son recueil *Adagio*, il abordait le thème du malaimé par l'entremise de son personnage Cantique qui souffrait d'un handicap mental. Dans le *Procès d'une chenille*, il se fait davantage fabuliste en privilégiant le conte d'animaux.

~

PORTE-VOIX

Félix Leclerc se révèle déjà, dans ses premiers écrits, le poète qu'il deviendra par la suite, le grand chantre de la nature et de son île, microcosme de son pays.

AURÉLIEN BOIVIN, *L'ACTION NATIONALE* (1989)

Il y a de ceci bien longtemps. Plus de mille ans. On devait être en juin. En plein champ, à trois lieues* de la plus proche maison, au pays des insectes et des fleurs. Un après-midi. Il faisait soleil tout le long du ruisseau, car un ruisseau passait par là. Sur les deux rives, des criquets 5 cachés dans le trèfle s'injuriaient à pleine tête, comme des gamins qui se disent des noms.

Pas de travaillants autour, avec leurs chevaux et leurs pelles. Personne. La terre inventait la moisson, toute seule, dans la paix, comme elle fait toujours en juin. Sur l'eau tiède du ruisseau, deux 10 patineuses se promenaient d'avant et à reculons ; leurs ailes faisaient comme des coiffes blanches au soleil. On aurait dit deux religieuses qui marchaient dans la cour du couvent. Il devait être quatre heures de l'après-midi, l'heure des visites ou de la récréation.

Les deux patineuses, au milieu du ruisseau, loin des oreilles ten- 15 dues pour tout savoir, bavardaient chacune leur tour, penchant la tête de côté, sans tourner le visage, comme font les sœurs.

La plus vieille disait à sa compagne :

— Tu sais ce que j'ai appris en passant chez les bleuets tout à l'heure ?

20 — Non, fit la plus jeune.

— Eh bien, c'est demain que le procès commence.

— Le procès de la chenille ? Alors, on y va. Qui te l'a dit ?

— Un hanneton. Je filais par ici tout à l'heure, reprit l'aînée, et un hanneton m'a crié en passant : « Demain matin, après la rosée, le 25 procès commencera. Soyez-y. Rendez-vous au kiosque, cinquième piquet, où se donnent habituellement les concerts d'été. Dites-le à votre famille, tout le canton y sera. »

En effet, le matin même, on avait surpris, sur les petites heures, une chenille verte, soûle de miel, dans la corolle d'un lis blanc.

30 Une araignée, qui tissait juste au-dessous, l'avait aperçue et avait donné l'alerte. Aussitôt, deux abeilles policières, guidées par les petits fanaux des mouches-à-feu*, étaient accourues pour arrêter la voleuse de miel.

Pauvre voleuse ! On l'avait roulée au cachot, dans une galerie souterraine, chez les fourmis, entre deux haies d'insectes qui hurlaient leur colère au passage.

L'araignée était si indignée du scandale, paraît-il, qu'elle offrit gratuitement son fil pour lier la coupable. Elle la lia si bien que la chenille avait disparu sous les câbles, recouverte comme une momie.

Un gros barbeau, le juge de la place, avait fixé le procès au lendemain, après la rosée, dans le kiosque d'un piquet. Plusieurs places étaient déjà retenues. Tout le monde en parlait.

Tout à l'heure, les criquets ne s'injuriaient pas, ils discutaient la chose, comme des commères, chacune de leur fenêtre.

À bonne heure le lendemain, tout un peuple d'insectes attendait sur le terrain ; des criquets du voisinage avec des petits manteaux noirs, luisants comme de l'écaille ; des faux-bourdons en vestes jaunes ; plusieurs araignées assises sur leur ventre et qui roulaient nerveusement leur peloton de fil ; plus en arrière, des fourmis qui élevaient des petits murs de sable, où elles grimperaient tout à l'heure pour mieux voir ; et des cigales qui plaçaient tous ces gens en faisant beaucoup de bruit avec leur sifflet.

Enfin, le barbeau-juge entra, solennel. La salle se leva en silence. Suivi de plusieurs barbeaux plus jeunes, le juge s'installa sur une feuille d'érable qu'on avait étendue au milieu. La cour était ouverte. Les deux abeilles policières, sur un signal, amenèrent l'inculpée sur leurs épaules et brutalement la culbutèrent sur le tapis. Elle roulait inerte, sans se plaindre. Il y eut un frisson dans l'auditoire. On dut sortir deux jeunes éphémères qui avaient perdu connaissance.

Alors, l'avocat des fleurs, une guêpe savante, débita avec chaleur l'acte d'accusation, toute la marche du drame : comment la chenille s'était faufilée dans le lis, son entrée avec effraction dans la chambre à miel, sa soûlade et la souffrance, l'agonie, puis la mort du beau lis blanc.

Voilà qui était bien dit. L'avocat fut interrompu plusieurs fois par des applaudissements, des réflexions et même des huées. Le barbeau-juge demanda le silence parfait pendant que le jury réfléchirait. Il réfléchit et, par la bouche du plus vieux, une puce qui se grattait toujours, déclara ceci : « Nous avons trouvé la chenille coupable. »

De toutes les loges d'insectes sortit un grand brouhaha. Quelques-uns étaient pour, d'autres contre.

Enfin, le juge se leva et dit :

— La chenille est coupable, mais devant les opinions si partagées, nous ne pouvons la condamner à mort.

Plusieurs crièrent : « L'exil ! l'exil ! »

Ce qui fut décidé. Aussitôt, quatre hannetons cassèrent des brins de foin, les plièrent pour faire un radeau qu'ils traînèrent jusqu'au ruisseau. La foule entière se rua à leur suite. Les maringouins, les mouches, les pucerons, tous, pêle-mêle, étaient sur la grève. Les guêpes applaudissaient. Les abeilles avaient toutes les misères du monde à retenir les bourdons qui voulaient assommer la chenille cachée dans son cocon. Les criquets faisaient de la cabale, essayaient de soulever les discussions. Et plusieurs fourmis retournèrent à l'ouvrage, la tête basse, trop émues pour assister à l'embarquement. Les grandes libellules aux fragiles ailes étaient déjà parties en vitesse pour annoncer la nouvelle dans leurs marécages.

De force, la prisonnière fut déposée au milieu du radeau. Beaucoup la croyaient morte, parce qu'elle était immobile. La méchante araignée s'avança et, avec beaucoup d'orgueil et de malice, ligota son ennemie au plancher du radeau. Enfin, trois insectes patineurs, sur l'ordre du juge, sautèrent sur l'eau, et à grands coups de patins, poussèrent le petit radeau jusqu'au courant. Et le petit navire descendit doucement vers l'exil, ballotté par les vagues qui faisaient de petites glissoires.

Les deux rives étaient noires d'insectes. Un grand nombre pleuraient, d'autres se réjouissaient.

Soudain… Non, c'est difficile à dire et incroyable, la chose que l'on vit….

— Regardez ! Regardez ! cria de toute sa force un maringouin.

Et dans la stupéfaction et presque la terreur, on vit une chose extraordinaire : le cocon s'agiter follement, se percer, se fendre, s'ouvrir, et deux grandes ailes jaunes se déplier au soleil, s'étirer, apparaître tachetées de points noirs ; des ailes cendrées de poudre d'or,

Fleurs et papillon, France, Paris.

avec des dessins dessus, des ailes magiques, brillantes, qui battaient l'air, laissant le radeau continuer seul, passer triomphantes, majes-
105 tueuses, dans l'avant-midi, au-dessus du peuple consterné qui baisait le rivage.

Le premier papillon était né. Et son premier vol se continuait par-delà les fraises, rouges d'épouvante.

Cette histoire est finie. La leçon fut grande chez les insectes qui
110 avaient jugé la chenille trop sévèrement parce qu'elle était laide et sans défense. Même on sut plus tard que l'araignée qui lui avait bâti le cocon s'était suicidée.

Si l'on accuse le papillon d'être volage, c'est qu'il ne croit en personne. Il connaît la fragilité et l'inconstance des amitiés.

LES TROIS PETITS POINTS

CONTE – 2003

ÉDITION ORIGINALE : *Il faut prendre le taureau par les contes !* Montréal, Planète rebelle, 2003.

ŒUVRES CHOISIES :
Dans mon village, il y a belle lurette (2001)
Comme une odeur de muscles (2005)
Bois du thé fort, tu vas pisser drette ! (2005)

Fred Pellerin
NÉ EN 1978

MODERNITÉ

« LE CONTE est difficile à croire ; mais tant que dans le monde on aura des enfants, des mères et des mères-grand, on en gardera la mémoire », précisait Charles Perrault dans *Peau d'âne.* Il ne pouvait dire plus vrai : Fred Pellerin tire son inspiration de la bouche même de sa grand-mère Bernadette, de son dentier plus exactement. Lui qui est fasciné par la transmission des savoirs, il parvient à recréer, même dans une salle bondée de 500 spectateurs, l'atmosphère intimiste des veillées de contes d'autrefois. Parmi tous les personnages de la mythologie pellerine, Babine est sans nul doute le plus émouvant. À lui seul, il ressemble à tous les autres indésirés-et-rables de la littérature universelle. Désormais, tout le « petit » monde de Saint-Élie-de-Caxton est facile à trouver sur une carte routière : il habite « tout près de la légende ».

~

PORTE-VOIX

Dans sa bouche, les mots volent, colorés, charnus, et les menteries sont tellement belles que ça fait du bien d'y croire. […] Tout conte fait, Fred Pellerin est un relayeur d'éternité.

ANDRÉ DUCHARME, *L'ACTUALITÉ* (2002)

Avant d'ouvrir la bouche,
assure-toi que ce que tu vas dire
est plus beau que le silence.
CONFUCIUS

Saint-Élie[§] de Garnotte, sortie 166 de l'autoroute 40, à droite au T puis à gauche à la troisième lumière, toujours tout droit ensuite, malgré les portions de terre battue, c'est mon village. Saint-Élie de Garnotte : quand t'es perdu, t'es rendu ! When you're lost, you're là !

Dans mon village, sans vouloir me vanter, ce fut comme dans tous les autres : il y eut pendant longtemps un fou du village. Tenue par le ministère de la Colonisation à procéder ainsi, chaque municipalité avait son fou, et l'inverse. T'avais pas de fou, puis on t'accordait une subvention salariale pour t'en engager un. Chez nous, contexte aidant, le fou bénévolait. Il s'appelait Babine et faisait du mieux qu'il pouvait.

Il naquit un jour sans date parce qu'aucun signe astrologique ne le voulait dans son équipe. De toute manière, il n'était pas superstitieux. Puis on sait bien que l'important, c'est de naître. Peu importe le moment. En plus qu'il a vu le jour la nuit. Moi, ça ne me dérange vraiment pas. D'ailleurs, je n'ai rien à dire là-dessus. Je fais juste répéter les affaires comme je les ai entendues. Si tout ça est vrai, ça ne me regarde même pas. C'est parce que c'est arrivé comme tel et rien d'autre. Alors on ne va pas s'arrêter chaque fois que les informations sont floues parce qu'on n'en finira pas.

Cette mère, donc, ou celle qui s'apprêtait à le devenir pour être plus exact, neuve en la matière *es natum,* criait si fort en crevant les eaux que les voisins crurent au déluge. Ou à un incendie. En plus qu'il pleuvait. Elle hurlait tant que les gouttes de pluie reviraient de bord.

Armés de seaux, pour le déluge ou pour le feu, ça importe peu, les hommes des alentours retontissaient chez la bonne femme et la trouvaient là, étendue dans sa flaque, flasque. Elle gisait, suante et même plus. Chez Brodain Tousseur, le seul abonné au téléphone, on avait essayé de rejoindre le docteur Cossette. L'orage avait dû briser les fils parce que la ligne ne donnait rien de mieux que du néant qui griche.

Comme quoi la carte-soleil[1] ne brillait pas pour tout le monde. Chose sûre, et elle n'en doutait pas : elle souffrait énormément-ment-ment. Puis ça suffisait à la convaincre que c'était vrai. Elle avait si mal que ça en devenait plus difficile à supporter pour les autres que pour elle-même.

— Madame, je pense qu'il se présente par le siège !

Accroupi dans l'angle du conduit natif, c'est M'sieur Tousseur qui, secouriste à l'improviste, assistait de plus près. À pleine face dans l'entrejambe de la débouleuse. Personne ne savait où donner de la rescousse, étant donné que la sage-femme elle-même s'affairait à accoucher. L'équipe improvisée, comme un corps médical sans tête, cherchait moyen, mais il n'y avait pas de place pour penser. Elle gueulait trop.

— Madame, je pense qu'il se présente par le siège !

En fait, l'enfant souriait. Il entra dans la vie de l'avant, malgré les apparences. Le devant comme un derrière. Parce qu'il était affreux. D'où la confusion.

La mère lâcha de hurler, puis l'intérêt tomba sur l'objet engendré. Il fallait lui sacrer une claque pour qu'il braille. À cause du débouchage des conduits respiratoires. Il fallut donc attendre qu'il chie sur le curé pour savoir à quel bout lui donner la tape du premier respir. Ce fut le curé lui-même qui procéda, avec un élan de colère pour la tache sur sa soutane. De toute ses forces. CLAQUE ! Pourtant, le né ne pleura pas. Il souriait encore. Chacun leur tour, les assistants entreprirent donc de le frapper, pour lui désengorger le tube. En petit monstre, il ne fit aucun son, mais chia en liquide sur tous les membres de l'assistance. Ni cri ni rire, seulement de la marde. Muet comme une carpette. Mais d'une odeur qui parlait fort.

Après la ronde des fessées, malgré l'absence de cri, sa mère fit signe que ça allait. Il respirait bien. Cette nuit-là, il venta si fort que les cloches de l'église sonnèrent toutes seules.

* * *

1. Carte-soleil : carte émise par la Régie de l'assurance maladie du Québec et sur laquelle apparaît la photo du bénéficiaire ainsi qu'un soleil et des conifères en arrière-plan.

65 Quand le visage de ce bébé-là apparut au village, ça consterna d'une commotion tant il était lette. Sa mère le traînait partout, enrobé dans des guenilles. Les gens s'approchaient pour le voir et se décevoir. Puis on avait beau chercher, parce qu'on sait que les enfants sont toujours beaux un minimum, il restait lette partout. Habituellement, on 70 attend d'un petit qu'il présente un minimum acceptable. Au moins un grain de beauté. Mais lui, rien. Et je ne vous parle pas d'une laideur qui déclenche le « c'est-plate-pour-lui », mais plutôt de celle qui engendre le « c'est-l'fun-pour-nous-autres ». La seule vue de sa grimace semait crises d'asthme et d'hyperventilation, pour cause de rire. 75 Plusieurs habitants de l'actuel village ont encore traces aux poumons des crampes de leurs ancêtres.

Les mois firent grandir Babine, dont la justification du prénom m'échappe, mais le temps tarda à lui donner la voix. Le silence de mort de sa naissance demeura malgré tout. Et à l'âge où les enfants 80 mènent du train, celui-là passait sans bruit. Bien des personnes raisonnables du village en vinrent à croire qu'il était muet. Puis certains crurent bon de vérifier dans sa bouche.

— Peut-être que le chat lui a mangé la langue!

Mais non, elle était là: une belle grosse langue baveuse qu'aucun 85 félin n'aurait eu envie de manger. À quelques différences de la normale, la sienne était peut-être même un peu plus épaisse que les autres. Puis si certains s'aventuraient à questionner sa mère à ce propos, elle leur répondait de pas s'en faire, qu'il ne présentait rien d'anormal.

— Que j'en voie pas un lui jouer dans la bouche!

90 Avec les ans, le silence devint insupportable. De cet enfant observateur au sourire permanent ne sortait jamais aucun son. Plus que ça, tous les bruits semblaient s'effacer en sa présence. Côté sonore, il engloutissait tout, comme un trou noir. Troublant.

— Salut, mon p'tit homme…

95 Tout ce qui semblait pouvoir sortir de cette bouche-là, c'étaient des « … ». Des trois-petits-points, à la tonne, qu'il laissait tomber dans le silence.

— Le petit maudit! On dirait qu'il voit des affaires qu'on voit pas!

Des milliers de points de suspension qui traînaient n'importe où, 100 que tu ne savais jamais quand est-ce que t'étais pour t'enfarger en

© Josée Gendron.

Roger, le sonneur de cloches.

mettant le pied dessus. On en retrouvait partout dans le village. Des perles à collier de « chut ! » qu'on se disputait pour en faire des billes, de la soupe aux points ou de la farine moulue et bouche cousue.

Et le mutisme tranquille durait… De ce silence qui devient impos-
105 sible à soutenir quand il se prolonge trop. Mute. La tombe. Ça durait depuis toujours. Mais aucun village n'est tenu à l'impassible. Si ce silence ne semblait pas déranger Babine, c'est dans l'entourage que ça indisposait ! Le curé le forçait à boire de l'eau bénite, le docteur Cossette lui faisait un entretien régulier des cordes vocales. Toujours
110 pas un son.

Brodain Tousseur, incapable de se retenir les bonnes idées, finit par se lancer.

— C'est pas la langue, pas la gorge, pas les cordes vocales : ça doit être les dents.

115 En blague, mais on le prit au mot. Ils s'y prirent en gang pour édenter le jeune garçon. Pas une par une, ç'eut été trop douloureux, mais d'un coup. De poing. Les dents lui tombèrent de la bouche comme autant de ponctuations blanches. Il ne pleura même pas. Alors, on emprunta un dentier, on l'attela, puis… RIEN ! Encore rien !

120 — Je comprends pas. Avec le dentier du curé, il devrait pas avoir de problème à parler.

À la longue, ça finit par faire assez. La mère de son fils se pointa le nez bissextile à une réunion des hommes du village. En furie ? Non ! Pas fâchée à outrance. Juste assez convaincue et déteignante.

125 — Il faut pas ! Je veux pus voir personne le toucher. Compris ?

Elle remit les points sur les « i » et en profita pour expliquer à tout le monde que son fils n'avait aucun problème dans la bouche ou ailleurs en lien.

— C'est dans vos oreilles que c'est déréglé !

130 Puis ce soir-là, tout le monde fut mis au courant. Le jeune fou n'était pas muet. Il suffisait juste de porter attention.

— C'est parce que vous l'avez jamais écouté !

Le Petit Chaperon rouge.
Peintre de l'école anglaise, XXe siècle.

Le conte de fées

LE PETIT CHAPERON ROUGE

CONTE – 1697

PREMIÈRE PARUTION: *Contes de ma Mère l'Oye*, Paris, Claude Barbin, 1697.

ŒUVRES CHOISIES:
Le Siècle de Louis le Grand (1687)
Parallèle des Anciens et des Modernes (1688-1698)

Charles Perrault
1628-1703

TRADITION

ÉRUDIT PARISIEN, Charles Perrault est surtout reconnu dans le monde entier pour ses contes. On lui doit entre autres *Barbe bleue, Cendrillon, La Belle au bois dormant, Le Petit Poucet, Peau d'âne* et *Le Chat botté.* Fils de notable, il fréquente la cour du roi Louis XIV et est élu en 1671 à l'Académie française, éminent cercle mondain des grands auteurs de France. Il s'y fera connaître notamment en tant que féroce adversaire de Boileau dans la célèbre Querelle des Anciens et des Modernes. La morale de son *Petit Chaperon rouge* est inspirée de la tradition orale, elle-même fort imprégnée de l'imaginaire médiéval. Mais, encore aujourd'hui, on préfère de loin enseigner aux enfants la variante des frères Grimm où « tout est bien qui finit bien ».

~

PORTE-VOIX

Le Petit Chaperon rouge ***parle des passions humaines, de l'avidité orale, de l'agressivité et des désirs sexuels de la puberté.***

BRUNO BETTELHEIM, *PSYCHANALYSE DES CONTES DE FÉES* (1976)

Il était une fois une petite fille de village, la plus jolie qu'on eût su voir : sa mère en était folle, et sa mère-grand plus folle encore. Cette bonne femme lui fit faire un petit chaperon rouge qui lui seyait si bien, que partout on l'appelait le Petit Chaperon rouge.

5 Un jour, sa mère ayant cuit et fait des galettes, lui dit : « Va voir comment se porte ta mère-grand, car on m'a dit qu'elle était malade. Porte-lui une galette et ce petit pot de beurre. » Le Petit Chaperon rouge partit aussitôt pour aller chez sa mère-grand, qui demeurait dans un autre village. En passant dans un bois, elle rencontra compère 10 le Loup, qui eut bien envie de la manger ; mais il n'osa, à cause de quelques bûcherons qui étaient dans la forêt. Il lui demanda où elle allait. La pauvre enfant, qui ne savait pas qu'il était dangereux de s'arrêter à écouter un loup, lui dit : « Je vais voir ma mère-grand, et lui porter une galette, avec un petit pot de beurre, que ma mère lui 15 envoie. — Demeure-t-elle bien loin ? lui dit le Loup. — Oh ! oui, dit le Petit Chaperon rouge ; c'est par-delà le moulin que vous voyez tout là-bas, à la première maison du village. — Eh bien ! dit le Loup, je veux l'aller voir aussi ; je m'y en vais par ce chemin-ci, et toi par ce chemin-là ; et nous verrons à qui plus tôt y sera. »

20 Le Loup se mit à courir de toute sa force par le chemin qui était le plus court, et la petite fille s'en alla par le chemin le plus long, s'amusant à cueillir des noisettes, à courir après les papillons, et à faire des bouquets des petites fleurs qu'elle rencontrait.

Le Loup ne fut pas longtemps à arriver à la maison de la mère-25 grand ; il heurte : toc, toc. « Qui est là ? — C'est votre fille, le Petit Chaperon rouge, dit le Loup en contrefaisant sa voix, qui vous apporte une galette et un petit pot de beurre, que ma mère vous envoie. » La bonne mère-grand, qui était dans son lit, à cause qu'elle se trouvait un peu mal, lui cria : « Tire la chevillette, la bobinette cherra. » Le Loup tira 30 la chevillette, et la porte s'ouvrit. Il se jeta sur la bonne femme, et la dévora en moins de rien, car il y avait plus de trois jours qu'il n'avait mangé. Ensuite il ferma la porte, et s'alla coucher dans le lit de la mère-grand, en attendant le Petit Chaperon rouge, qui, quelque temps après, vint heurter à la porte : toc, toc. « Qui est là ? » Le Petit Chaperon 35 rouge, qui entendit la grosse voix du Loup, eut peur d'abord, mais, croyant que sa mère-grand était enrhumée, répondit : « C'est votre

Le Petit Chaperon rouge (1862).
Gustave Doré (1832-1883).

fille, le Petit Chaperon rouge, qui vous apporte une galette et un petit pot de beurre, que ma mère vous envoie. » Le Loup lui cria en adoucissant un peu sa voix : « Tire la chevillette, la bobinette cherra. » Le Petit
40 Chaperon rouge tira la chevillette, et la porte s'ouvrit.

Le Loup, la voyant entrer, lui dit en se cachant dans le lit, sous la couverture : « Mets la galette et le petit pot de beurre sur la huche, et viens te coucher avec moi. » Le Petit Chaperon rouge se déshabille, et va se mettre dans le lit, où elle fut bien étonnée de voir comment sa
45 mère-grand était faite en son déshabillé. Elle lui dit : « Ma mère-grand, que vous avez de grands bras ! — C'est pour mieux t'embrasser, ma fille ! — Ma mère-grand, que vous avez de grandes jambes ! — C'est pour mieux courir, mon enfant ! — Ma mère-grand, que vous avez de grandes oreilles ! — C'est pour mieux écouter, mon enfant ! — Ma
50 mère-grand, que vous avez de grands yeux ! — C'est pour mieux voir, mon enfant ! — Ma mère-grand, que vous avez de grandes dents ! — C'est pour te manger ! » Et, en disant ces mots, ce méchant Loup se jeta sur le Petit Chaperon rouge, et la mangea.

MORALITÉ

55 On voit ici que de jeunes enfants,
Surtout de jeunes filles,
Belles, bien faites et gentilles,
Font très mal d'écouter toutes sortes de gens,
Et que ce n'est pas chose étrange,
60 S'il en est tant que le loup mange.
Je dis le loup, car tous les loups
Ne sont pas de la même sorte :
Il en est d'une humeur accorte[1],
Sans bruit, sans fiel et sans courroux,
65 Qui, privés, complaisants et doux,
Suivent les jeunes demoiselles
Jusque dans les maisons, jusque dans les ruelles.
Mais, hélas ! qui ne sait que ces loups doucereux,
De tous les loups sont les plus dangereux !

1. Accorte : aimable, avenante.

LE PETIT CHAPERON ROUGE

CONTE – 1964

PREMIÈRE PARUTION :
Contes anglais et autres, Montréal, Éditions d'Orphée, 1964.

ŒUVRES CHOISIES :
Le Ciel de Québec (1969)
L'Amélanchier (1970)
Les Confitures de coing (1972)

Jacques Ferron
1921-1985

MODERNITÉ

ÉMINENT MÉDECIN, Jacques Ferron écrit comme il guérit ses patients : avec finesse, intelligence et audace. Très politisé, il fonde avec quelques amis le Parti Rhinocéros en 1963. Durant la crise d'Octobre, il agit même comme négociateur entre le ministère de la Justice du Québec et les membres du Front de libération du Québec (FLQ). Confiant en la volonté démocratique, il fonde en 1980 en vue du « Référent d'hommes » le Regroupement des écrivains pour le OUI. Comme en font foi ses *Contes du pays incertain* publiés en 1962, l'avenir du Québec le préoccupe, mais il demeure optimiste. Dans la fiction ferronienne, les pays imaginés sont en effet arides mais leurs habitants, eux, toujours joyeux. Quand Ferron revisite les classiques, que ce soit *Alice*, la *Chasse-galerie* ou le *Méchant Loup*, c'est toujours aux couleurs du Lys.

~

PORTE-VOIX

Par les mots que j'ai écrits dans* Docteur Ferron, *j'ai désiré saluer à ma manière le seul écrivain véritablement national que le Québec contemporain ait produit.

VICTOR-LÉVY BEAULIEU (1991)

Une vieille dame, qu'on avait beaucoup chaperonnée en sa jeunesse avec le résultat qu'elle avait épousé un homme autoritaire dont elle était veuve, Dieu merci, achevait ses jours sans surveillance, libre et heureuse, dans un petit bungalow à l'Abord-à-Plouffe. C'était une personne étu-
5 diée, pas loin d'être parfaite. Elle n'avait qu'un défaut: la peur des chiens. Et il est rare que les chiens viennent seuls. Une de ses petites-filles était sa préférée: elle la chérissait mais ne la connaissait guère. Ses autres enfants, mieux connus, elle les aimait bien mais ne s'en inquiétait pas: la solitude l'avait détachée d'eux. Ç'avait été sur un cœur
10 quelque peu sec qu'une fine crevasse était apparue, un mal qui n'avait rien de familial et que la solitude, loin de guérir, avait approfondi. La vieille dame ne pensait pas à sa préférée sans le ressentir, sans porter sa main à sa poitrine: un mal agaçant contre lequel elle ne pouvait rien. Le seul remède était de se dire: « Elle viendra demain, après-demain. »
15 Mais quand la fillette s'amenait, mine de rien, après avoir attaché son chien en arrière du hangar, la grand-mère n'était pas soulagée. Le jeune être l'intimidait. Elle ne savait quel langage lui tenir, craignant d'entamer du neuf, d'en dire trop ou pas assez. Alors elle reprenait en fausset des rengaines: « Que tu as de belles joues, mon enfant! — C'est
20 pour mieux rougir, grand-maman. — De belles lèvres! — Pour mieux ouvrir la bouche, grand-maman. » Ces joues, ces lèvres étaient effleurées du doigt de la vieille dame qui mignardait, cajolait l'enfant étonnée de tant d'amour, un peu agacée aussi car cela n'en finissait plus.

Cependant, le chien, derrière le hangar, trouvait la corde courte et
25 détestait tout ce qu'il y avait devant. Le père de la fillette, commis voyageur, l'avait ramené d'une de ses tournées. « Et ma mère? » avait objecté sa femme. « Bah! elle ne le verra pas. » Elle ne le vit pas en effet car on avait décidé qu'il resterait en arrière du hangar. Néanmoins, la première fois que la fillette vint à l'Abord-à-Plouffe en compagnie du chien: « Tu
30 sens drôle, petite », lui dit la grand-mère. Puis elle s'habitua, du moins n'en parla plus. Mais, coïncidence étrange, sa petite-fille, qui jusque-là lui avait semblé une enfant comme les autres, commença d'être différente, unique et irremplaçable. Sur son vieux cœur la petite gerçure était apparue, que la solitude, loin de guérir, avait approfondie.
35 Un jour, le commis voyageur avait rapporté d'Ontario une caisse de bonne margarine, la mère dit à sa fille: « Mets ton petit chaperon

rouge, tu iras porter un cadeau à ta grand-mère. » La fillette, qui s'ennuyait toujours où elle se trouvait, ne se fit pas prier. Elle mit sa capeline et partit pour l'Abord-à-Plouffe. « Ne t'amuse pas en chemin, la margarine fondrait », lui avait dit sa mère. Elle se dépêchait donc, accompagnée de son chien qui montrait les dents. Les voyous des rues n'osaient pas approcher. Ils criaient toutefois : « Hé ! Es-tu le petit Chaperon Rouge ? » La fillette, pincée, se disait en elle-même : « Ma mère me prend pour une enfant », et se dandinait pour montrer qu'elle ne l'était plus. La capeline trop courte accusait le jeu de ses braves petites hanches. Les voyous rigolaient. Le chien n'aimait guère cela. Il détestait encore plus, toutefois, d'aller à l'Abord-à-Plouffe. Quand il se rendit compte que c'était là leur destination, il ne put, cette fois, s'y résoudre. Il dit au petit Chaperon Rouge : « Prends le chemin du Parc Belmont ; moi, j'enfile la rue du pont, nous nous retrouverons en arrière du hangar. » Et il se sauva, laissant la fillette sans protection.

Or, un vieux coquin, vrai gibier de potence, chassait dans le quartier justement. Il flaire la viande fraîche et aperçoit le petit Chaperon Rouge. Ce qu'il en voit en arrière le convainc aussitôt que la proie mérite d'être vue par devant. Il presse le pas, la rejoint et par la même occasion lui apprend que, la connaissant sans qu'elle le connaisse, il est bien aise de la saluer. Elle, ne sachant que penser, répond à sa politesse. « Où allez-vous ainsi, ma belle enfant ? — Je m'en vais chez ma grand-mère, à l'Abord-à-Plouffe. — Oui, bien sûr. — Vous la connaissez donc ! — Oui, comme vous le voyez. » La fillette, rassurée, jugea qu'elle ne pouvait rien cacher à un homme aussi familier. Le coquin eut donc tous les renseignements dont il avait besoin. Alors il s'arrêta, désolé de ne pouvoir l'accompagner plus loin. Le petit Chaperon Rouge continua seule. Lui, il héla un grand taxi noir qui le conduisit en moins d'un instant chez la grand-mère. « Qui est là ? demanda celle-ci. — C'est votre petite-fille. — As-tu le rhume ? — Oui, grand-maman. — Prends la clef sous le paillasson et entre vite. » Il entre, montrant la paume de ses deux mains : « Ne vous effrayez pas, bonne dame ; j'ai simplement besoin d'une robe et d'un bonnet de nuit. — Pourquoi faire ? — Néveurmagne[1] ! » Quand il a mis la robe et le bonnet, il enferme la

1. Néveurmagne : peu importe, de l'anglais *never mind.* Le personnage de Germaine Guèvremont, le Survenant, a rendu célèbre cette expression.

vieille dans un placard et se couche, heureux comme seul un coquin sait l'être quand il voit son mauvais coup sur le point de réussir. Il a laissé la porte de la maison entrouverte pour ne pas être trahi par sa voix. « La fillette entrera sans permission, de même je la cueillerai. » Et il se pour-
75 lèche de si grand plaisir que le lit en branle.

Le petit Chaperon Rouge, pendant ce temps, s'amenait d'un petit train bien ordinaire. Le chien arriva le premier en arrière du hangar. Là, la vue de l'anneau, auquel on l'attache d'ordinaire, lui rappelle qu'il est seul et libre. La corde ne le retient pas : il bondit en avant,
80 contourne le hangar, aperçoit le bungalow au milieu des fleurs et des arbustes ; le poil hérissé, il s'en approche, saute sur le perron ; la porte est entrouverte, il la pousse du nez, et le voilà entré. Quand le petit Chaperon Rouge arriva à son tour, elle ne trouva pas de chien au rendez-vous. Elle l'appelle, point de réponse. Ne sachant que penser,
85 elle s'avance, contourne le hangar. Qu'aperçoit-elle alors : sa bonne grand-mère, si fine, si étudiée, le bonnet à la main, la robe troussée, qui fuit sur de longues jambes velues le chien qui lui mord les fesses. Saisie d'horreur, elle ouvre la bouche en vain. Quand elle parvient à crier, la grand-mère et la bête ont déjà disparu derrière les haies des jardins
90 voisins. La pauvre enfant serra son petit pot de margarine sur son cœur, bien malheureuse. Le beau soleil, les arbustes, les fleurs offensaient sa peine. Elle alla se réfugier dans l'ombre de la maison où, pour n'avoir pas à penser à tout ce qui venait d'arriver, elle pleura, pleura.

Elle commençait à se demander ce qu'elle ferait, rendue au bout de
95 ses larmes, quand elle entendit un léger bruit. Elle prêta attention et n'en crut pas ses oreilles : c'était sa grand-mère qui l'appelait. « Grand-mère, où êtes-vous ? — Dans le placard. Tire la chevillette, la bobinette cherra. » La fillette fit ce que sa grand-mère lui demandait, la porte du placard s'ouvrit et elles tombèrent dans les bras l'une de
100 l'autre. « Ah, petite, disait la grand-mère, tu as bien failli me trouver tout autre que je suis ! — Vous de même, grand-mère, car mon chien m'avait échappé. — Coquine, il me semblait bien que tu sentais drôle ! » Le chien et le coquin ne formaient qu'un loup. Ce loup restait entre elles. Elles se mignardaient, cajolaient avec une passion nou-
105 velle. Et il arriva ce qui devait arriver : dans le pot oublié sur la table, la margarine fondit.

Vue de Québec (vers 1875).

PRÉSENTATION DE L'ŒUVRE

LE CONTEXTE SOCIOHISTORIQUE

La « Neuve-France », comme la surnommait Jacques Cartier, devient, dès les premières immigrations massives de colons français de 1660, une terre riche de promesses. Les hivers rigoureux, les épidémies et les attaques amérindiennes ont d'abord entravé l'essor de la colonie française en terre d'Amérique. L'envoi du régiment de Carignan-Salières et des Filles du Roy sur l'ordre de Louis XIV fait tripler la population en 20 ans. Une légende solidement ancrée dans l'imaginaire collectif des détracteurs de la nation québécoise donne à ces jeunes filles de France mauvaise réputation. Comme la plupart d'entre elles venaient de La Salpêtrière, un hôpital parisien qui recueillait les moins bien nanties, il n'en fallait pas plus pour traiter les mères fondatrices du Québec moderne de mendiantes, d'orphelines et même de filles de petite vertu. Outre les militaires qui sont venus ici par décret royal, les hommes qui ont volontairement quitté leur pays pour chercher le bonheur en Amérique ont, eux aussi, été méprisés par la postérité. Brigands, voleurs ou prisonniers, on a supposé qu'ils s'exilaient de France parce qu'ils n'y avaient, de toute façon, plus aucun avenir.

Il n'en demeure pas moins que ces quelques milliers de colons ont façonné, en peu de temps, une Nouvelle-France à leur image : féconde, prospère et libre. Plus de 50 % de ces nouveaux arrivants provenaient de quatre régions déterminantes dans la transmission orale du folklore français : la Normandie, l'Île-de-France (région parisienne), le Poitou et la Bretagne. Les contes et légendes de ces pionniers sont aujourd'hui devenus les nôtres, peut-être juste un peu plus givrés cependant.

Le pouvoir politique

À partir de la conquête anglaise, chaque constitution que se donneront les Canadiens traduit une flagrante opposition entre les deux principaux peuples fondateurs, Anglais et Français. À l'instar de l'individu qui essuie un dur échec, les peuples ont aussi tendance à se replier sur eux-mêmes lors de défaites militaires. C'est pourquoi ils ont recours aux valeurs traditionnelles telles que la famille, la terre et la religion catholique pour assurer leur survie, comme si le passé était garant de l'avenir. Les colons français vont en effet davantage occuper les terres rurales. La vie à la campagne sera pour eux un mode de vie salutaire, du moins jusqu'à la révolution industrielle de la fin du XIXe siècle. Peu de temps après la bataille des plaines d'Abraham en 1759, l'élite de la société française fait valoir ses droits en retournant vivre dans la mère patrie. Trouvant refuge dans le giron de la langue et de la culture françaises, c'est dans ce contexte que les Canadiens français cherchent à recréer le *bon vieux temps*, comme pour masquer paradoxalement leur amertume. Le choc est plutôt difficile pour la première génération qui *a vu de ses yeux vu* les horreurs de l'affrontement entre Français et Anglais. La Proclamation royale vient ratifier la victoire des Anglais. Le roi d'Angleterre, George III, y précise que l'ancien territoire de la Nouvelle-France se nommera désormais *Province of Quebec*. Et pour exercer une fonction dans cette nouvelle administration, tout citoyen doit prêter le serment du Test, ce qui exclut tous les catholiques, car ils devraient tacitement renier leur foi. Les Canadiens français, bien que majoritaires, sont désormais bâillonnés et soumis à l'administration et à la loi anglaises. Même s'ils conservent néanmoins le droit de pratiquer leur religion, la Proclamation royale s'avère tout de même pour eux un moyen légal d'assimilation.

Devant le vif mécontentement de la majorité francophone, Londres instaure en 1774 l'Acte de Québec qui agrandit le territoire de la province québécoise et reconnaît les lois civiles françaises ainsi que le régime seigneurial. Du même coup, il permet à l'élite canadienne traditionnelle (évêque et seigneurs) de siéger aux Conseils législatif et exécutif. C'est l'indépendance des États-Unis en 1783 qui met fin à cette constitution somme toute assez bénéfique pour les Canadiens français. L'arrivée d'environ 7000 loyalistes au Canada modifie considérablement les demandes des anglophones. Ces Américains désirant rester fidèles au roi d'Angleterre s'installent dans la *Province of Quebec* et réclament un système parlementaire britannique. Ils l'obtiendront en 1791 avec l'Acte constitutionnel qui divise le pays en deux territoires bien distincts : le Haut-Canada (Ontario) et le Bas-Canada (Québec). Outre le Conseil exécutif et le Conseil législatif, une chambre d'assemblée composée de députés élus par la population est créée. Cependant, les véritables tenants du pouvoir demeurent le gouverneur (représentant du roi) ainsi que tous les membres des deux Conseils qui sont nommés par Londres. Donc, les députés francophones, bien qu'ils soient élus et fassent partie du « gouvernement », ne détiennent en fait aucun pouvoir. Cette fausse démocratie mènera Louis-Joseph Papineau, chef du Parti patriote, à dénoncer en 1834 dans les 92 résolutions la nomination exclusive d'anglophones au sein des postes importants et à revendiquer un conseil législatif élu de même que le contrôle du budget gouvernemental. La couronne britannique rejette ces principales demandes par les résolutions Russell. Devant l'échec de ce soulèvement populaire qui a d'abord emprunté les voies démocratiques pour se faire entendre, les Patriotes n'ont d'autre choix que de prendre les armes : ces évènements sont connus sous le nom de la Rébellion de 1837-1838. Même si la dénomination du « Bas-Canada » et du « Haut-Canada » s'explique par la dénivellation des terres par rapport au fleuve Saint-Laurent, les Canadiens français souffrent toujours de ce complexe d'infériorité devant le pouvoir anglais. Nommé commissaire afin d'évaluer la crise qui sévit au Canada, Lord Durham consigne dans son rapport que les Canadiens français ne sont qu'un « peuple sans histoire ni littérature ». Heureusement, l'Acte d'Union, sanctionné en 1840, accorde enfin la responsabilité ministérielle aux députés élus. Les territoires autrefois divisés sont à nouveau réunis pour former le Canada-Uni, géré cette fois par un seul gouvernement. L'Assemblée législative est élue et les 84 députés sont répartis également entre le Canada-Est (Québec) et le Canada-Ouest (Ontario). À partir de 1848, les députés du parti majoritairement mis en place par la population nomment maintenant eux-mêmes les ministres qui feront partie du Conseil exécutif. Cependant, les tiraillements constants entre les deux nations rendent très fragile cette nouvelle administration. C'est seulement en 1867, avec l'Acte de l'Amérique du Nord britannique, que le Nouveau-Brunswick et la Nouvelle-Écosse se joignent au Québec et à l'Ontario pour former le *Dominion du Canada*. Depuis ce jour, deux partis politiques, libéral et conservateur, se succèdent en alternance à Ottawa, capitale fédérale érigée en 1857.

Le pouvoir ecclésiastique

« Peuple, à genoux, attends ta délivrance ! » peut-on entendre à la messe de minuit à partir du 24 décembre 1847. Le traditionnel *Minuit, chrétiens !* s'apparente beaucoup plus à un chant révolutionnaire qu'à une pieuse célébration de la naissance du Christ. À l'instar du peuple juif qui voyait avant tout en Jésus un Sauveur politique qui l'arracherait à la domination romaine, les Canadiens français puisent dans leur foi un semblable espoir. Et l'Église catholique, dans l'« Ancien Québec », occupe en effet une double fonction. D'abord, elle remplit son rôle spirituel auprès de ses fidèles. Ensuite, elle s'immisce dans les sphères du pouvoir politique et économique. Déjà au XVIIe siècle, Jean Talon remarquait le pouvoir excessif de la religion catholique et des autorités ecclésiastiques dans les affaires de l'État en la surnommant cyniquement « le gouvernement de l'Église ». Encore au XIXe siècle et jusqu'en 1960, le clergé tient, d'une main de fer, les rênes de tous les secteurs de la vie sociale : l'éducation, la santé, la culture et les loisirs. L'Église prend grand soin de garder ses fidèles brebis dans le droit chemin. C'est pourquoi elle surveille leurs lectures et même leurs heures de divertissement. Dans *La Semaine religieuse de Montréal* du 11 juillet 1885, Mgr Fabre, l'évêque de Montréal, proscrit le théâtre :

> « En engageant les fidèles de votre paroisse à s'abstenir de la fréquentation de tous les théâtres suspects ou mauvais, vous leur ferez connaître qu'ils ne peuvent en conscience fréquenter eux-mêmes ou laisser leurs enfants fréquenter le petit théâtre [...] Avertissez sérieusement les directeurs de vos écoles de garçons et de filles qu'ils doivent défendre strictement à leurs élèves de ne plus jamais s'exposer aux dangers de ces théâtres. Ils y prendront des goûts malsains et dont les mauvaises conséquences seront désastreuses pour le salut de leurs âmes. »

De même, le prêtre de chaque paroisse devient policier des bonnes mœurs et des consciences en faisant respecter les décrets de l'*Index librorum prohibitorum*. Ce catalogue des livres condamnés par l'autorité romaine a été institué au XVIe siècle, comme un rempart idéologique contre l'invention de l'imprimerie. Dans le Québec du XIXe siècle, l'*Index* rend difficile la libre diffusion des idées et de la littérature. Seules les œuvres qui véhiculent les valeurs de la religion catholique sont approuvées par l'*imprimatur* officiel de l'Église. Même dans les grandes villes, Montesquieu, Voltaire, Victor Hugo et Baudelaire circulent sous le manteau. Et gare au lecteur impénitent qui se fait surprendre ! Cette « chasse » à l'imprimé contribue à la prolifération de la parole et de la chanson chez les bons Canadiens français. Pourquoi apprendre à lire s'il n'y a que le petit catéchisme à feuilleter ? L'Église catholique peut agir en ce sens comme un régime totalitaire qui ne tolère aucun écart de conduite ni de pensée de ses « citoyens ». Cependant, malgré son impérialisme parfois démesuré, elle demeure somme toute l'ardente instigatrice du peuple québécois en ayant favorisé la natalité pour ainsi contrer une inexorable assimilation. C'est pourquoi, avec tous les saints et les archanges, nous pouvons maintenant entonner en chœur : « Peuple, debout, chante ta délivrance ! »

LE LATIN : DIVIN OU PROFANE ?

Il peut paraître étrange que la langue latine, héritage de la culture romaine, soit à la fois employée par les serviteurs de Dieu et par les partisans du Malin. D'un côté, le prêtre pratique des exorcismes « en prononçant des mots latins que personne ne p[e]ut comprendre » (*L'Étranger*, l. 218-219), ce qui a pour conséquence immédiate de repousser les démons vers les enfers. De l'autre, les sorciers de l'île d'Orléans pratiquent la magie noire en invoquant Belzébuth par d'infernales incantations latines. Ce paradoxe s'explique aisément par le fait que le latin soit d'abord la langue de Dieu, parlée et écrite uniquement par une certaine élite fort instruite. Il devient ainsi un langage d'initiés, un peu à la manière d'un code secret. Pour la même raison, les serviteurs du Mal s'en empareront au Moyen Âge dans leurs pratiques occultes, par provocation peut-être. Le latin a toujours été l'apanage d'un petit groupe de privilégiés et non pas le langage du peuple. Les auteurs prennent ainsi plaisir à dénoncer cette situation fort ironique. Le personnage Chouinard créé par Louis Fréchette dans ses *Originaux et détraqués* ne comprend rien au latin de la messe dominicale. Il se plaît, sans malice aucune cependant, à prier et à chanter dans un latin châtié tel qu'il l'entend dans son rapprochement phonétique avec la langue française. Dyslexique avant la lettre, Chouinard, lui, pouvait voir des *loups-ragous* courir le long des routes. Ses prières deviennent alors un tant soit peu sacrilèges pour de pieuses oreilles. Il traduit entre autres : *et renovabit* par « le traîneau va vite » – *sedes sapientiæ* par « ses treize sapins sciés » – *mors stupebit* par « marches-tu, bibitte ? » ou encore *sicut in cœlo et in terra* par « si tu t'salis, salaud, tu t'néterras ». Il faut le voir aussi déclamer avec componction la prière *Confiteor,* où il confesse solennellement ses péchés à Dieu en se frappant la poitrine : « Racule pas ! Racule pas ! Voyons, Maxime, racule pas ! » en place et lieu de l'original : « *Mea culpa, mea culpa, mea maxima culpa.* » Même si ce recueil est paru en 1893, le lecteur d'aujourd'hui croirait entendre, malgré tout, une autre acrobatie verbale de François Pérusse. Il semble évident que Louis Fréchette a créé ce personnage par dérision. N'est-il pas étonnant d'entendre des centaines de fidèles réciter quotidiennement des litanies auxquelles ils ne comprennent pas un mot ? Il faudra attendre le concile œcuménique Vatican II en 1966 pour que les prêtres puissent enfin célébrer la messe en français.

CALENDRIER DU BON CHRÉTIEN	
1er janvier	*Circoncision*: Selon la tradition juive, Jésus est circoncis.
6 janvier	*Épiphanie*: Fête des Rois mages.
Février	*Mardi gras*: Ainsi nommé en référence au jeûne pratiqué lors du carême. Faire « gras »: manger de la viande, boire et danser.
Mars	*Mercredi des Cendres*: Premier jour du carême, 46 jours avant Pâques. Lors de la messe, le prêtre traçait une croix sur le front des fidèles avec de la cendre, symbole de pénitence.
	Carême: Période de privations, de jeûne et d'abstinence en mémoire des souffrances du Christ dans sa Passion. Tous devaient l'observer, à partir de sept ans.
Avril	*Pâques*: Résurrection de Jésus-Christ. *Faire ses pâques*: communier et se confesser le jour de Pâques. *Pâques de renard*: communier dans la semaine qui suit le dimanche de Pâques, en retard.
Mai ou juin	*Fête-Dieu*: Procession en l'honneur du saint sacrement, l'eucharistie.
Juillet à septembre	Les *Fêtes d'obligation* sont moins nombreuses l'été: les fidèles sont très occupés à cultiver la terre. Cependant, il est strictement défendu de travailler le dimanche, et ce, à longueur d'année.
Octobre	*Action de grâces*: Remerciements à Dieu. Saison des récoltes.
1er novembre	*Toussaint*: Fête de tous les saints. Associée aux légendes de revenants et autres superstitions, car le 2 novembre est le jour des Morts.
25 décembre	*Noël*: Naissance de Jésus. Messe de minuit.

PETIT ARSENAL DU CATHOLIQUE	
Sacrements	
Baptême	Laver le péché originel par l'immersion dans l'eau bénite.
Eucharistie	Commémorer le sacrifice de Jésus par la communion. L'hostie représente son corps, et le vin, son sang.
Pardon/ confession	*Aller à la confesse*: avouer ses fautes (péchés) à un prêtre afin qu'il puisse les absoudre au nom de Dieu. *Billet de confession*: document par lequel le prêtre certifie que le porteur a été entendu en confession.
Extrême-onction	Bénir un mourant à l'aide des saintes huiles. Le *viatique* est sa dernière communion.
Objets de dévotion	
Chapelet	Collier formé d'une croix et de grains groupés par dizaines et correspondant chacun à une prière. Le pénitent laisse glisser entre ses doigts les « grains de prières » au fur et à mesure qu'il les récite: *égrener son chapelet.*
Rosaire	Grand chapelet, souvent en bois, composé de 15 dizaines d'*Ave Maria,* précédées chacune d'un *Notre Père.*
Calvaire	Croix posée au carrefour des routes qui rappelle la souffrance du Christ lors de la Passion et sert de lieu de dévotion pour les croyants.
Bréviaire	Livre de liturgie catholique dans lequel se trouvent tous les textes servant à louer Dieu à toute heure du jour.
Missel	Livre de liturgie catholique qui contient toutes les lectures nécessaires à la célébration de la messe pour toute l'année.
Petit catéchisme	Guide de la foi chrétienne qui sert de repère au croyant dans sa pratique de la religion catholique.
Prières	
Acte de contrition	Prière récitée en confession, témoignant du repentir et des remords du pénitent.
Ave	*Ave Maria*: « Je vous salue, Marie, pleine de grâces… »
Chemin de la croix	À l'église, se recueillir devant les 14 tableaux ou sculptures représentant la Passion du Christ.
Pater	*Pater Noster*: « Notre Père qui êtes aux cieux… »

La vie culturelle au XIXe siècle

Analphabètes, mais poètes !

Si les archives de la Nouvelle-France nous renseignent sur les conditions de vie et les préoccupations intellectuelles de l'élite canadienne-française, ce sont plutôt les chansons et contes populaires qui rendent compte des valeurs chères aux paysans. Pendant tout le Régime français, les récits oraux varient très peu de leurs sources françaises. C'est seulement après la Conquête qu'ils vont acquérir une certaine autonomie. Dès lors, la version traditionnelle s'éclipse au profit du talent des interprètes ou devant l'initiative des conteurs. L'effervescence que connaît le large rayonnement de la tradition orale au Québec s'explique aisément par les conditions de vie de nos ancêtres. Peuple de défricheurs, les premiers colons s'activaient à bâtir un pays où il ferait bon vivre. Comme le précise pertinemment Jean-Marc Massie, « il fallait cultiver la terre avant de se cultiver soi-même ». L'oralité et la brièveté du conte conviennent donc parfaitement au type de divertissement qu'ils pouvaient se permettre. Et ils s'inspiraient à la fois des légendes locales et ancestrales pour tisser le fil de ces récits.

Les conclusions du rapport Durham ont longtemps été considérées comme le coup de poing du vainqueur lancé lâchement sur une victime déjà vaincue. Pourtant, avec le recul, nous pouvons comprendre que ce terrible « peuple sans culture et sans histoire » a plutôt eu l'effet de quelques fermes mais tendres fessées portées à un nouveau-né qui n'attendait que ce geste pour qu'enfin puisse jaillir le cri témoignant de sa vitalité. Dès lors, l'élite canadienne-française – écrivains, historiens et membres du clergé – s'empresse « d'écrire » l'histoire du pays telle qu'elle a été vécue et perçue de l'intérieur par les Français d'Amérique. Les contes, légendes et chansons du Canada français agiront comme un rempart contre l'invasion de la culture anglo-saxonne. Loin de s'éteindre comme on aurait pu s'y attendre, la culture française en Amérique au contraire s'établit, à partir de ce jour, comme entité distincte, par le désir, d'abord et avant tout, de consigner par écrit toutes les richesses propres à l'imaginaire de la tradition orale. L'essor considérable des journaux et des revues, qu'ils soient institutionnels ou éphémères, dans la seconde moitié du XIXe siècle en témoigne bien. L'abbé Casgrain (1831-1904) est considéré comme le fondateur de la littérature canadienne-française pour avoir donné l'envol au récit folklorique. Grâce à son vaste projet de récupération des légendes et des chansons, cette culture commune ne s'est pas perdue dans les *trous* de la mémoire collective d'un peuple qui pourtant « se souvient ».

La langue québécoise : à vive allure !

Le peuple québécois étant travaillant, besogneux, sa *parlure* a dû se plier aux rudesses de la vie quotidienne en Nouvelle-France. Lorsque nous avons un pays à construire, le temps est compté. Bien que toute langue lorsqu'elle est parlée soit plus rapide, plus saccadée que lorsqu'elle est écrite, les Québécois semblent particulièrement aimer ne pas mastiquer leurs syllabes : ils ont donc forgé **une langue d'apostrophes**. Par exemple, pour désigner un chevreuil qui broute sur sa propriété, l'habitant, s'il en avait le temps, pourrait s'exclamer : « Regarde là-bas, chérie ! », mais petit à petit l'expression correcte s'est mutée en « R'garde là ! » pour enfin devenir « 'Ga' 'Ga' », en pointant de l'index la direction voulue. Outre l'élision phonétique, l'usage récurrent des anglicismes, les entorses syntaxiques et morphologiques sont autant de caractéristiques propres à la langue québécoise. Ces libertés linguistiques sont souvent boudées par l'*intelligentsia* tant québécoise que française, mais elles font preuve d'une adaptation peu commune aux exigences et aux contraintes d'une langue enclavée dans une autre.

Un bouclier contre la censure : la rhétorique

Dans une société rigide où l'Église dicte rigoureusement les codes de conduite de ses fidèles, la langue s'ingénue à les assouplir. La preuve : les Canadiens français sont devenus d'habiles rhétoriqueurs en maniant l'euphémisme avec autant de virtuosité. Ce dernier permet surtout aux catholiques de blasphémer clandestinement. « Tabaslaque, bout d'viarge, câline de câline » ne sont que quelques exemples de déformations phonétiques *euphémisantes* de jurons religieux. Cette pratique fort courante prend racine dans la superstition populaire. Non seulement invoquer en vain le nom de Dieu est péché, mais cette conduite engendre tôt ou tard son courroux : les blasphémateurs sont les premiers métamorphosés en loups-garous. Dans le même sens, toute une ribambelle d'expressions colorées traduisent les gestes de la sexualité. Même un couple, marié en bonne et due forme selon les règles de l'Église catholique, doit se séduire à mots couverts. Par exemple, *frotter le poêle* évoque le devoir conjugal plutôt qu'une corvée ménagère. Aussi, les Québécois sont friands d'hyperboles. Pour les traditionnels chasseurs, pêcheurs et, suivant l'ordre logique, conteurs, le fait de narrer implique obligatoirement et nécessairement le recours à l'exagération. C'est de toute manière une exigence de l'auditoire.

LA LÉGENDE ET LE CONTE AU CŒUR DES COURANTS LITTÉRAIRES

La tradition orale

Au tournant du XXe siècle, Marius Barbeau (1883-1969), ethnologue et folkloriste, entreprend un vaste projet de recension des contes, légendes et chansons populaires qui circulaient dans toutes les régions du Québec, sans exception. À une époque où le simple magnétophone à cassette était loin d'être inventé, cette enquête nécessitait l'intervention de toute une équipe sur le terrain. Heureusement, la sténographie et le phonographe ont permis d'en conserver les résultats qui servent, encore aujourd'hui, à des fins d'analyse. Au départ, Barbeau avait recueilli quelques contes d'origine française sur la côte sud du fleuve Saint-Laurent pour des chercheurs américains qui tentaient d'expliquer comment des Amérindiens, même ceux du Mexique, connaissaient des légendes typiquement françaises. Ce faisant, devant ce premier succès, il souhaite élargir son champ d'investigation. Quels étaient donc les thèmes récurrents véhiculés par la tradition orale des Canadiens français depuis l'arrivée des premiers colons ? Les retrouvait-on autant sous la domination anglaise ? Ces mêmes thèmes traversaient-ils les différents « médias » de l'oralité, c'est-à-dire étaient-ils présents à la fois dans les chansons, les contes et les légendes à une même époque ? Quels étaient les « canaux » ou les sources d'information de chaque récit ? Une chanson transmise par une mère ou une grand-mère n'est pas, pour l'anthropologue de la culture, du même ordre qu'une légende racontée par un quidam irlandais à qui l'on a offert l'hospitalité le temps d'une nuit et qui nous monnaye par une histoire de son pays. Marius Barbeau a ainsi documenté et mis en statistiques un domaine évanescent, incalculable et insaisissable, c'est-à-dire le folklore, l'héritage culturel et cultuel légué par nos ancêtres.

Ce qui d'emblée ressort de cette recherche, c'est indubitablement l'universalité des thèmes. Devenant de véritables leitmotivs, les sujets abordés dans la tradition orale se font simplement l'écho de leur souche ancestrale. Par exemple, la figure incontournable de Ti-Jean des contes populaires du Québec d'antan n'a rien de singulier. Ti-Jean représente l'homme du peuple en qui chaque habitant canadien-français se reconnaît. C'est lui qui, par l'agilité de son bras et la vivacité de son esprit, déjoue les ruses du roi, assomme la bête à sept têtes, délivre la princesse et l'épouse. Sous l'apparence d'un innocent conte de fées se trame ici une toute simple et pourtant puissante métaphore politique : la jubilante victoire du petit sur le grand. Comme les Canadiens français se montraient plus friands de ces récits traditionnels que les Canadiens anglais, on a tôt fait d'en attribuer la cause à leur désir de s'élever contre le conquérant. Impuissants dans la sphère économique et politique, les *habitants* du Québec tenaient leur vengeance dans la fiction. Irréelle certes, mais tout autant rédemptrice pour un peuple dépouillé de son patrimoine culturel et génétique en quelques années seulement. Cependant, on aurait tort de voir dans ce Ti-Jean (que Vigneault et Leclerc chanteront plus tard) l'unique apanage du héros québécois du XIXe siècle. Le pauvre qui s'élève contre le puissant, voilà bien un motif de la tradition orale qui transcende les époques. Il y a toujours, dans toute société, un dirigeant qui fait figure d'autorité. Qu'il soit roi, dictateur, tyran ou premier ministre et qu'il soit proclamé, nommé ou élu, il n'en demeure pas moins que ses sujets ou ses citoyens sont invariablement mis à l'écart des prises de décision. Au fond, les médias ne seraient-ils pas les Ti-Jean de notre temps ? Ceux qui dénoncent au grand jour les scandales et les déviations des Tout-puissants ? Mais ironiquement, Ti-Jean n'épouse-t-il pas la fille du roi dans le conte ?

La tradition populaire regorge aussi de personnages tout aussi récurrents que l'emblème folklorique qu'est devenu Ti-Jean : les êtres surnaturels. Dans les veillées de contes, ces derniers ravissent l'auditoire et nourrissent les superstitions. La plupart de ces figures, comme le loup-garou, le revenant et le feu follet, sont ni plus ni moins des « métamorphosés » par le châtiment divin. Cependant, un mystère demeure. Pourquoi l'être surnaturel le plus connu au XIXe siècle, le plus écrit aussi, privilégié par toute une génération de romantiques en France, n'a-t-il pas trouvé de *nid* en terre québécoise ? On ne retrouve en effet nulle trace de vampire dans notre imaginaire collectif. Pourtant, le bétail ne manquait pas dans les fermes canadiennes. Le Québec offrait ainsi une réserve inépuisable à ces suceurs de sang. On a préféré, faut-il croire, le loup-garou qui ne « contamine » pas ses victimes, lui, du moins. L'absence du vampire dans le bestiaire des créatures fantastiques véhiculées par la tradition orale québécoise s'explique aisément. Ne s'agit-il pas de l'être infernal le plus noble et le plus aristocratique qui soit ? La tradition littéraire nous l'a en effet décrit comme un homme beau, cultivé et fortuné, qui ensorcelle ses victimes, surtout féminines, par son seul pouvoir de séduction. De nombreux auteurs français, comme Charles Nodier (*La Nonne sanglante, Le Vampire Arnold-Paul, Smarra ou les Démons de la nuit,* 1822), Théophile Gautier (*La Morte amoureuse,* 1836), Alexandre Dumas (*Histoire de la dame pâle,* 1849), Baudelaire (*Le Vampire,* 1857), Prosper Mérimée (*Lokis,* 1868) et Guy de Maupassant (*Le Tic,* 1884 ; *Le Horla,* 1887), l'ont modelé ainsi, sans compter leur illustre homologue anglais, *Dracula* de Bram Stoker (1897). Il est vrai qu'au Québec le nombre peu élevé de lecteurs en milieu rural ainsi que la mise à l'Index quasi catégorique des auteurs romantiques ne favorisaient pas la libre circulation de ce nouveau visage du vampire. C'est pourquoi la tradition orale de nos ancêtres relève beaucoup plus de l'imaginaire médiéval européen que de la tradition littéraire qui leur était contemporaine alors.

Arrivé ici, le mythe du vampire s'est converti aux rudesses du pays. Plus d'habits riches et soyeux, plus de vie de château. Il est plutôt relégué au rang de simple créature de la nuit, plus près du vampire moyenâgeux qui errait dans les campagnes, monstre hideux bien plus bête qu'humain. Louis Fréchette a justement dépeint un sabbat de jack mistigris, créatures maléfiques dont l'origine s'avère aussi nébuleuse que leur nom est étrange :

> « Si y a un chrétien dans les environs, il est fini. En dix minutes, il est sucé, vidé, grignoté, viré en esquelette ; et s'il a la chance de pas être en état de grâce, il se trouve à son tour emmorphosé en jack mistigris, et condamné à mener c'te vie de chien-là jusqu'à la fin du monde. »

Ainsi, même les vampires québécois ne constituent pas des êtres autonomes et indépendants. Les jack mistigris assurent leur pérennité, oui, à l'instar des vampires, mais les victimes elles-mêmes doivent être en état de péché pour pouvoir se métamorphoser. On constate encore l'emprise de l'Église sur l'imaginaire collectif. Les thèmes surnaturels abondent et foisonnent dans la tradition orale, mais ils servent encore et toujours la même finalité moralisatrice : tout citoyen respectable doit obligatoirement faire ses devoirs de bon chrétien, sinon il s'attire le courroux de Dieu et, du même coup, le déferlement des forces diaboliques. Est-il possible, alors, que les forces du Mal dans la tradition orale québécoise soient, sans exception, asservies à celles de Dieu ? On pourrait donc croire dans ce cas que la littérature dite « orale » était ni plus ni moins qu'un mode de propagande religieuse – loin d'être silencieuse – au XIXe siècle.

Le postmodernisme

Ces héros et motifs de nos contes et légendes traditionnels sont puissamment ancrés dans l'imaginaire des écrivains québécois contemporains. Déjà en 1966, Madeleine Ferron publiait un roman au titre évocateur, *La Fin des loups-garous,* comme pour marquer le passage d'une époque axée sur les croyances populaires et les superstitions à une autre, issue de la Révolution tranquille, fondée sur la performance et la prospérité économique. Il serait cruel et illogique en effet de laisser courir nos loups-garous dans les mégacomplexes commerciaux de vitre et d'acier d'une mégalopole et de les voir ensuite s'intoxiquer au Botox d'une victime récemment remodelée. En 1976, Victor-Lévy Beaulieu rend compte encore de ce net décalage prévalant entre tradition et modernité : « Moi la Corriveau, j'vous l'dis : l'folklore, y achève. » Pourtant, le dramaturge sait lui-même juxtaposer, et fort brillamment, les mythes classiques et contemporains. Il présente sa Corriveau comme une sirène ensorceleuse qui attire près de sa cage différents personnages masculins : les Titange, Jos Violon et Fefi Labranche traditionnels de Louis Fréchette. Devant les modulations endiablées de la Circé québécoise, ces derniers se laissent littéralement hypnotiser et dansent docilement autour d'elle comme autant de compagnons d'Ulysse obéissants. Dans cette pièce de théâtre,

Victor-Lévy Beaulieu met en scène deux Corriveau, l'une blanche, l'autre noire, comme pour mieux distinguer la part de légende qui s'est greffée au personnage historique. Ce désir de réhabiliter l'image de la Corriveau s'inscrit tout à fait dans la montée du féminisme des années 1970. Encore en 1978, avec le même souci de justice, Pierre Chatillon, dans son roman *Philédor Beausoleil,* lui donne la chance de s'expliquer :

> « Je me suis mariée à seize ans, j'ai eu trois enfants, p'is mon premier mari je l'aimais ben gros… Quand i' est mort des pestes putrides, je me suis remariée avec Louis Dodier, p'is c'est là que ça s'est mis à mal marcher. Louis Dodier, i' était toujours saoul, p'is i' passait son temps à fesser sur moé. Je l'ai dit aux juges pendant le procès mais ça, c'était juste après la Conquête, ça fait que les juges i' ont pas compris un esquelette frette de mot parce qu'i' parlaient rien qu'en anglais, tabarouette ! »

Or, la rumeur semble avoir littéralement évacué toute vérité historique pouvant faire de cette femme accusée de meurtre, pendue par la justice anglaise et condamnée comme sorcière par la légende, une victime de violence conjugale parmi tant d'autres. Les cas de passion criminelle ou de légitime défense de nos jours sont certes médiatisés, mais il est clair que le drame de Marie-Josephte Corrivaux n'aurait pas eu les mêmes échos aujourd'hui.

L'inventivité demeure une caractéristique lumineuse de la littérature postmoderne. On s'inspire d'une œuvre classique ou d'une légende traditionnelle et on la remet au goût du jour, c'est-à-dire qu'on l'adapte aux conditions de vie d'aujourd'hui. Par exemple, le traditionnel lapin blanc d'*Alice au pays des merveilles* de Lewis Carroll ne devient qu'un motif tatoué sur l'épaule d'une jeune femme dans le récit filmique *La Matrice* (Andy et Larry Wachowski, 1999). Il sert tout aussi bien de guide, mais son terrier devient plutôt une discothèque branchée, où débutera une nouvelle aventure dans un univers parallèle. Les différents leitmotivs des contes et légendes populaires seront ainsi transposés avec brio par nos auteurs postmodernes. Le roman de Pierre Chatillon, *Philédor Beausoleil,* en ce sens fascine toujours. Dans son œuvre, le géant

Beaupré mesurant plus de 300 pieds s'amourache de la Corriveau qui apparaît dès lors toute minuscule. L'auteur crée ainsi une autre version du conte populaire de *La Belle et la Bête* en amalgamant minutieusement deux personnages historiques du Québec qui ne se sont pourtant jamais rencontrés. Comme King Kong qui protège Anne Darrow des dangers préhistoriques de l'île du Crâne, le géant Beaupré la garde captive en sa cage, par peur de la perdre, mais aussi pour mieux la protéger d'elle-même. Mais le trait de génie de Chatillon, c'est lorsqu'il renouvelle la trame de la chasse-galerie traditionnelle. Toujours dans le même roman, il donne la parole aux *coureux* qui avouent finalement que leur tâche n'était pas aussi aisée qu'elle pouvait paraître. En effet, selon les versions de Beaugrand et de Fréchette, mises à part quelques petites anicroches, pactiser avec le Diable a l'air bien simple, facile et sans aucune conséquence fâcheuse. Cependant, l'auteur s'attarde sur un aspect jamais exploité par la tradition : quelle était la position de l'Église sur ce sujet ? Dans sa version, non seulement les *coureux* de chasse-galerie se font les complices de Satan, ils deviendront encore, par « extension », victimes des hommes de Dieu :

> « Tu comprends ben que nos voyages en canots volants, ça avait fini par se savoir p'is que les grenouilles de bénitiers s'étaient réunies un peu partout pour trouver un moyen de nous arrêter. Ça fait que voilà-t-i' pas qu'au village de Sainte-Étrète, la Confrérie des punaises de sacristie avait fini par faire fabriquer un clocher spécial qui s'allongeait p'is, chaque fois qu'on passait par là, le curé nous guettait, le vlimeux ! Ça fait qu'une nuitte [...] le curé a halé sur son câble p'is que le clocher s'est étiré p'is qu'i' a percé la pointe de notre canot. »

Le canot d'écorce ne résistant pas aux assauts des « clochers à ressort » (devenant par le fait même de véritables *baïonnettes de soldats* selon l'expression de Beaugrand), les *pactisants* devront façonner, aux Forges du Saint-Maurice où ils travaillent, une nouvelle embarcation faite de métal et de boulons. Les simples rames de bois ne leur étant plus d'aucune utilité, ils naviguent désormais dans leur canot de fer à l'aide d'éclairs.

Ces modernisations de la légende ne sont pas fortuites. La littérature postmoderne modèle la tradition à sa guise. Mais pour que le résultat soit optimal, il importe que le lecteur d'aujourd'hui puisse bien cerner tous les détails de l'adaptation en puisant dans son répertoire culturel. Ainsi, la production et la lecture d'une œuvre postmoderne se fondent sur la culture du lecteur. La simple citation, fort en vogue dans ce courant, en témoigne bien. On récupère un vieil adage et on le convertit à la mode actuelle. Suivant ce procédé, « se regarder le nombril » devient « se regarder le nombril percé ». Ou encore on transforme un motif courant du conte de fées pour l'appliquer à la famille d'aujourd'hui : le typique « ils se marièrent et eurent beaucoup d'enfants… » s'avère plus approprié ainsi : « et eurent beaucoup d'enfants en garde partagée »…

L'objectif qui sous-tend ce désir postmoderniste de tout faire éclater par la fusion des genres et des époques est double. D'un côté, il se veut un hommage manifeste aux œuvres classiques, mais, de l'autre, il agit paradoxalement comme une transgression des traditions et des valeurs liées à la société de jadis. Les œuvres artistiques font ainsi écho à la mise en place d'une nouvelle société, dite postindustrielle. Mais cette contestation est loin d'être néfaste comme nous pourrions le croire. Au contraire, en transgressant les mythes, les écrivains en forgent de nouveaux. Ces derniers deviendront à leur tour des références culturelles. Et le regard externe que portent des auteurs migrants comme Marco Micone, Sergio Kokis, Ying Chen ou Dany Laferrière sur le folklore et l'histoire du Québec en fait foi. N'est-il pas sain pour une nation de métisser les sources de son inspiration ?

LES THÈMES EXPLIQUÉS

Le Diable

Personne ne peut reprocher au Diable, qu'on imagine fort occupé avec tous les pécheurs impénitents qui parcourent le monde chrétien, de ne pas s'intéresser aux égarements de nos aïeux. En fait, son étonnante assiduité à leurs soirées dansantes et les nombreux lieux visités incitent à croire qu'il affiche une certaine prédilection pour la damnation des âmes québécoises. Jamais à court de belles paroles pour séduire de frivoles jeunes filles ou de moyens singuliers pour permettre à de pauvres bûcherons isolés de rejoindre leur bien-aimée, le Diable a pour rôle d'effrayer celui ou celle qui, par son comportement dévoyé, déroge aux règles de la religion catholique. Mais il serait réducteur de ne voir dans les interventions du Diable qu'une action punitive. Si Satan est parfois un invité inattendu, certains individus téméraires n'hésitent pas à invoquer sa puissance afin de dominer, ne serait-ce que pour une nuit, certains éléments et contraintes de ce bas monde. N'est-il pas en effet enivrant de filer dans le ciel à bord d'un canot et de se targuer d'avoir eu l'audace de pactiser avec le Diable en personne ?

Le Diable terrifiant

L'apparence hideuse et bestiale qu'on prête couramment au Diable nous vient en fait du Moyen Âge, période pendant laquelle il se voit confier par l'Église catholique le rôle d'inspirer la peur aux fidèles afin de les détourner du péché. Dès le XIe siècle, les moines, qui affirment l'apercevoir de temps à autre, le décrivent sous des dehors particulièrement peu engageants. Il prend parfois l'aspect d'un être humain difforme ou celui d'un animal. Une iconographie de plus en plus monstrueuse se généralise à l'époque romane et se perpétue jusqu'à la fin du XVe siècle : Satan est, entre autres, doté d'ailes et de cornes, son regard devient incandescent. Les fresques, sculptures et vitraux qui ornent les églises et cathédrales médiévales montrent des démons grimaçants ou torturant les âmes pécheresses. L'image fort populaire du Diable avec une barbiche, les pieds fourchus et les cornes évoque en réalité certaines divinités gréco-romaines comme Pan et Dionysos. Louis Fréchette imagine le Diable avec « ses cornes de taureau, ses pieds fourchus, sa barbe de bouc, sa queue de dragon, ses terribles ailes de chauve-souris, noires, gluantes, griffues[1]... ». D'autres auteurs québécois du XIXe siècle comme Louvigny de Montigny et Charles-Marie Ducharme ou encore des artistes tels le dessinateur Henri Julien et, plus tard, le sculpteur Alfred Laliberté représenteront le Diable principalement sous cet aspect.

Le Diable séducteur

Le Diable fait évidemment partie de la culture religieuse de nos ancêtres d'obédience catholique. Il se manifeste sous plusieurs formes, mais l'une de ses tactiques favorites consiste à prendre l'apparence d'un individu de belle prestance à l'élocution distinguée afin d'encourager la gent féminine à ne pas respecter les privations du carême. Il devient ainsi *le Diable beau danseur* dont l'arrivée inopinée et tardive à une soirée du Mardi gras ravit les jeunes filles, mais attise parfois la jalousie de quelque soupirant éconduit. Pourtant, plusieurs indices devraient éveiller d'emblée la méfiance des fêtards : l'étranger enlève son manteau mais conserve gants et casque, sans doute pour cacher quelque attribut monstrueux ; ses yeux ont « quelque chose de sournois[2] » ou encore brillent « de lueurs sombres[3] » ; et une terrible grimace lui contorsionne les traits quand il avale de l'alcool versé d'une bouteille qui a déjà contenu de l'eau bénite[4]. Son cheval, une magnifique bête aux yeux qui « flambent[5] » et au regard « si intelligent qu'on l'eût pris pour une personne[6] », crée une forte impression chez les convives. Une fois accueilli à bras ouverts, l'étranger

1. Louis Fréchette, « Le Neptune », dans *Contes II, Masques et fantômes et les autres contes épars*, Montréal, Fides, 1976, p. 176.
2. Philippe Aubert de Gaspé (fils), *L'Étranger*, ligne 113.
3. Marius Barbeau, « Le Beau Danseur », dans *L'Arbre des rêves*, Montréal, Lumen, 1947, p. 49.
4. Philippe Aubert de Gaspé (fils), *L'Étranger*, lignes 109 à 111.
5. Philippe Aubert de Gaspé (fils), *L'Étranger*, ligne 98.
6. Marius Barbeau, « Le Beau Danseur », dans *L'Arbre des rêves*, Montréal, Lumen, 1947, p 49.

charme les jeunes filles par ses extraordinaires talents de danseur et jette son dévolu sur la plus belle des cavalières comme l'infortunée Rose Latulipe. Ces récits du Diable tentateur, qu'ils s'inscrivent dans la tradition orale ou écrite, offrent en fait peu de variantes et obéissent à un schéma narratif où la véritable identité du danseur se révèle peu à peu aux yeux des convives. La plupart du temps, le doute naît d'abord chez une vieille femme pieuse[1] qui tente de mettre en garde la jeune fille sur le point de céder aux avances galantes du Diable. Malheureusement, Rose Latulipe ne prête pas attention aux sages conseils de sa vieille tante (que le Diable qualifie de *vieille radoteuse*), attitude qui renvoie à celle de Marguerite (clin d'œil à Faust?) au début du récit qui n'accorde que peu d'importance aux avis de son père. L'auteur se fait ici le juge d'une jeunesse insouciante qui, en se fermant aux recommandations des aînés, court à sa perte. Par son attitude désinvolte, Rose se rend coupable d'une double infidélité: d'une part, à l'endroit de son fiancé (avec qui elle devait se marier à Pâques) et, d'autre part, face au décret de l'Église qui interdit de danser le mercredi des Cendres. Rose, bien qu'arrachée aux griffes du Diable par l'intervention d'un prêtre, n'en est pas moins sévèrement punie: elle entre au couvent et meurt cinq ans après sa dramatique rencontre avec Lucifer. Dans *Le Diable au bal*, c'est la volonté des parents de se joindre à une élite supérieure représentée par la bourgeoisie anglaise qui les condamne avec l'une de leurs filles. Alors que les dames canadiennes-françaises s'indignent des exigences vestimentaires d'un bal, Alexis Provost et sa femme mettent de côté toute pudeur et habillent indécemment leurs deux filles dans l'espoir que cette soirée sera l'occasion de faire rencontrer à celles-ci un futur époux issu, selon eux, de la meilleure société. Leur amoralité et leurs valeurs matérialistes les marginalisent par rapport aux principes moraux, chrétiens et spirituels des Canadiens français. Leur fille Alice, qui partage les vues de ses parents, se fait rapidement courtiser par le

1. Parfois, c'est un bébé qui exprime sa peur à la vue de l'étranger, comme dans le récit de Barbeau.

Diable qui se présente sous les traits d'un jeune officier anglais. Satan revêt l'apparence du conquérant détesté, mais séduit entre autres parce qu'il « parlait admirablement bien le français ». Alice connaît une fin horrible, le corps complètement carbonisé, tandis que son père meurt d'apoplexie et que sa mère sombre dans la folie.

Un contrat risqué

La vaste majorité des contes surnaturels québécois mettant en scène le Diable incluent un élément fort important qui tire sa source de la démonologie médiévale[1] : le pacte. Satan scelle son union avec ses conquêtes en leur arrachant quelques gouttes de sang, en leur offrant un bijou ou encore en invoquant d'imprudentes paroles comme celles de Colette dans *À la Sainte-Catherine* (« Plutôt épouser le diable que de coiffer Sainte-Catherine[2] »). Le Diable semble particulièrement avisé en affaires. Mais en dépit de son souci évident de fixer les termes de toute tractation, le commerce des âmes au Québec lui est plus ou moins profitable, car, naturellement, le dualisme manichéen de la religion catholique consacre l'éternelle victoire du Bien sur le Mal. Même si Satan ravit à l'occasion une âme damnée, comme c'est le cas dans certaines versions du *Diable beau danseur*, un prêtre veillant sur le salut de ses paroissiens le tient souvent en échec, ce qui bien sûr valorise fortement l'image du clergé. Les bûcherons de *La Chasse-galerie* d'Honoré Beaugrand s'en sortent indemnes (si l'on excepte les quelques blessures provoquées par leur chute) et un modeste cordonnier réussit à berner un trio de démons dans *Les Trois Diables* de Paul Stevens. Mais il y a pire, car le Diable se voit parfois contraint de servir Dieu : certains prêtres l'invoquent pour l'interroger, comme le curé dans *Légende du père Romain Chouinard* de Philippe Aubert de Gaspé (père), mais la tâche la plus ingrate qui lui incombe est lorsqu'il se fait constructeur de ponts ou d'églises.

---

1. L'un de ces premiers accords avec le Diable est raconté dans *La Légende de Théophile* (VIe siècle) dans laquelle un vicaire déchu signe un pacte avec Satan. Théophile, rongé par le remords, est sauvé de la damnation par la Vierge qui rompt le marché avec le Diable.
2. Coiffer Sainte-Catherine : expression populaire qui signifie « rester célibataire ».

Le corpus de légendes se rattachant à cette tradition nous apprend que pas moins de 35 églises au Québec auraient été construites par le Diable[1]. En général, le curé du village sollicite l'aide de Satan qui lui prête un cheval infatigable pour transporter les pierres ou le Diable s'attelle lui-même à la tâche sous la forme de l'animal. Mais une telle assistance est soumise à une règle stricte : il ne faut en aucun cas débrider le cheval. Une fois cet interdit transgressé, l'animal diabolique nous offre une sortie des plus spectaculaires : « [...] le grand cheval noir se contorsionna sur lui-même, devint une boule de feu toute rouge avec des moignons d'ailes qui sortirent de là-dedans en même temps que ça s'élança à la fine épouvante vers l'église des Pistolets dans un bruit de sabots digne des enfers[2]. »

Le pacte le plus connu des contes merveilleux québécois demeure sans conteste celui de la **chasse-galerie**[3] où des bûcherons, désireux d'aller célébrer le Nouvel An loin du chantier, risquent le salut de leur âme afin que le Diable les transporte en canot volant[4]. Une telle allégeance, aussi provisoire soit-elle, comporte évidemment son lot de risques, mais on peut aisément comprendre en quoi un tel voyage est libérateur : il permet à des hommes, durement éprouvés par la solitude et l'éloignement, de s'évader de leur prison d'érables et de conifères et de dominer, pour un temps, un espace dont l'étendue leur interdit tout contact avec la civilisation. La puissance du Malin devient presque un auxiliaire bénéfique, puisque cette escapade donne l'occasion à ces travailleurs forestiers, isolés en pleine nature pendant de longs mois, de revoir leurs proches, d'aller goûter à l'étreinte d'une amoureuse et

1. Paul Carpentier, *La Légende dans l'art québécois*, Musée du Québec, 1979.
2. Victor-Lévy Beaulieu, « Le Grand Cheval noir du diable », dans *Les Contes québécois du grand-père forgeron à son petit-fils Bouscotte*, Trois-Pistoles, Éditions Trois-Pistoles, 1998, p. 102.
3. L'origine de l'appellation « chasse-galerie » proviendrait d'une très ancienne complainte vendéenne racontant la punition d'un seigneur prénommé Galery, condamné à une chasse éternelle pour avoir osé chasser un dimanche pendant l'office religieux. Un fantastique cortège enflammé tiré par de gigantesques montures marque son passage dans le ciel. La géographie particulière du Québec avec ses nombreux cours d'eau explique sans doute la présence du canot dans la chasse-galerie québécoise.
4. Dans *Tom Caribou* de Louis Fréchette, il est dit qu'on peut courir la chasse-galerie seul sur une branche ou un bâton, ce qui évoque bien sûr l'image traditionnelle de la sorcière.

ainsi renouer avec leur humanité. Une telle vision du Diable n'est pas sans rappeler les affirmations de Michelet qui écrit que les paysans de France associaient Satan à « un esprit sauveur, libérateur[1] ». La nature sauvage peut en outre devenir un cadre de vie permissif propice au relâchement des conventions, même si la perspective rousseauiste en fait le rempart s'élevant contre la civilisation corruptrice. Dans les récits de chasse-galerie, le mythe du *mauvais sauvage* semble avoir préséance sur cet idéal d'une nature purificatrice, le personnage de Tom Caribou ou celui de Titange de Louis Fréchette en étant sans doute la meilleure personnification. À chaque automne, juste avant de se rendre au chantier, Titange met *le bon Dieu en cache,* expression désignant un rituel sacrilège par lequel on récite, à minuit, une étrange incantation en vidant une bouteille de rhum sous le perron de bois d'une chapelle : « Après ça, si on est correct avec Charlot[2], on n'a pas besoin d'avoir peur pour le reste de l'hivernement. Passé la Pointe-aux-Baptêmes, y a pus de bon Dieu, y a pus de saints, y a pus rien[3] ! » De tels renégats s'imaginent dès lors pouvoir jurer, boire et se promener en chasse-galerie tous les soirs en toute impunité, car, comme le dit Jos Noël : « On rencontre pas des églises à tous les pas dans l'bois[4] [...] » La vie de chantier exerce donc une influence néfaste sur ces individus dont l'animalité se révèle au contact de la nature, une animalité que la société imprégnée de la morale chrétienne ne peut plus tempérer par ses interdits et obligations. Titange et Tom Caribou se marginalisent par une certaine sauvagerie, conséquence de leur anticonformisme religieux : le premier « avait toujours la hache au bout du bras, et parlait rien que de tuer, d'assommer, de massacrer, de vous arracher les boyaux et de vous ronger le nez » et plusieurs prétendaient avoir vu l'autre « courir le loup-garou à quat'pattes dans les champs, sans comparaison comme une bête [...] qu'a pas reçu le

1. Jules Michelet, *La Sorcière,* Paris, Garnier-Flammarion, 1966, p. 298.
2. Charlot : autre appellation du Diable.
3. Louis Fréchette, « Titange », dans *Contes de Jos Violon,* Montréal, L'Aurore, 1974, p. 30.
4. Louvigny de Montigny, *Une histoire de loup-garou,* lignes 80 et 81.

baptême ». Pas étonnant qu'on suspecte de tels rustres de « courir le loup-garou », la métamorphose animale étant le seuil ultime de la régression bestiale.

Une autre façon de pactiser avec Satan est le rituel de *la poule noire*. Il faut d'abord se munir d'un grimoire, interdit au Canada français, appelé *Le Petit Albert*, qui contient entre autres les incantations nécessaires pour ordonner à Satan de se montrer. Une fois en possession de ce livre, l'individu voulant s'enrichir choisit la poule la plus noire du poulailler. À minuit, au cours de la nuit la plus longue de l'année, il se rend à un carrefour, immole l'oiseau, invoque Satan et lui propose d'acheter la poule morte en faisant monter immodérément les enchères. Un tel marchandage exige évidemment que l'apostat cède, dans un délai convenu, son âme à ce riche pourvoyeur. Une autre version précise qu'il faut se barbouiller le front avec le sang de l'oiseau afin de se « débaptiser » : le trafiquant fixe alors d'entrée de jeu le prix de son âme que Satan s'empresse d'acheter.

Les lieux diaboliques

Si le Diable se donne la plupart du temps la peine de se déplacer, il existait pourtant des lieux où l'on était plus susceptible de le rencontrer. Jusqu'au XIXe siècle, l'**île d'Orléans** était surnommée *l'île des sorciers*, car on y apercevait parfois d'inquiétantes lueurs dont on attribuait l'origine à une intervention démoniaque. Une telle croyance s'expliquerait en fait par une simple habitude des insulaires : ceux-ci pêchaient souvent la nuit et s'éclairaient aux flambeaux. Les riverains de la Côte de Beaumont, voyant ces feux se déplacer dans les ténèbres et se multiplier par les reflets dans le fleuve, ont conclu qu'il s'agissait de loups-garous, de feux follets ou d'une assemblée de démons enflammés se livrant au rituel du sabbat[1].

1. Selon L. P. Turcotte dans *Histoire de l'île d'Orléans* (1867), il existe une autre explication à cette appellation de l'île : les premiers insulaires prédisaient avec une mystérieuse exactitude l'arrivée au port de Québec des rares bâtiments français. On a alors cru qu'ils consultaient le Diable et qu'ils étaient par conséquent des sorciers.

Mais le lieu le plus diabolique de l'univers merveilleux québécois demeure sans conteste les **Forges du Saint-Maurice,** dernière halte des bûcherons avant de gagner les chantiers forestiers de la Mauricie. C'est à la chapelle de l'endroit que certains avaient d'ailleurs l'habitude de *mettre le bon Dieu en cache,* et une sinistre réputation se rattachait aux Forges, lieu de perdition autorisant tous les excès. Dès 1741, plusieurs se plaignaient de la conduite des employés des Forges qui buvaient et blasphémaient à la vue de tous[1]. Un tel lieu, que Jos Violon qualifie de « nique du diable avec tous ses petits[2] », pouvait ensorceler ceux qui, par exemple, y dansaient le dimanche. Après une nuit de débauche, le Diable manifestait sa présence par le martèlement nocturne de son marteau et par des gerbes d'étincelles s'échappant de la cheminée, « preuve [...] que c'est ben le Méchant qu'était après forger queuque maréfice d'enfer contre nos danseux[3] ». De plus, Satan semble avoir laissé sa trace en de nombreux endroits au Québec comme le prouve une toponymie utilisant abondamment son nom : on peut par exemple gravir la Montagne du Diable au nord de Mont-Laurier, descendre les Rapides du Diable dans la Chaudière, admirer le panorama du fleuve à partir du Cap au Diable dans le Kamouraska (où une légende raconte qu'on y aurait vu des diablotins)[4] ou encore visiter les Portes de l'Enfer de Rimouski. Souvent une pierre portant d'étranges marques devient la *roche du Diable* comme celle près de Saint-Lazare-de-Bellechasse où l'on relate que Satan, mis en fuite par une femme ayant fait le signe de la croix, y grava l'empreinte de ses griffes. Cette multitude de lieux nommés en l'honneur du Malin nous fait presque penser qu'il est naturalisé québécois depuis longtemps...

1. Paul Carpentier, *La Légende dans l'art québécois,* Musée du Québec, 1979.
2. Louis Fréchette, « Le Diable des Forges », dans *Contes de Jos Violon,* Montréal, L'Aurore, 1974, p. 85.
3. *Ibid.*, p. 90.
4. Charles-Edmond Rouleau, « Le Cap au diable », dans *Contes et légendes de la Côte-du-Sud,* Sillery, Éditions du Septentrion, 1994.

STRUCTURE GÉNÉRALE DES HISTOIRES AVEC LE DIABLE			
	Chasse-galerie	*Diable beau danseur*	*Diable constructeur*
AVANT	Un groupe de bûcherons désirent rejoindre leurs bien-aimées.	Une jeune fille au tempérament insouciant danse à une fête.	Un prêtre a besoin de l'aide du Diable pour la construction d'une église.
PACTE	Les bûcherons s'engagent à ne pas prononcer le nom de Dieu, ni à toucher aux croix des clochers pendant le voyage en canot volant.	La jeune fille se laisse séduire par le Diable.	On ne doit pas enlever la bride du cheval du Diable.
APRÈS	Les bûcherons reviennent au chantier sans avoir perdu leur âme.	La jeune fille est punie.	Le cheval est débridé et disparaît. La dernière pierre de l'église est alors souvent manquante.

Suggestions de lecture

BARBEAU, Marius. « Le Beau Danseur », dans *L'Arbre des rêves,* Montréal, Lumen, 1947.

BEAULIEU, Victor-Lévy. « Le Grand Cheval noir du diable », dans *Les Contes québécois du grand-père forgeron à son petit-fils Bouscotte,* Trois-Pistoles, Éditions Trois-Pistoles, 1998.

DE MONTIGNY, Louvigny. « Le Rigodon du diable », dans *Les Meilleurs Contes fantastiques québécois du XIXe siècle,* Montréal, Fides, 1996.

DUCHARME, Charles-Marie. « À la Sainte-Catherine », dans *Les Meilleurs Contes fantastiques québécois du XIXe siècle,* Montréal, Fides, 1996.

FRÉCHETTE, Louis. « Le Diable des Forges », dans *Contes de Jos Violon,* Montréal, L'Aurore, 1974.

FRÉCHETTE, Louis. « Titange », dans *Contes de Jos Violon,* Montréal, L'Aurore, 1974.

STEVENS, Paul. « Les Trois Diables », dans *Les Meilleurs Contes fantastiques québécois du XIXe siècle,* Montréal, Fides, 1996.

Les loups-garous

Parmi tous les maléfices des contes surnaturels québécois, la métamorphose est sans nul doute l'un de ceux qui a le plus nourri l'imaginaire des conteurs et écrivains de récits fantastiques. Celui qui enfreint les règles de l'Église et de la morale chrétienne court le risque de perdre chaque nuit son apparence humaine et, sous l'influence du Démon, hanter les campagnes sous une forme animale. Il sera délivré de ce terrible sort si une âme charitable et courageuse le blesse afin de lui arracher quelques gouttes de sang. Parmi toutes ces transformations, celle en loup-garou demeure la plus connue, sans doute parce que des auteurs comme Louis Fréchette, Honoré Beaugrand, Pamphile LeMay, Louvigny de Montigny et Wenceslas-Eugène Dick en ont fixé par écrit les principaux aspects thématiques.

Le retour aux sources

On situe généralement l'origine du mythe du loup-garou à l'Antiquité où Grecs et Romains croyaient que la métamorphose d'un homme en loup (ou tout autre animal) était l'œuvre d'habiles magiciens ou la conséquence d'un châtiment divin. Ainsi, Lycaon, cruel souverain d'Arcadie, fut transformé en loup, puni par Zeus pour avoir tenté de lui servir un plat contenant de la chair humaine.

Mais c'est véritablement au Moyen Âge que le loup-garou devient une figure démoniaque, à une époque où l'Église catholique tend à affermir son emprise sur une population qui vit constamment dans la peur de la colère de Dieu et des sortilèges sataniques. Le Diable se voit, entre autres, attribuer le pouvoir de se transformer en animal et le loup, tout comme le bouc pendant les sabbats, compte parmi ses déguisements favoris. Les théologiens les plus respectés souscrivent à de telles croyances et saint Augustin affirme que « le diable se transforme en loup plus volontiers qu'en tout autre animal parce que le loup est dévorateur, et, partant, fait plus de maux que tout autre. Aussi parce qu'il est l'ennemi mortel de l'agneau, en la forme duquel fut figuré Jésus-Christ[1] ». Le loup est donc un animal diabolique et

1. Cité par Edouard Bobrowski dans *Le Diable et l'enfer*, Genève, Éditions de Crémille, 1971, p. 65.

ses habitudes nécrophages en témoignent : la population du Moyen Âge, laissant souvent les victimes de guerres, d'épidémies et de famines sans sépultures, était horrifiée par les meutes de loups affamés qui dévoraient des restes humains.

Si le Diable pouvait se changer en loup, y avait-il lieu de supposer que ses adorateurs pouvaient en faire autant ? Les premiers exégètes chrétiens ont rejeté et condamné cette croyance. Reconnaître que le Diable peut réaliser de tels prodiges équivaut à lui conférer des pouvoirs égaux à ceux de Dieu. Satan peut, tout au plus, créer l'illusion d'une transformation bestiale, mais il lui est impossible d'altérer véritablement la forme des créatures de Dieu. Mais d'aussi éminentes réfutations ne parvenaient pas à rassurer une paysannerie superstitieuse et encore imprégnée de terreurs païennes et archaïques.

Au XVIe siècle, une véritable psychose du loup-garou sévit en Europe : entre 1520 et le milieu du XVIIe siècle, on rapporte quelque 30 000 cas d'individus accusés de crimes odieux à la suite de leur transformation en loups. La France fut le pays où il y eut le plus d'inculpés. Sous la torture, la plupart des accusés, afin d'abréger leurs souffrances, avouaient d'horribles carnages, dont étaient surtout victimes femmes et enfants, et relataient des histoires qui enflammaient l'imagination des juges et attisaient leur fanatisme. Plusieurs racontaient en détail leur pacte avec le Diable, tandis que d'autres fournissaient des précisions sur les moyens de se transformer : onguent magique dont on s'enduisait le corps ou encore ceinture et peau de loup reçues des mains mêmes du Démon. Ces témoignages conduisaient généralement au bûcher, mais à partir du début du XVIIe siècle, les tribunaux français se montrèrent de plus en plus sceptiques sur la réalité de ces transformations et l'on décida bientôt que l'asile était un endroit plus désigné pour tous ces sadiques se disant loups-garous. Des médecins se sont mis à expliquer le phénomène par une maladie mentale à laquelle ils donnèrent le nom de *lycanthropie*, ou encore *folie louvière* ou *lupémanie*, délire obsessionnel par lequel un individu se croit transformé en loup et adopte le comportement de l'animal. De plus, les effets hallucinogènes de certains végétaux pourraient expliquer en partie la croyance aux loups-garous au Moyen Âge et à la Renaissance. En effet, il était fréquent que les médecins prescrivent une plante nommée *belladone* contre les maux de tête. Or, prise en trop grande quantité, cette plante provoque des hallucinations tout comme *l'ergot*, un champignon alcalin qui infectait parfois le blé. Les adeptes de sorcellerie connaissaient bien les vertus hallucinogènes de ces plantes et incorporaient celles-ci dans la préparation de leurs onguents et mixtures. Ainsi, les supposés loups-garous, ou ceux qui prétendaient en voir, pouvaient être simplement des individus dont les sens se trouvaient abusés par des drogues. Il n'est pas non plus impossible que la rage et certaines maladies génétiques aient contribué à la diffusion de la croyance aux loups-garous. La porphyrie, par exemple, provoque parfois une pilosité excessive sur le corps et le visage, et une forte sensibilité à la lumière oblige les malades à vivre dans une quasi-obscurité. De plus, leurs dents et leurs ongles prennent souvent une couleur rougeâtre en raison du dépôt de porphyrine, un composant de l'hémoglobine du sang. Certains troubles mentaux peuvent en outre se manifester et il n'en fallait pas tant pour voir en ces pauvres malades des serviteurs du Malin. D'un point de vue psychanalytique, la peur du loup-garou traduit sans doute cette angoisse de la régression animale par laquelle l'homme civilisé se voit dépossédé de son humanité pour avoir cédé à ses bas instincts. Le terme « lycanthropie » est aujourd'hui utilisé autant pour désigner la maladie mentale que la croyance au mythe. Par ailleurs, l'appellation « loup-garou », utilisée en France[1] et au Québec, dérive du mot saxon *garwall* qui signifie « homme-loup ».

Le loup-garou dans l'imaginaire canadien-français

Force est d'admettre que le loup-garou des légendes québécoises se révèle en général beaucoup moins féroce que ses congénères européens. Pareil constat s'explique par le fait que l'individu transformé en animal dans le folklore québécois est d'abord et avant tout *victime* d'une punition, alors que les récits médiévaux présentent le loup-garou comme un apostat qui, se livrant à des pratiques occultes, se métamorphose intentionnellement en animal assoiffé de sang. Si l'accomplissement d'un rituel démoniaque provoque la transformation

1. On le désigne entre autres sous le nom de *wervolf* en Allemagne, de « libérou » en Dordogne et de « bisclaveret » en Bretagne.

en Europe, c'est le manquement au rituel chrétien qui en est la principale cause au Québec. En effet, la malédiction guette le pécheur qui, pendant sept ans, ne va pas se confesser (Beaugrand) ou néglige de communier à Pâques pendant le même nombre d'années (Fréchette, Montigny, LeMay et Beaugrand dans ses récits anglais).

Dans *Le Loup-garou,* Louis Fréchette précise que Joachim Crête « se rendait à ses dévotions ben juste une fois par année ». Est-ce dire qu'une visite à l'église, aussi occasionnelle soit-elle, suffit à préserver l'individu de la malédiction ? En fait, si Crête ne connaît pas les affres de la métamorphose, il n'en demeure pas moins qu'il est un candidat tout désigné pour croiser la route d'un pécheur qui, lui, *court le loup-garou.* Cette expression populaire[1] signifie que l'individu manquant à ses devoirs religieux se changera chaque nuit en bête jusqu'au jour où quelqu'un (presque toujours une connaissance du loup-garou) le délivrera en le blessant afin de le faire saigner : soit en lui tailladant une partie du corps, soit en lui piquant le museau ou en lui entaillant le front, etc.[2]. Un manque de dévotion s'accompagne fréquemment d'un mode de vie tout aussi répréhensible. Joachim Crête, par son isolement, son arrogance impie (le moulin fonctionne le dimanche et la nuit de Noël) et sa propension à l'ivrognerie, s'expose au risque de faire une rencontre diabolique. C'est donc dire qu'une existence s'inscrivant en marge des préceptes moraux de la religion catholique est tout aussi susceptible de conduire à un châtiment qu'un refus de s'acquitter de ses bons devoirs de chrétien. Joachim Crête est certes puni pour son irréligion, mais aussi pour ses vices.

1. La formulation québécoise a vraisemblablement pour origine une expression utilisée dans le Poitou et en Gironde où l'on disait « courir la galipote », la galipote étant un lutin capable de se transformer en toutes sortes d'animaux. L'expression fut rapidement associée à tout mécréant affligé d'un sort qui le condamnait à devenir un loup-garou.
2. Cette superstition existait déjà en Normandie. On croyait là-bas qu'il fallait porter au front du loup-garou trois coups de couteau afin de le faire saigner. D'autres pensaient que de tirer seulement trois gouttes de sang était suffisant pour la délivrance. En Gascogne, faire saigner le loup-garou permettait de le délivrer pour neuf ans. Au Québec, André-Napoléon Montpetit explique dans *Un notaire loup-garou* que la bête porte toujours au front une tache blanche, endroit vulnérable car ayant été aspergé par l'eau du baptême. Il suffit de faire jaillir de cette marque une goutte de sang pour délivrer le possédé. Beaugrand précise également dans ses histoires qu'il faut aller jusqu'à tracer avec un couteau une croix sur le front.

Dans *Une histoire de loup-garou* de Wenceslas-Eugène Dick, le personnage du meunier subit le même sort pour ses dispositions peu charitables, son ivrognerie et les bravades qu'il ne cesse d'adresser aux forces incarnant le courroux divin. Joachim Crête et lui, même s'ils ne deviennent pas loups-garous (Crête a au moins, face au loup-garou qui le menace, une pensée rédemptrice), n'en connaissent pas moins un destin tragique, les deux sombrant dans la folie. Ce n'est pas la moindre des iniquités quand on sait que le loup-garou peut, lui, être sauvé et racheter son impiété en allant immédiatement se confesser ou communier au lendemain de sa délivrance (LeMay). Dans *The Werwolves* d'Honoré Beaugrand, un individu qui « se vantait de son impiété » est littéralement dévoré par des loups-garous lors d'un sabbat ! Dans *Le Loup-garou*, Beaugrand présente un coureur des bois qui s'entiche d'une Amérindienne malgré les avertissements du curé. Le péché ne réside plus dans l'alcool ou dans une omission des pratiques du culte chrétien, mais dans le désir inspiré par une « v'limeuse de payenne qui n'allait jamais à l'église de Saint-François et on prétendait même qu'elle n'avait jamais été baptisée[1] ». Celle-ci se révèle bien sûr être un loup-garou qui attaque le héros et celui-ci parvient à faire fuir la bête en lui coupant une patte de devant qui a tôt fait de se transformer en la main de la jeune femme.

Les différents aspects du loup-garou dans la tradition québécoise

Une particularité de la tradition orale québécoise est de faire du loup-garou un animal différent suivant les régions où il rôde[2]. Ainsi, il se présente parfois sous la forme d'un cheval, d'une jument, d'un

1. Honoré Beaugrand, *Le Loup-garou*, lignes 183 à 185.
2. Dans les récits écrits, signalons deux histoires où le loup-garou prend la forme d'un cheval : il s'agit de *Un notaire loup-garou* d'André-Napoléon Montpetit paru dans *Le Soir* (30 mai 1896) et *Le Loup-garou* d'Édouard-Zotique Massicotte publié dans *Le Recueil littéraire*, vol. II, nº 21 (1er septembre 1890). Faucher de Saint-Maurice fait également écho à cette superstition populaire dans *Le Feu des Roussi* quand Angélique Dessaint rapporte « qu'un loup-garou pouvait être ours, chatte, chien, cheval, bœuf, crapaud ». Elle croit même qu'une petite poule noire de son poulailler pourrait être un loup-garou.

poulain (en Beauce), d'un bœuf, d'un taureau ou d'une vache (Lac-Saint-Jean), d'un veau ou d'un cochon (régions Chaudière-Appalaches et du Bas-du-Fleuve), d'un mouton (comté de Lotbinière) ou encore sous l'apparence d'un chien (Abitibi, Bas-du-Fleuve, régions de Charlevoix, Québec et Montréal)[1]. La dénomination « loup-garou » devient par conséquent quelque peu abusive et l'on peut se demander comment il est possible de reconnaître, à travers un animal inoffensif, un malheureux chrétien affligé de la malédiction. Un comportement singulier suffit généralement à éveiller les soupçons. Par exemple, il n'est pas rare de voir l'animal suivre partout celui de qui il espère obtenir la délivrance. Mais le loup-garou peut aussi revêtir un aspect des plus bizarres comme dans cette histoire de Cap-Saint-Ignace où la bête ressemble à une « boule de laine » sans tête ni pattes[2] ou encore dans le conte de Louvigny de Montigny où l'animal diabolique est « une bête effrayante avec un corps d'ours, une grande queue et haut su pattes comme un veau[3] ». Parfois le renégat n'affiche qu'une morphologie partielle du loup, comme dans le conte de Beaugrand où les loups-garous sont décrits comme une bande de « possédés qui avaient des têtes et des queues de loup et dont les yeux brillaient comme des tisons[4] ». Ce dernier conte a la particularité de nous montrer une meute de loups-garous, rassemblement plutôt rare, car le loup-garou québécois est généralement un être solitaire.

Dans le cas des loups-garous dûment nommés ou de leurs multiples avatars, un trait commun se dégage toutefois de la plupart des récits : la blessure infligée lors de la délivrance reste visible sur le corps de l'individu qui a retrouvé son apparence humaine, signe distinctif trahissant parfois l'identité du loup-garou qui, généralement, demande à celui qui lui a porté le coup salvateur de ne pas divulguer ses escapades diaboliques. Cependant, il faut préciser que chez

1. La métamorphose en animal domestique témoigne bien sûr d'un rapport étroit entre la vie rurale de nos ancêtres et le maléfice. Ainsi, le paysan était susceptible de rencontrer un loup-garou dans son environnement immédiat et quotidien.
2. Rapportée par Marius Barbeau dans *L'Arbre des rêves,* Montréal, Lumen, 1947, p. 120.
3. Louvigny de Montigny, *Une histoire de loup-garou,* lignes 70 à 72.
4. Honoré Beaugrand, *Le Loup-garou,* lignes 98 à 100.

Beaugrand, en particulier dans son récit anglais *The Werwolves,* si la délivrance s'avère parfois impossible parce que les loups-garous sont des « Sauvages renégats qui n'avaient accepté les sacrements que pour se moquer », il faut alors les exterminer en utilisant des balles trempées dans l'eau bénite ou encore gravées d'une croix. Le fusil aura été préalablement bourré par une branche de rameau bénit et un trèfle à quatre feuilles. Des grains de chapelets peuvent aussi servir de projectiles et, s'ils ne parviennent pas à tuer les loups-garous, peuvent à tout le moins les faire fuir. Par contre, si le loup-garou est un chrétien possédé, tuer la bête au lieu de lui tirer du sang entraîne sa mort et le condamne du même coup à la damnation éternelle (comme il est précisé dans *Une histoire de loup-garou* de Montigny ou encore dans *Le Loup-garou* de LeMay). Par ailleurs, on retrouve chez les loups-garous de Beaugrand, outre leur appétit féroce (ils sont surpris en train de se repaître de chair humaine), une autre caractéristique issue des croyances européennes : « un homme qui court le loup-garou a la couenne comme une peau de loup revirée à l'envers, avec le poil en dedans[1] ». Une *couenne* si résistante que les balles ordinaires ne peuvent la pénétrer[2] et que la lame d'un couteau plie en la frappant.

Un loup-garou dans la presse

On peut s'interroger sur la crédulité de nos ancêtres en ce qui concerne les légendes et les traditions se rattachant au loup-garou. N'y voyaient-ils que des affabulations moralisatrices ou considéraient-ils que ces récits comportaient une dimension véridique ? Si certains se gaussaient de ce genre de croyances, d'autres y ajoutaient foi à un point tel qu'un journal rapporte à l'été 1766 les étranges pérégrinations d'un loup-garou ayant la forme d'un… mendiant ! Le 14 juillet, *La Gazette de Québec* décrit les agissements de ce loup-garou qui, au

1. Lors des procès de loups-garous en Europe, on raconte que les accusés étaient parfois écorchés vifs afin de vérifier s'ils avaient un pelage de loup sous la peau.
2. Honoré Beaugrand, « The Werwolves », dans *La Chasse-galerie et autres récits,* Montréal, Les Presses de l'Université de Montréal, 1989 (traduction de François Ricard), p. 298.

Kamouraska, « court les côtes [...] qui, avec le talent de persuader, et en obtenant ce qu'il ne peut tenir, a celui d'obtenir ce qu'il demande ». On le dit même aussi dangereux que la bête du Gévaudan[1] ! S'agissait-il tout simplement d'un vagabond abusant de la naïveté d'esprits particulièrement superstitieux ? Le 10 décembre 1767, le loup-garou semble avoir maintenant une apparence plus conforme aux traditions. Le même journal rapporte que le loup-garou est réapparu « plus furieux que jamais », qu'il fait « un carnage terrible partout où il passe » et prévient la population de se méfier de cette « maligne bête[2] ». Cette dernière dépêche était-elle fondée sur les déprédations d'une véritable bête affamée (loup ou grand chien) ? Que les histoires de loups-garous n'alimentaient plus seulement la verve des conteurs mais également la chronique des faits divers prouve bien qu'il existait une réelle adhésion à ces croyances.

STRUCTURE GÉNÉRALE DES HISTOIRES DE LOUPS-GAROUS	
AVANT	• Un chrétien n'a pas communié depuis sept ans. • Un chrétien ne s'est pas confessé depuis sept ans.
MÉTA-MORPHOSE	• L'individu se transforme chaque nuit en animal. • Il est condamné à *courir le loup-garou*, c'est-à-dire errer à la recherche d'un chrétien qu'il va suivre ou attaquer afin d'être délivré.
APRÈS	• La délivrance est obtenue quand du sang a coulé. • La personne retrouve son apparence humaine, mais garde une trace de la blessure qu'on lui a infligée. • Elle demande généralement le secret. • Elle va se confesser.

1. De 1764 à 1767, une bête mystérieuse sème la mort dans le Gévaudan et le sud de l'Auvergne (le Gévaudan constitue de nos jours le département de la Lozère). Plus de 100 personnes, la plupart du temps des femmes et des enfants, ont été dévorées par ce terrible animal. Plusieurs historiens croient que la bête était un animal hybride, croisement entre un loup et une chienne, et qu'elle fut dressée à tuer par des sadiques.
2. *La Gazette de Québec*, 10 décembre 1767.

Suggestions de lecture

BARBEAU, Marius. « Le Loup-garou », dans *L'Arbre des rêves,* Montréal, Lumen, 1947.

BEAUGRAND, Honoré. « The Werwolves », dans *La Chasse-galerie et autres récits,* Montréal, Les Presses de l'Université de Montréal, 1989 (traduction de François Ricard).

DICK, Wenceslas-Eugène. « Une histoire de loup-garou », dans *Les Meilleurs Contes fantastiques québécois du XIXe siècle,* Montréal, Fides, 1996.

LEMAY, Pamphile. « Le Loup-garou », dans *Contes vrais,* Montréal, Les Presses de l'Université de Montréal, 1993.

Les revenants

La perte du sentiment religieux au Québec a entraîné le déclin des croyances qui lui étaient rattachées. Ainsi, la plupart des créatures du panthéon fantastique québécois, comme le Diable et les loups-garous, dont l'existence était tributaire des transgressions aux dogmes de l'Église catholique, sont désormais cantonnées au patrimoine littéraire. Mais une catégorie d'êtres surnaturels a échappé en partie à la disparition des superstitions religieuses et atteste en quelque sorte de la survivance d'une certaine tradition orale. Les fantômes continuent d'exercer une fascination peu commune qui se révèle entre autres dans l'attention soutenue que suscitent leurs sporadiques apparitions racontées par un parent, un ami ou le moniteur du camp de vacances. La crainte qu'ils engendrent tire son origine de mythes primitifs et indépendants de toute institution religieuse, ce qui explique leur permanence dans le vaste registre de croyances communes à de nombreuses sociétés.

Une tradition largement répandue assigne aux fantômes des tâches qui expliquent leur présence parmi les vivants. Ils peuvent agir en émissaires et révéler à des infortunés un funeste destin ; ils accomplissent parfois une tâche laissée inachevée de leur vivant ; ils expient une terrible faute ou encore réclament les rites religieux qui leur permettent de reposer en paix ; enfin, ils cherchent quelquefois à se venger de quelque injustice ou crime commis à leur endroit avant leur passage dans l'au-delà.

Le porteur de messages

L'apparition d'un revenant est souvent annonciatrice d'un malheur pour ceux qui en sont témoins. L'un des spectres les plus macabres des contes merveilleux québécois est sans doute celui que nous décrit Louis Fréchette dans *La Tête à Pitre* : les soirs d'hiver, à travers la brume ou la neige, la tête décapitée d'un canotier trop téméraire de son vivant apparaît parfois aux rameurs et passagers de canots faisant la traversée entre Québec et Lévis. Ceux qui l'aperçoivent « meurent dans l'année, et le plus souvent de mort accidentelle ». L'une des particularités des récits de revenants réside dans une faute qui n'est pas obligatoirement liée à une inobservance des rites catholiques, comme c'est généralement le cas avec les autres personnages du merveilleux québécois. Pitre Soulard est puni d'abord et avant tout pour sa hardiesse devant les éléments et son refus de se plier aux décrets de la nature. Une telle attitude constitue un affront à l'ordre divin, d'autant plus que Soulard y risque également la vie de ses passagers. Dans ce conte, Fréchette s'attarde sur l'opposition entre un orgueil sacrilège et une humble obéissance à Dieu. Celle-ci est représentée, dans la seconde partie du récit, par des passeurs qui attendent les bonnes conditions pour mettre leur embarcation à l'eau. La traversée devient alors un spectacle féerique accompagné des cloches de la messe de minuit au son desquelles « les rudes canotiers se découvrirent pieusement, leurs figures basanées s'illuminant, radieuses, sous la splendeur des astres ». Des visages qui contrastent singulièrement avec la tête décapitée du canotier qui a osé défier Dieu et sa création !

Le revenant châtié

Il existe évidemment d'autres fautes susceptibles de mener à une condamnation posthume. Dans *Le Fantôme de l'avare* d'Honoré Beaugrand, le refus de Jean-Pierre Beaudry d'accorder l'hospitalité à un voyageur égaré dans la tempête est motivé par sa crainte de se voir voler son argent. Le fait que le récit se déroule la veille du Nouvel An est particulièrement approprié, car il s'agit du moment de l'année où sont prises les traditionnelles résolutions, et le châtiment de Beaudry constitue une sévère leçon de morale. Dans cette histoire, l'auteur ne se contente pas de relater une *apparition*, mais met plutôt l'accent sur une *rencontre* puisqu'il y a une interaction entre le narrateur et le fantôme. De plus, les revenants québécois ont une matérialité peu commune chez les spectres, que l'on reconnaît plus traditionnellement par leur inconsistance vaporeuse et éthérée. Le fantôme de Beaudry touche non seulement le voyageur, mais va chercher son cheval et sa carriole pour les mettre à l'abri ! Pamphile LeMay dans *Le Spectre de Babylas* donne au revenant la forme d'un squelette agenouillé sur un monceau de pièces d'or. Dans ce dernier cas, la punition du fantôme, châtié pour avoir assassiné son unique fils afin de s'approprier ses richesses, consiste à compter son or « jusqu'à la fin de l'éternité, avec des mains rougies qui laissent tomber une goutte de sang sur chaque pièce brillante ». À défaut de se montrer sous une enveloppe charnelle, le spectre n'en conserve pas moins étrangement son sang, maculant ainsi d'une trace évocatrice l'or pour lequel il a tué. Dans *Un épisode de résurrectionnistes,* Wenceslas-Eugène Dick relate un incident macabre dont l'inspiration se fonde sur une réalité qui fut sans doute en partie à l'origine de la croyance aux morts-vivants : confondant souvent un état comateux avec la mort, il était fréquent, particulièrement au Moyen Âge, d'enterrer précipitamment des personnes apparemment décédées (afin notamment d'enrayer la propagation de maladies contagieuses comme la peste et le choléra). On peut alors sans peine s'imaginer la frayeur de ceux qui rencontraient ensuite les rares malheureux qui étaient parvenus à s'exhumer au prix d'efforts désespérés.

L'esprit vengeur

Si l'au-delà et ses ambassadeurs entretiennent une inquiétante proximité avec l'univers des vivants, c'est sans doute parce que les âmes en peine ne sont admises ni au ciel ni en enfer. Elles demeurent donc dans les coulisses invisibles de notre monde et attendent parfois le moment propice pour se venger d'un crime dont elles ont été victimes et qui a conduit à leur trépas. Les tourments que ces spectres vindicatifs infligent aux assassins témoignent d'une justice qui n'est plus seulement soumise aux lois des vivants. Dans *Fantôme,*

Pamphile LeMay raconte une vengeance d'outre-tombe qui prend plus les allures d'une dénonciation. Celle-ci est de plus permise par Dieu, car Jean-Paul fut de son vivant un chrétien exemplaire (on raconte en outre son talent particulier à balancer l'encensoir quand, enfant, il servait la messe). Son fantôme désigne en effet le responsable de son malheur à l'église, lieu sacré qui confère à la justice une valeur transcendante.

L'esprit frappeur

Les fantômes peuvent parfois se manifester d'une fort bruyante et incommodante façon : les Allemands les nomment alors *poltergeists* (esprits tapageurs). Fréchette décrit leurs sarabandes d'une manière plutôt humoristique dans *La Maison hantée* alors qu'il prend un ton beaucoup plus dramatique dans *Le Revenant de Gentilly*. Dans ce dernier récit, la perspective du lecteur est limitée à celle du narrateur-témoin et celui-ci ne peut rapporter, lors de l'exorcisme final, que les sons qu'il entend ; mais leur description a de quoi terrifier : « Des cris, des hurlements, des fracas épouvantables. On aurait dit qu'un tas de bêtes féroces s'entre-dévoraient, en même temps que tous les meubles de la chambre se seraient écrabouillés sur le plancher. Je n'ai jamais entendu rien de pareil dans toute mon existence. » Loin de frustrer le lecteur, cette description lui suggère au contraire un inconnu angoissant pouvant évoquer des images totalement surréalistes. Fréchette réussit avec *Le Revenant de Gentilly* à s'affranchir de tout l'aspect moralisateur des récits de revenants québécois pour renouer avec la vraie nature des histoires de fantômes : effrayer celui qui en est le lecteur ou l'auditeur.

PRINCIPAUX TYPES DE REVENANTS DANS LE FOLKLORE QUÉBÉCOIS	
LE PORTEUR DE MESSAGES	• Fantôme qui informe les vivants sur leur destin. • Défunt qui s'acquitte ainsi d'une dette ou d'un devoir. • Spectre dont l'apparition évoque sa mort horrible et devient ainsi un funeste présage.
LE REVENANT CHÂTIÉ	• Esprit d'un défunt coupable d'un crime de son vivant. • Il est condamné par Dieu, soit à réparer sa faute, soit à subir un châtiment éternel lié à son crime.
L'ESPRIT VENGEUR	• Fantôme qui dénonce le coupable de sa mort. • Fantôme qui tourmente le(s) responsable(s) d'une injustice dont il a été victime de son vivant.
LE *POLTERGEIST* OU L'ESPRIT FRAPPEUR	• Esprit invisible mais très bruyant. • Objets qui se déplacent, disparaissent et réapparaissent plus tard.

Suggestions de lecture

FRÉCHETTE, Louis. « La Tête à Pitre », dans *La Noël au Canada,* Montréal, Fides, 1980.

FRÉCHETTE, Louis. « La Maison hantée », dans *Les Meilleurs Contes fantastiques québécois du XIXe siècle,* Montréal, Fides, 1996.

JACOB, Paul. *Les Revenants de la Beauce,* Montréal, Éditions du Boréal Express, 1977.

LEMAY, Pamphile. « Fantôme », dans *Contes vrais,* Montréal, Les Presses de l'Université de Montréal, 1993.

LEMAY, Pamphile. « Maison hantée » dans *Contes vrais,* Montréal, Les Presses de l'Université de Montréal, 1993.

OLIVIER, Louis-Auguste. « Le Débiteur fidèle », dans *Les Meilleurs Contes fantastiques québécois du XIXe siècle,* Montréal, Fides, 1996.

Les feux follets et les lutins

Les feux follets ont toujours été associés à des manifestations surnaturelles. Dans le nord de l'Europe, les paysans superstitieux leur donnaient plusieurs noms : « falot de moine », « flammerole » ou « lanterne de renard ». Au pays de Galles, on les appelait « chandelles des morts », car on croyait que cette inquiétante flamme était tenue par la main invisible d'un spectre et qu'elle annonçait la mort imminente des voyageurs qui avaient le malheur de la rencontrer. Les Allemands voyaient en ces lueurs des fantômes voleurs de terres. Enfin, pour les Finnois, les feux follets se désignaient sous le nom de *liekkiö* (brandon), âme d'un enfant enseveli dans la forêt.

Dans les contes merveilleux québécois, si la métamorphose en animal constitue l'inévitable et tragique conséquence de ne pas avoir fait ses pâques pendant 7 ans, le pécheur qui omet de les faire pendant 14 années s'expose, lui, au danger d'une transformation en feu follet (communément appelé « fi-follet »). Dans *Les Mangeurs de grenouilles* de Louis Fréchette, Napoléon Fricot explique qu'il s'agit plus précisément « des âmes de vivants [...] qui quittent leur corps pour aller rôder la nuit, au service du Méchant ». Une autre croyance fait de ces flammes une incarnation de l'âme des excommuniés et des damnés venant tourmenter les vivants. Hantant les cimetières et les abords des marais, ces petites flammes bleues, rouges ou vertes ont longtemps effrayé les voyageurs et pour cause : on raconte que le feu follet « entraîne les voitures dans les ornières, pousse les chevaux en bas des ponts, attire les gens à pied dans les fondrières, les trous, les cloaques, n'importe où pourvu qu'il leur arrive malheur[1] ». Les feux follets peuvent parfois se montrer plus agressifs, comme ceux de Wenceslas-Eugène Dick dans *Une histoire de loup-garou* où ils « vinrent effleurer la figure du pauvre ivrogne au point qu'ils lui roussirent un peu la chevelure et la barbe[2] ».

Le moyen le plus sûr de se débarrasser de ces êtres incandescents est de fixer un canif entrouvert dans un poteau ou un piquet de clôture et le feu follet tournera autour, tentant de se faufiler entre la lame et le manche. On peut également planter une aiguille dans un morceau de bois et la petite flamme tentera de passer dans le chas de l'aiguille. Ainsi, ce moyen de diversion permet au voyageur de s'enfuir et le feu follet s'épuise dans ses efforts incessants pour se faufiler dans le trou

1. Louis Fréchette, « Les Mangeurs de grenouilles », dans *Contes II, Masques et fantômes et les autres contes épars*, Montréal, Fides, 1976.
2. Wenceslas-Eugène Dick, « Une histoire de loup-garou », dans *Les Meilleurs Contes fantastiques québécois du XIXe siècle*, Montréal, Fides, 1996, p. 227.

de l'aiguille. La flamme peut aussi se « déchirer » sur la lame du couteau et ainsi le malheureux chrétien est délivré. Si l'on décide de lui faire face, il est également possible de conjurer le maléfice en arrachant au feu follet du sang (!), tout comme le loup-garou.

Dans *Les Feux-follets,* conte inachevé d'Honoré Beaugrand, la jeune Marie Boisjoli récite en se signant un couplet qui en principe tient les feux follets à l'écart :

« Fi-follets, feux-follets
Ouaouarons dans les marais !
Feux-follets, fi-follets
Crapauds noirs dans les guérets !
Fi-follets, feux-follets
Diablotins dans les forêts !
Feux-follets, fi-follets
Damnés, démons, farfadets ! »

Bien sûr, aucune force ou volonté malveillante ne sont en réalité à l'origine de ces petites flammes. Outre les lucioles qui ont sans doute été parfois confondues avec les feux follets, le phénomène s'explique par le mélange de deux gaz qu'on retrouve notamment en milieu marécageux : le méthane et le phosphore. La décomposition des plantes crée des émanations de méthane alors que celle des animaux engendre du phosphore. Ce dernier s'enflamme au contact de l'oxygène alors que le méthane est un combustible. Lorsque ces gaz sont rassemblés et remontent en surface, le phosphore brûle et entraîne la combustion du méthane, produisant ainsi une petite et éphémère flamme bleue. Il ne s'agit somme toute que d'une union passionnée, et plusieurs scientifiques voient en ces deux gaz *des amants éternels.*

Le récit de Beaugrand reprend cette croyance qui permet aux feux follets de se transformer en lutins et autres farfadets (on les appelait d'ailleurs parfois en Europe « feu d'elfe »). Les **lutins** sont « des petits bouts d'hommes de dix-huit pouces de haut, avec rien qu'un œil dans le milieu du front, le nez comme une noisette, une bouche de ouaouaron fendue jusqu'aux oreilles, des bras pis des pieds de crapauds,

Les Lutins (1991).

avec des bedaines comme des tomates et des grands chapeaux pointus qui les font r'sembler à des champignons de printemps[1] ». Ces petits êtres espiègles se cachent surtout dans les écuries parce qu'ils affectionnent particulièrement les chevaux : ils vont les nourrir, les brosser et même tresser leur queue et leur crinière. Par contre, les lutins ont aussi la fâcheuse habitude d'épuiser les chevaux en les faisant courir toute la nuit. Aussi, pour les occuper à autre chose, faut-il exploiter leur obsession de la propreté en plaçant sur leur chemin un seau rempli de cendres, d'avoine ou de graines de lin. Une fois celui-ci renversé accidentellement, les lutins ne pourront résister à la tentation de tout ramasser, les détournant ainsi pour un temps de leurs chevauchées nocturnes.

Suggestions de lecture

BARBEAU, Marius. « Le Loup-garou », dans *L'Arbre des rêves*, Montréal, Lumen, Montréal, 1947.

BEAUGRAND, Honoré. « Les Feux-follets », dans *La Chasse-galerie et autres récits*, Montréal, Les Presses de l'Université de Montréal, 1989.

FRÉCHETTE, Louis. « Les Lutins », dans *Contes II, Masques et fantômes et autres contes épars*, Montréal, Fides, 1976.

FRÉCHETTE, Louis. « Les Mangeurs de grenouilles », dans *Contes II, Masques et fantômes et autres contes épars*, Montréal, Fides, 1976.

La Corriveau

Si les religieux de l'Europe médiévale ont vu dans la femme tentatrice la principale incarnation du Mal, les premiers habitants de Lévis et des villages environnants ont également conçu quelque crainte face aux maléfices posthumes d'une jeune femme condamnée et exécutée pour le meurtre de son second mari. Marie-Josephte Corrivaux est pendue le 18 avril 1763 sur les plaines d'Abraham. Une

1. Louis Fréchette, « Les Lutins », dans *Contes II, Masques et fantômes et autres contes épars*, Montréal, Fides, 1976, p. 303-304.

La Corriveau (1991).

rumeur persistante lui attribue également la mort de son premier époux. Afin de servir d'exemple, son cadavre est enfermé dans une cage suspendue à la Pointe-Lévis. Un si macabre spectacle frappe l'imagination des passants et engendre des récits terrifiants dans lesquels la Corriveau se libère à la nuit tombée de son gibet d'acier pour participer à des sabbats sur l'île d'Orléans.

La tradition orale et littéraire faisant de la Corriveau une figure démoniaque est particulièrement bien représentée dans *Une nuit avec les sorciers* de Philippe Aubert de Gaspé (père). La Corriveau est ici non seulement une âme damnée, mais elle refuse en outre toute rédemption : elle s'en prend au chrétien miséricordieux ayant prié pour elle et l'exhorte à la transporter au sabbat. La Corriveau poursuit dans la mort son œuvre malfaisante et se complaît dans les tourments d'un supplice éternel. De plus, plusieurs générations de mères l'ont utilisée comme menace pour effrayer une marmaille récalcitrante : « Si vous n'allez pas vous coucher, vous savez, de ce temps-ci, la Corriveau, comme les années passées, doit faire le tour de la paroisse[1]. »

La dépouille de la Corriveau reste exhibée dans sa cage pendant près de 40 jours. À la demande des habitants, effrayés à la vue de ce cadavre décomposé et incommodés par l'odeur, elle est enlevée et ensevelie, mais aucun acte d'inhumation ne vient préciser le lieu du dernier repos de la jeune femme. Cependant, des auteurs comme Philippe Aubert de Gaspé (père) et Louis Fréchette rapportent l'exhumation accidentelle de la cage dans le cimetière jouxtant l'église de Saint-Joseph-de-Lévis. Gaspé situe cette découverte en 1850 et en donne une description très précise : « La cage, dit-il, qui ne contenait plus que l'os d'une jambe, était construite de gros fer feuillard. Elle imitait la forme humaine avec des bras et des jambes, et une boîte ronde pour la tête. Elle était bien conservée et fut déposée dans les caveaux de la sacristie. Cette cage fut enlevée secrètement, quelque temps après, et exposée comme curiosité à Québec, puis vendue au musée Barnum, à New York, où on doit encore la voir[2]. » Mais il

1. Extrait d'une légende recueillie en 1978 par Luc Labbé. Informateur : Étienne Lévesque, 80 ans, de Mont-Joli.
2. Philippe Aubert de Gaspé (père), *Les Anciens Canadiens*, Québec, Desbarats et Derbishire, 1863, p. 369.

n'existe aucune trace de ces exhibitions et nul ne sait ce qu'est devenue la fameuse cage.

Alors que les écrivains du XIXe siècle ont brossé de la Corriveau un portrait maléfique, cette image tend à s'estomper chez les auteurs contemporains. Les œuvres d'Anne Hébert et de Monique Pariseau humanisent Marie-Josephte Corrivaux en la dépouillant non seulement de tous ses oripeaux surnaturels, mais en la dépeignant comme une victime d'un appareil judiciaire injuste et des préjugés de son époque.

Suggestion de lecture

GUILBAULT, Nicole. *Il était cent fois La Corriveau,* Québec, Nuit blanche éditeur, 1995.

Les hommes forts

Un mythe est « une histoire mettant en scène des personnages plus grands que nature, qui servent de modèles à leur collectivité et, par extension, au genre humain[1] ». Le Québec compte plusieurs hommes dont les capacités physiques exceptionnelles et l'exemplarité en ont fait de véritables héros mythiques : « Notre petit peuple, comme celui de la Grèce antique, se cherchait un Achille, un Ulysse, un homme qui, par sa détermination, sa fougue, son vouloir, son agilité physique, serait capable à lui seul de vaincre une troupe entière d'ennemis et qui, dans un domaine donné, serait considéré comme le plus grand[2]. » Admirés des compatriotes, détestés de l'étranger, ces colosses semblaient ne trouver aucune tâche insurmontable, aucun ennemi imbattable, et la seule évocation de leur nom éveillait un sentiment de fierté nationale.

1. Serge Rochon, « Maurice Richard, un héros mythique », *La Presse,* 1er juin 2000.
2. Marcel Dubé, *Un petit peuple qui atteint la grandeur (ou se reconnaît) dans ses héros.*

Jos Monferrand

Les personnages à la force herculéenne ont toujours été très populaires au Québec, en particulier lors de la colonisation. Défricher une étendue sauvage pour faire avancer la civilisation exigeait une endurance physique et morale à toute épreuve. On peut alors comprendre en quoi une force physique hors du commun devenait une qualité fort admirée, car elle représentait cette capacité à vaincre les défis posés par la vie sauvage.

Jos Monferrand (1802-1864) a vécu à une époque trouble où, en ces temps de colonisation, la justice était souvent l'apanage des plus forts ou des plus nombreux. Le commerce du bois attirait Canadiens et Irlandais et les opposait dans des luttes sanglantes. Monferrand fait de sa force prodigieuse le bouclier résistant à l'oppression anglaise. Ces nombreux combats, notamment contre les Irlandais, se sont rapidement transformés en exploits où l'invraisemblable se mêle à la véracité historique. Ainsi, on raconte qu'en 1829, plus de 150 Irlandais ont tendu une embuscade à Monferrand sur le pont de Hull : « Monferrand fit quelques enjambées rapides pour se rapprocher des agresseurs ; ceux-ci s'arrêtèrent un instant, mais l'un d'eux, plus exposé, tomba aux mains du Canadien, qui le saisit par les pieds et s'en fit une massue avec laquelle il coucha par terre le premier rang ; puis ramassant ces malheureux comme des poupées, il les lança, à droite et à gauche, dans les bouillons blancs de la rivière […] La scène était horrible. Le sang coulait du parapet dans la rivière. Une foule de gens, rassemblés sur le rivage de Hull, regardaient détaler les shiners[1] qui s'enfuyaient par la route d'Aylmer[2]. » Monferrand ne reculait devant aucun défi, mais ses combats trouvaient leur justification dans une cause juste et noble, puisqu'il y défendait les plus faibles et réparait les affronts essuyés par les Canadiens français. S'il tirait de ses victoires quelque vanité personnelle, elle n'était rien comparée au sentiment de fierté qu'éprouvaient

1. Shiners : Irlandais orangistes.
2. Benjamin Sulte, « Jos Monferrand », dans *Mélanges historiques,* Montréal, G. Ducharme Librairie-Éditeur, 1924, p. 33.

ses compatriotes. Fervent chrétien, ardent partisan de la colonisation, Monferrand s'est élevé contre les persécutions des Irlandais. Il a personnifié, dans une certaine mesure, le premier héros protecteur des Canadiens français.

Louis Cyr

L'exhibition d'une force physique extraordinaire a toujours été une attraction fort prisée. Louis Cyr (1863-1912), par les spectaculaires démonstrations de sa force (il a donné environ 2500 représentations), a pu s'enorgueillir de la glorieuse épithète de « l'homme le plus fort de tous les temps ». Dès que d'autres colosses revendiquaient ce titre, Cyr n'hésitait pas à rompre ses engagements pour aller se mesurer à eux. Ces derniers étaient invariablement surclassés par les prouesses du *Samson canadien*. Ses exploits sont phénoménaux : le 21 septembre 1891, devant une foule de 10 000 personnes, il résiste pendant 55 secondes à la traction de quatre grands chevaux qui ne parviennent pas à lui faire écarter les bras. Le 27 mai 1895, à Boston, il soulève avec le dos une plate-forme chargée de 18 hommes parmi les plus costauds de la foule, qui totalisent 4337 livres. D'une seule main, il peut soulever à plusieurs centimètres de hauteur 987 livres ; d'un seul doigt, 553 livres ! Une série de spectacles lors d'un séjour en Angleterre prouvent aux Britanniques, médusés, que sa réputation n'est pas surfaite.

Louis Cyr a eu des émules comme Hector Décarie ou encore Victor Delamarre au Lac-Saint-Jean. Au sujet de ce dernier, Bertrand Bergeron formule une remarque qui s'appliquerait en fait à tous ces hommes forts québécois : « Victor Delamarre faisait un usage conscient de sa force et donnait à ses exhibitions une dimension messianique et mystique. Dieu avait concentré en lui la force physique et la pureté de la race canadienne-française. Il portait témoignage de ce que nous étions et prolongeait, à sa manière, la mission providentielle des Canadiens français en Amérique du Nord. Ses tours de force rendaient hommage à notre nation comme la troisième voix de Maria

Chapdelaine témoignait de nos vertus et de notre persévérance[1]. » Investis d'aussi nobles desseins, les hommes forts ne pouvaient manquer de marquer profondément l'imaginaire québécois.

Maurice Richard

Alors que la renommée d'un Jos Monferrand s'alimentait des récits que propageaient les témoins directs ou indirects de ses combats, les exploits sur glace de Maurice Richard, grâce à la radio et à l'avènement de la télévision, captivaient une vaste audience et prenaient une envergure inouïe. Le Rocket, premier joueur à marquer 50 buts en une saison (1944-1945)[2], gagnant de huit coupes Stanley, sélectionné huit fois dans la première équipe d'étoiles, symbolise pour les Québécois l'un de ces héros qui « nous ont projetés ou ont permis que nous nous projetions hors de nous-mêmes, afin d'atteindre une certaine grandeur, une certaine fierté, une certaine acceptation de nos composantes, une certaine stature d'hommes[3] ». Richard représentait le francophone dominant un monde anglophone, à cette époque de « la Grande Noirceur », où les intérêts politiques et économiques du Québec étaient aux mains des Canadiens anglais. Il cristallisait en sa personne l'aspiration de tout un peuple de s'affranchir de cette humiliante servitude qui a marqué son histoire depuis 1760. Plusieurs estiment que la fameuse émeute du 17 mars 1955[4], jour de la fête de la Saint-Patrick (Monferrand aurait été enchanté du choix de la date !), au cours de laquelle les gens ont saccagé voitures et commerces à proximité du forum en scandant des slogans tels : « Insulte à la race canadienne-française », a été l'évènement précurseur de la Révolution tranquille. Une telle interprétation fait du Rocket un héros encore

1. Bertrand Bergeron, *Au royaume de la légende,* Chicoutimi, Les Éditions JCL, 1988, p. 151.
2. À une époque où le calendrier des matchs ne dépassait pas 50 parties.
3. Marcel Dubé, *Un petit peuple qui atteint la grandeur (ou se reconnaît) dans ses héros.*
4. Le 13 mars 1955 à Boston, Maurice Richard jette les gants contre Hal Laycoe des Bruins. Un juge de ligne tente de maîtriser le Rocket, l'exposant davantage aux coups de son adversaire. Richard frappe alors le juge. Cette action lui vaut une suspension pour le reste de la saison, alors que les Canadiens disputent la première place au classement et Richard, le championnat des marqueurs. Une telle sanction soulève la colère des Québécois.

plus mythique, dans la mesure où son exemple a été l'un des ferments de la genèse de la nation québécoise. Son action amène une nouvelle ère pour une collectivité ; la Révolution tranquille sera ce *temps prestigieux des commencements*[1] du Québec moderne.

Suggestions de lecture

OHL, Paul. *Louis Cyr, une épopée légendaire,* Montréal, Libre Expression, 2005.

PELLERIN, Jean-Marie. *Maurice Richard, l'idole d'un peuple,* Montréal, Trustar, 1998.

SULTE, Benjamin. « Jos Monferrand », dans *Mélanges historiques,* Montréal, G. Ducharme Librairie-Éditeur, 1924.

Le fou du village

De Quasimodo au Lenny de Steinbeck, en passant par Ti-Coune du *Temps d'une paix,* les personnages affligés de difformité physique ou de déficience mentale incarnent cet être dont l'anormalité suscite la sympathie ou, au contraire, entraîne l'exclusion. Ces deux réactions opposées sont provoquées en fait par un même sentiment d'incompréhension. Dans l'Antiquité, on croyait que les tares physiques et la folie étaient un châtiment des dieux. Loin d'être battues en brèche par le progrès médical, de telles conceptions archaïques subsistent dans le Québec rural et superstitieux du XIXe siècle. Les villageois de *Macloune* croient que l'infortune de celui-ci est causée par la malédiction d'une sauvagesse ou encore par celle d'un mendiant à qui la mère de Macloune n'a pu faire la charité. Alors que le mauvais sort explique la malformation de Macloune, c'est une naissance des plus surréalistes qui fait déjà de Babine une exception dans *Les Trois Petits Points* de Fred Pellerin. L'anormalité de leur venue au monde explique l'altérité physique de leur personne.

1. Mircea Eliade, *Aspects du mythe,* Paris, Gallimard, 1963.

Les anomalies physiques s'accompagnent soit d'un défaut d'élocution[1] ou, comme persistent à le croire les villageois de Saint-Élie, d'une absence d'élocution. Dans ce dernier cas, c'est davantage le mutisme de Babine que sa laideur qui enfreint les règles de la normalité. Mais aux yeux des « normaux », cette disgrâce physique devient l'inévitable source d'autres handicaps qui, dans les faits, ne sont que les adjonctions imaginaires d'une perception qui refuse tout comportement ordinaire à un individu à l'aspect physique singulier. Inconsciemment, les habitants de Saint-Élie voient dans la laideur de Babine un absolu de différence qui les conduit naturellement à ne pas l'écouter et à déduire qu'il ne parle pas. Dans leur conviction que la communauté incarne la norme, jamais il ne leur viendrait à l'esprit que c'est « dans [leurs] oreilles que c'est déréglé ». De toute manière, toute prétention à la normalité semble vouée à l'échec. Macloune en fait le triste constat en se voyant éconduit par le prêtre devant sa demande d'épouser Marichette. Les villageois s'arrogent le droit de décider ce qu'ils estiment le mieux pour Macloune en invoquant des motifs fallacieux qui traduisent en réalité un refus inconscient : voir la normalité sous un autre visage.

Suggestions de lecture

FRÉCHETTE, Louis. « Chouinard », dans *Originaux et détraqués*, Montréal, Éditions du Jour, 1972.
LECLERC, Félix. « Cantique », dans *Allegro*, Montréal, Fides, 1944.

1. Louis Fréchette insiste particulièrement sur ce trait dans *Chouinard*.

LECTURES CRITIQUES DU CONTE QUÉBÉCOIS

Le fantastique selon Todorov

On définit habituellement le fantastique comme l'irruption d'un élément imaginaire dans la réalité quotidienne. Cette intrusion rend surnaturel ce qui nous paraissait familier et les assises rationnelles de notre monde vacillent sous la poussée de cette force perturbatrice.

Le fantastique se fonde sur la coexistence du possible et de l'impossible. Tzvetan Todorov définit le genre comme une « hésitation éprouvée par un être qui ne connaît que les lois naturelles, face à un événement en apparence surnaturel[1] ». Ainsi, un personnage est témoin d'un phénomène insolite, par exemple l'apparition d'un spectre, et il ne sait quelle origine lui attribuer : peut-être s'agit-il d'un véritable fantôme (explication surnaturelle) ou encore d'une illusion ou même d'une supercherie (explication rationnelle). Tant et aussi longtemps que le lecteur (et la plupart du temps le personnage) doute entre ces deux explications, le récit est purement *fantastique*. Par contre, dès qu'une probabilité est éliminée et que le phénomène s'explique par l'une ou l'autre des hypothèses, le récit prend une orientation soit vers *le merveilleux* (acceptation de la cause surnaturelle), soit vers *l'étrange* (acceptation de la cause naturelle). On retrouve par ailleurs des récits dont l'origine des évènements décrits ne suscite aucun questionnement. De telles histoires sont regroupées dans des catégories voisines du *fantastique* : *le merveilleux pur* et *l'étrange pur*.

1. Tzvetan Todorov, *Introduction à la littérature fantastique*, Paris, Seuil, 1970, p. 29.

CLASSIFICATION DU GENRE FANTASTIQUE SELON TODOROV	
CATÉGORIE	**PHÉNOMÈNE SURNATUREL**
MERVEILLEUX PUR	• Aucune hésitation, le surnaturel imprègne toute l'histoire.
FANTASTIQUE-MERVEILLEUX	• Hésitation présente pendant *une partie* du récit et qui fait place à une explication surnaturelle.
FANTASTIQUE PUR	• Hésitation maintenue tout le long du récit.
FANTASTIQUE-ÉTRANGE	• Hésitation maintenue pendant *une partie* du récit et qui fait place à une explication naturelle.
ÉTRANGE PUR	• Aucune hésitation, mais les évènements et personnages présentés sont inhabituels, voire incroyables.

Plusieurs contes québécois ne comportent pas cette incertitude qui caractérise le fantastique. Ils s'inscrivent donc dans *le merveilleux pur*, car on conçoit volontiers que l'histoire racontée dépeigne un univers engendrant tout un cortège d'êtres surnaturels : ainsi en est-il de la plupart des récits de loups-garous, de Diable ou de lutins. Il est en effet difficile de trouver une cause naturelle aux manifestations qui ont lieu au presbytère dans *Le Revenant de Gentilly* ou aux loups-garous des récits de Montigny ou de Beaugrand. En revanche, force est d'admettre qu'en dépit du caractère extraordinaire de la macabre mésaventure d'*Un épisode de résurrectionnistes*, l'auteur ne laisse planer aucun doute sur la cause de la *résurrection* de la jeune fille en fournissant une explication tout à fait plausible. Ce bref réveil d'un sommeil cataleptique qu'on a confondu avec la mort confère cependant à l'histoire une singulière atmosphère caractéristique de *l'étrange pur*.

Certaines histoires donnent parfois l'impression de mettre en scène un être surnaturel, mais les dernières lignes du récit expliquent l'apparition d'une manière rationnelle. Il n'y a pas d'hésitation à proprement parler (car le personnage et le lecteur croient d'emblée au surnaturel), mais cette catégorie de contes se rapproche néanmoins du *fantastique-étrange*, car l'évènement insolite s'explique d'une manière rationnelle. Dans *Un fantôme* de Louis Fréchette, un personnage aperçoit dans l'obscurité ce qu'il croit être un spectre ; mais le mystère s'éclaircit à la lueur d'une flambée soudaine du feu de camp et le fantôme n'est en fin de compte que la souche d'un vieux pin[1]. À l'opposé, dans *Hécate à la gueule sanglante*, Daniel Sernine maintient l'ambiguïté propre au fantastique pendant pratiquement tout le récit : vers la fin, les villageois, terrorisés par une bête étrange, se posent la question : s'agit-il d'un « fou qui bat la campagne déguisé en loup » ou d'un véritable loup-garou ? Au terme d'une furieuse battue, la créature est mortellement touchée ; on trouve à sa place le cadavre d'un homme. L'hypothèse du fou semble ainsi se confirmer, mais on se ravise rapidement : l'un des chasseurs remarque dans la blessure des poils d'animaux. L'individu était donc « une bête possédée par un démon ». Le surnaturel devient par conséquent la cause du phénomène et le récit relève ainsi du *fantastique-merveilleux*.

La dernière catégorie de Todorov regroupe les récits *fantastiques* dans lesquels l'ambiguïté quant à la véritable nature des évènements n'est jamais dissipée. Dans *Nuit d'alarme*[2], de Louis Fréchette, le personnage narrateur entend de mystérieux bruits dans sa maison déserte. Une inspection en règle des lieux ne révèle rien d'anormal. S'agit-il d'un esprit frappeur ? N'étant pas de nature superstitieuse, le personnage est peu enclin à croire aux manifestations surnaturelles. Plus tard, alors qu'il parle avec son beau-frère qui habite l'appartement voisin, il entend la sonnette de chez lui. Il ouvre et constate que

1. Louis Fréchette, « Un fantôme », dans *Contes II, Masques et fantômes et les autres contes épars*, Montréal, Fides, 1976.
2. Louis Fréchette, « Nuit d'alarme », dans *Contes II, Masques et fantômes et les autres contes épars*, Montréal, Fides, 1976.

le vestibule est vide. Il aperçoit deux hommes qu'il connaît en train de bavarder tranquillement sur le trottoir et ceux-ci lui affirment qu'ils n'ont vu personne monter à son appartement. Blague enfantine? Cette hypothèse semble à exclure, puisque ces messieurs sont décrits comme étant « très sérieux, incapables de concevoir ou d'exécuter une mauvaise plaisanterie ». La sonnette de l'appartement voisin retentit à son tour. La cuisinière se précipite pour ouvrir, mais le seuil de la porte est désert. Est-ce un funeste présage? Le personnage se montre de moins en moins catégorique dans son refus de croire au surnaturel. Une fois rentré, il entend en pleine nuit d'autres sons étranges. Il se met alors en devoir de résoudre l'énigme: « Je me dis qu'il ne fallait rien laisser qui pût prêter à l'ombre d'une équivoque; que c'était le moment ou jamais de se faire une certitude, mais une certitude absolue, mathématique, qui ne pût laisser place même à un soupçon de doute. » Il a tôt fait de trouver l'origine de la plupart des bruits (un chiot caché, un moineau prisonnier, une porte d'armoire sans charnières). Des causes si naturelles donnent tout lieu de croire que les mystérieux coups de sonnette s'expliqueront tout aussi banalement. Mais les investigations du personnage ne mènent à aucune conclusion. La dernière ligne du texte montre que le doute subsiste: « À l'heure qu'il est, je cherche encore la clef du mystère. » Une fois la dernière page tournée, le lecteur reste lui aussi perplexe, condition première de l'émergence du *fantastique*.

Finalement, on peut affirmer que le penchant des personnages des contes québécois pour l'alcool constitue une possibilité d'explication rationnelle à plusieurs phénomènes insolites. Ainsi, dans *Une nuit avec les sorciers*, François est témoin d'un sabbat terrifiant sur le rivage de l'île d'Orléans. Mais l'auteur insiste sur le fait que le personnage venait de boire avec des connaissances et qu'il « aimait un peu la goutte [...] à telle fin qu'il portait toujours, quand il voyageait, un flacon d'eau-de-vie dans son sac de loup-marin; il disait que c'était le lait des vieillards ». Il en avale de généreuses rasades sur le chemin du retour et l'on présume que l'ivresse le gagne peu à peu puisqu'il décide de s'arrêter pour dormir à la belle étoile. On peut dès lors supposer que le spectacle démoniaque qui s'offre à lui est le produit de son imagination, d'autant plus qu'il se réveille le lendemain dans un fossé et qu'il constate que son flacon est vide (il croit que c'est la Corriveau qui a tout bu). Mais le fils de François, qui rapporte les faits, ne met jamais en doute la véracité du récit de son père, créant ainsi l'hésitation inhérente au *fantastique*. Cette sincérité accordée aux conteurs permet au surnaturel d'exister en tant que probabilité, car sinon toutes ces histoires de Diable, de loups-garous et de fantômes ne seraient qu'une suite d'élucubrations issues d'une imagination débridée.

La fonction des personnages selon Propp

L'attrait qu'exercent les récits surnaturels québécois ne réside pas tant dans leur relative diversité que dans une structure commune dont l'analyse permet de relever des constantes narratives. Il faut en effet préciser que, indépendamment du mode d'expression emprunté, ces histoires présentent des personnages plus ou moins figés dans un rôle bien défini. Dans *Morphologie du conte*, le folkloriste russe Vladimir Propp identifie et définit les personnages des contes merveilleux par le type de *fonctions* qu'ils occupent dans le récit et les actions qui en découlent. Propp a ainsi relevé 31 fonctions à travers l'analyse d'une centaine de contes merveilleux russes. Bien que le corpus étudié diffère, il n'en demeure pas moins possible d'utiliser la même approche pour identifier les archétypes des contes et légendes québécois. Un tel exercice implique toutefois une certaine prudence, car la classification proposée par Propp ne tient pas nécessairement compte de toutes les variantes des fonctions dévolues aux personnages (même si elle en comporte plusieurs), affirmation d'autant plus vraie que le conte québécois s'inscrit dans un contexte qui lui est propre et qui en détermine sa forme.

Le conte débute généralement par la description d'une **situation initiale** (qui ne constitue pas une fonction) caractérisée par un monde ordonné. Le conte québécois présente ainsi une société rurale régie et harmonisée par les conventions de l'Église, et le moindre écart peut troubler la quiétude de cet univers. Les personnages de ces contes sont obligatoirement soumis à plusieurs **interdictions**[1]: défense de danser le dimanche ou pendant le carême, de jurer, de boire, etc. De plus, Propp précise que cette fonction peut prendre une forme inversée, comme « un ordre ou une proposition »: le chrétien doit effectivement aller à la messe, se confesser, faire ses pâques, payer sa dîme, etc. La violation de l'interdit (**transgression**) provoque un dangereux déséquilibre menaçant l'ordre établi et le *méchant* (*agresseur*) en profite pour se manifester. Les individus qui s'affranchissent du cadre moral et rituel érigé par l'Église, par leur comportement subversif et blasphématoire, permettent ainsi au Diable ou à l'un de ses subordonnés de sévir parmi les chrétiens. Le tempérament volage de Rose Latulipe la prédispose à délaisser son fiancé et à enfreindre le décret du mercredi des Cendres et les bûcherons qui courent la chasse-galerie sont prêts à renier Dieu. De tels contextes se révèlent particulièrement propices à une intervention du Malin.

L'agresseur ne se montre pas toujours sous son vrai jour, car sa principale astuce consiste à tromper d'abord sa future victime (**tromperie**) afin de « s'emparer d'elle ou de ses biens ». C'est pourquoi Satan emprunte souvent l'aspect d'un beau jeune homme dans les récits de *Diable beau danseur* ou exprime les clauses de ses pactes par la bouche d'individus à la rhétorique persuasive (pensons à Baptiste Durand dans *La Chasse-galerie*). Une fois la victime trompée (**complicité**), l'agresseur peut alors l'attaquer, l'enlever, l'ensorceler (**méfait**). Joe le *cook* se fait l'acolyte de Baptiste pour voler en canot sous l'égide du Diable et Rose Latulipe cède au charme de ce dernier qui la pique pour sceller leur union. Cette fonction s'avère d'une grande importance, car elle forcera l'intervention du *héros*. Celui-ci a pour fonction

1. Pour Propp, cette interdiction est signifiée au héros, mais nous estimons cependant que cette fonction peut être dévolue à un autre personnage, car l'essentiel étant qu'elle prépare l'avènement du « méfait ».

de restaurer l'ordre perturbé par le méfait. Le prêtre incarne cette figure dans *L'Étranger* : il apprend dans son sommeil les terribles évènements (**médiation**) et il quitte le presbytère pour secourir Rose (**départ**). Est-il guidé par la Providence divine dans cette action ? L'auteur le suggère fortement et Dieu devient ainsi le *mandateur*, c'est-à-dire celui qui fixe la tâche à accomplir.

Pour combattre le Diable et ses suppôts, vaut mieux se munir de moyens susceptibles de le tenir en échec. Propp remarque dans son corpus la présence d'un personnage dont la fonction réside dans l'octroi d'un objet magique qui permet au héros de réparer le méfait. On pourrait ainsi voir en Dieu le *donateur* qui, par les objets consacrés à son culte, dote les prêtres d'armes particulièrement appropriées (eau bénite, étole, crucifix, rameau bénit, reliques, etc.) pour mettre Satan en déroute. Dieu, de plus, donne au prêtre une précieuse alliée (*l'auxiliaire*) en la personne de sainte Rose « qui aplanissait la route » permettant au religieux d'avancer avec « une rapidité incroyable » malgré la tempête (**voyage avec un guide**). Une fois chez les Latulipe, le prêtre démasque le Diable (**découverte**), l'affronte (**combat**) et l'agresseur est vaincu (**victoire**). La victime est repentante et l'ordre est restauré (**réparation**), car nul doute que les témoins de cet évènement en garderont un souvenir vivace et propre à les dissuader de se mettre « à danser, à boire et à se divertir, des jours consacrés à la pénitence ».

LA LÉGENDE DE ROSE LATULIPE SELON PROPP

SITUATION INITIALE
Société rurale régie par l'Église
↓
INTERDICTION
Danser le mercredi des Cendres
↓
TRANSGRESSION
Rose Latulipe
↓
TROMPERIE
Apparition de l'agresseur : le Diable sous l'apparence d'un séduisant jeune homme.
↓
MÉFAIT
Le Diable pique Rose, pacte scellé par le sang.
↓
MÉDIATION
Le prêtre, dans son sommeil, pressent le danger.
↓
DÉPART
Le prêtre entreprend le voyage vers la maison des Latulipe.

DIEU
Mandateur : avertit le prêtre
Donateur : objets de dévotion bénits
Envoi de l'auxiliaire : sainte Rose

↓
DÉCOUVERTE
Le prêtre, à son arrivée, reconnaît le Diable et l'interpelle.
↓
COMBAT
Exorcisme : le prêtre chasse Lucifer de ce lieu.
↓
VICTOIRE
Le Diable est disparu.
↓
RÉPARATION
Repentir de Rose. Désir d'entrer au couvent.

Le schéma actantiel de Greimas

À la suite de Propp, d'autres théoriciens ont proposé des modèles rendant compte de l'organisation d'un récit. L'un d'entre eux, celui de A. J. Greimas dans *Sémantique structurale* (1966), ne décrit pas des personnages, mais plutôt des *fonctions du récit* qu'il nomme *actants*. On peut succinctement les définir comme des forces qui, par exemple, vont inciter le héros à s'engager dans une quête, en incarner le but, ou encore l'aider ou au contraire lui nuire. Ces fonctions sont en général assumées par des personnages, mais aussi par des objets, des éléments naturels, voire par des sentiments ou des traits de caractère. Cette approche a l'avantage de démontrer qu'une fonction peut regrouper plusieurs personnages ou qu'un seul d'entre eux peut remplir, simultanément ou successivement, plus d'une fonction au gré du développement du récit.

Le modèle de Greimas comporte six fonctions (ou actants) : celles du *sujet*, de l'*objet*, de l'*opposant*, de l'*adjuvant*, du *destinataire* et du *destinateur*. Le sujet (ou héros) est associé au(x) personnage(s) qui mène(nt) une quête motivée par l'obtention de l'objet. Par exemple, des travailleurs forestiers (**sujet/héros**) veulent rejoindre leurs *blondes* pour célébrer le Nouvel An (**objet**). Leur désir peut être réalisé grâce au concours du Diable qui agit comme un allié (**adjuvant**). Mais ce même personnage se révèle en même temps celui qui menace les bûcherons si ceux-ci dérogent aux conditions du pacte (**opposant**). Baptiste Durand remplit aussi cette fonction, car son comportement, lors du retour, entrave la réussite du sujet. Par contre, il est au début du récit le **destinateur**, car en formulant la proposition de courir la chasse-galerie, il se mandate, lui et ses compagnons, pour mener cette quête. On peut également dire que cette fonction s'incarne également dans l'envie des bûcherons de revoir leurs amoureuses. Si l'issue de la quête est favorable, alors ceux qui en bénéficient sont les **destinataires.** Dans le cas de la chasse-galerie, ce sont les bûcherons, en revenant sains et saufs au chantier après s'être divertis, sans oublier les convives qui ont su profiter de leur brève présence.

DESTINATEUR

Baptiste Durand

Désir des bûcherons de voir leurs « blondes » et leurs amis

SUJET/HÉROS

Les huit bûcherons

ADJUVANT

Le Diable

qui, par le pacte, offre aux sujets un canot volant

OPPOSANTS

Le Diable

et par le pacte :

- clochers d'églises
- blasphèmes
- alcool

Baptiste Durand

OBJET

Célébrer le Nouvel An avec leurs « blondes » et leurs amis

DESTINATAIRES

Les huit bûcherons et leurs amis

Tout conte fait : un héros dévoyé

On voit souvent le héros comme un personnage surmontant une foule d'obstacles afin de parvenir au terme d'une mission qui lui a été assignée, mission dont le succès permet le retour à l'harmonie. Si l'on s'en tenait à cette conception répandue, nous serions obligés de reconnaître que les héros sont plutôt rares dans les contes québécois, exception faite du célèbre Ti-Jean de la tradition orale qui, à tout coup, terrasse le monstre hideux et épouse la princesse ainsi délivrée.

Le héros poursuit généralement une quête, mais celle-ci n'implique pas toujours un déplacement géographique : elle peut être le produit d'une conscience aiguillonnée par un désir de dépassement qui mène à des expériences échappant aux contingences du quotidien. C'est l'attrait du fruit défendu, la volonté de s'élever au-dessus du commun des mortels (la chasse-galerie en est sans doute la représentation la plus littérale), de ressentir cette ivresse que procure la plongée dans l'inconnu. Le héros des contes québécois ne cesse de frayer avec des forces qui, même si elles peuvent le perdre, n'en font pas moins de lui un être d'exception, car il a eu l'audace de braver les interdits. Au terme de ce pari risqué, les Joe le *cook*, Joachim Crête, Rose Latulipe et autres parias de l'imaginaire québécois éprouvent un sincère repentir qui permet leur réintégration dans la norme.

Le genre en tableaux

TRADITION ORALE : ENTRE CONTES ET LÉGENDES	
Conte	**Légende**
• Récit bref, inventé et raconté par divertissement.	• Récit s'apparentant à la rumeur qui déforme et amplifie, fondée au départ sur un fait historique.
• Lieux qui n'existent pas, irréels, non précisés ou « dans un pays très très lointain ». • Dépaysement de l'auditeur/lecteur.	• Lieux réels bien identifiés, parfois même liés à la légende par leur désignation toponymique. • Référentiel pour l'auditeur/lecteur.
• Temps indéterminé. • Il était une fois – Il y a bien longtemps.	• Époque bien définie même si lointaine. • Dates historiques rappelant les faits.
• Personnages typés (archétypes), présentés surtout selon leur fonction sociale : le roi, le fou, le pauvre…	• Personnages ayant existé, nommés, dont on trace le portrait physique et psychologique pour ajouter à la crédibilité de l'histoire.

• Tous deux relèvent du folklore, c'est-à-dire la transmission de l'héritage culturel légué par nos ancêtres. Ils doivent leur pérennité au caractère très cancanier de l'être humain.

CONTES ET LÉGENDES : ENTRE TRADITION ET MODERNITÉ	
CONTE POPULAIRE LÉGENDE TRADITIONNELLE	CONTE URBAIN/CONTEMPORAIN LÉGENDE URBAINE/MODERNE
• Véhicule les valeurs de la société traditionnelle catholique (obligations religieuses).	• Prône la liberté individuelle, suscite la réflexion sociale et l'introspection.
• Explication mythique/ mythologique de réalités incompréhensibles.	• Explications rationnelles grâce aux connaissances scientifiques modernes.
• Réunion improvisée : selon les conditions climatiques et le travail saisonnier.	• Réunion ponctuelle : spectacle, billets achetés à l'avance. Horaire précis – soirée planifiée.
• Réunion autour du foyer/poêle : familiale ou entre voisins, ou en région éloignée (chantier). • Caractère intime (10-20 spectateurs).	• Festival, bar, pub, salle de spectacles, maison de la culture. • De type spectacle (50-500 spectateurs).
• Conteur : homme – aïeul.	• Conteur : homme/femme – jeune/âgé(e).
• Lieu de la fiction : la campagne.	• Lieu de la fiction : la ville.
• Paysage de la fiction : forêt, champ, chantier, moulin, route de campagne.	• Paysage de la fiction : ruelle de quartier défavorisé, usine, centrale nucléaire, route asphaltée.
• Seul personnage : la parole du conteur (aucune mise en scène, ni costumes ni effets spéciaux, musique parfois).	• Figure du conteur est l'élément central ; jeux « sons et lumières », chorégraphies et micros (tapage du pied).
• S'inscrit dans le présent. • Se préserve par le souvenir. • Peu de contes écrits avant 1880.	• S'inscrit dans la durée. • Se préserve par la technologie. • Publication d'un recueil avec CD.
• Se colporte de bouche à oreille, par les mendiants et autres voyageurs sur une longue période de temps. • Perdure davantage.	• Est véhiculé par les nouveaux médias : radio, télévision et surtout Internet à une vitesse fulgurante. • Circule plus vite mais s'oublie rapidement (phénomène de mode).

MISE EN SCÈNE DU CONTE LITTÉRAIRE	
CONTEXTE D'ÉMERGENCE DE LA PAROLE ET DU RÉCIT (RÉALITÉ)	
Auteur *Narrateur* *Conteur*	Trois niveaux d'énonciation : l'auteur donne la voix à un narrateur qui lui-même cède souvent la parole au conteur qui a vécu l'évènement ou se l'est fait raconter.
Auditeurs	De qui est composé l'auditoire ? Quel effet crée-t-il sur le conteur ? Est-il crédule ou sceptique ?
Circonstances	Propices à la soirée de conte : soirs d'automne et d'hiver parce que moins de travail, mauvais temps (pluie, froid et tempête). L'auditoire se regroupe dans la cuisine, autour du poêle : atmosphère conviviale.
Lieux	Lieux isolés comme les chantiers ou propices au regroupement (soirée électorale).
Temps/époque	En quelle année se déroule la veillée de conte ?
CONTE/RÉCIT (FICTION)	
Formule d'introduction	Marque le passage du monde réel dans le monde de la fiction : « Cric, crac, les enfants ! Parli, parlo, parlons ! Pour en savoir le court et le long, passez le crachoir à Jos Violon ! » (Louis Fréchette)
Crédibilité	Le conteur cherche à assurer l'auditoire de la vraisemblance des évènements rapportés en citant des statistiques, en utilisant des pléonasmes, en faisant la preuve de la bonne foi des témoins, etc.
Temps	En quelle année se situe l'action ? Retour en arrière inévitable.
Lieu	Où se situe l'action du conte ?
Témoin(s)	Quelle est la source de l'histoire ? Qui sont les informateurs du conteur ? Dans quelle situation a-t-il appris l'histoire ?
Structure du récit	Qui sont les personnages de l'histoire ? Quel est leur but, leur quête ? Qui s'y oppose ? Qui les aide ? Quels sont les éléments perturbateurs ? Quelle est la situation finale ?
Formule de clôture	Marque le retour à la vie réelle : « Et cric, crac, cra !... Sacatabi, sac-à-tabac ! Mon histoire finit d'en par là » (Louis Fréchette) ou « Monsieur, dame, société, mon conte est achevé ! » (Jean-Marc Massie)

NOTE : *Le conte littéraire met en scène un récit dans un récit, un peu à la manière d'une mise en abyme (récit enchâssé/encadré).*

Le Rigodon du Diable (1998).
Françoise Pascals.

Plongée dans l'œuvre

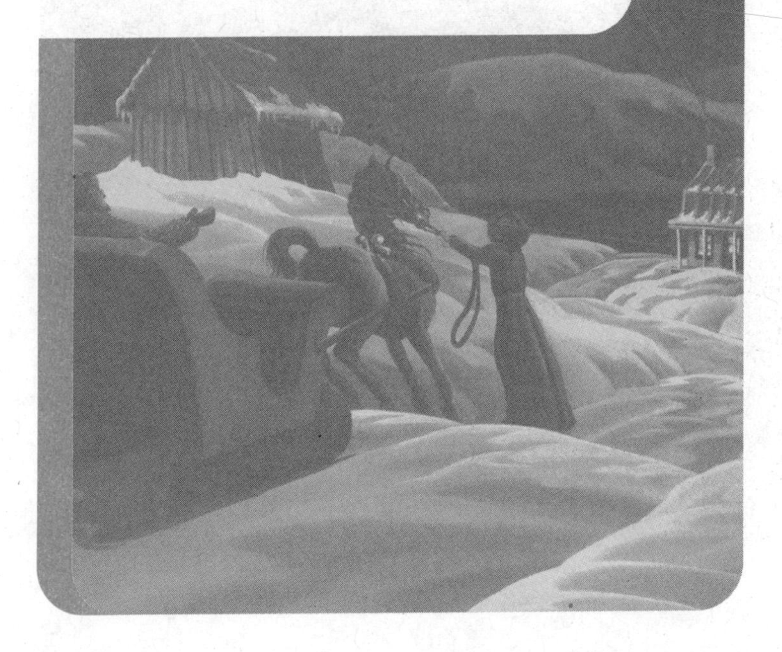

Une veillée d'autrefois (1915).
Edmond-Joseph Massicotte (1875-1929).

QUESTIONS SUR LA CHASSE-GALERIE

HONORÉ BEAUGRAND

La Chasse-galerie (p. 12-27)

1. Qui est le conteur de cette histoire de chasse-galerie ? Qui sont les auditeurs ?
2. Quelles sont les différentes étapes de la mise en scène du conte ? Illustrez chacune d'elles à l'aide d'une citation. Pourquoi peut-on employer le terme « rituel » pour la désigner ?
3. Déterminez les différents temps du récit : en quelle année se déroule la scène ? En quelle année se déroulent les évènements narrés par le conteur ? Faites un tableau de ces différents niveaux de l'énonciation et, à l'aide des informations fournies en bas de page, trouvez deux anachronismes.
4. Où travaillent les « hommes de chantier » ? Repérez les expressions qui décrivent la situation géographique ainsi que les conditions climatiques auxquelles sont soumis les bûcherons. Qu'est-ce qui explique leur désir de courir la chasse-galerie ?
5. Tracez le portrait type du conteur à partir de ce récit.
6. L'alcool dans ce récit joue un grand rôle, et ce, sur différents plans. Dressez un « inventaire » de toutes ses fonctions à partir de citations du texte.
7. Précisez en quoi la chasse-galerie est un pacte diabolique et expliquez-en toutes les clauses.
8. Tracez l'itinéraire du voyage en canot volant et expliquez pourquoi la destination est aussi éloignée.
9. Si l'on tient compte de la « vitesse de vol » et de l'horaire prévu par Baptiste Durand avant de partir, peut-on dire que cette joyeuse équipée a respecté son *plan de vol* ?
10. Précisez les raisons pour lesquelles ce récit pouvait magnétiser l'auditoire.
11. Dites en quoi Baptiste Durand était tout désigné pour incarner le « capitaine » d'une expédition de chasse-galerie.
12. Quelle est la fonction de la formule incantatoire à la toute fin du CHAPITRE II ?

13. En quoi la chanson de Joe le *cook* devient-elle ironique dans les circonstances ?
14. La chasse-galerie est un pacte qui lie deux parties. Or, le Diable est totalement absent du récit si ce n'est dans l'imaginaire des bûcherons. Quelle image se font-ils du Diable et de l'enfer ? (Vous pouvez vous référer à la thématique du Diable, p. 234.)
15. Quels sont les différents éléments qui prouvent que l'histoire relatée par le conteur est véridique ? Quels autres éléments prouvent le contraire ? Ce texte pourrait-il dans ce cas être qualifié de *fantastique* selon la définition qu'en fait Todorov (voir p. 268) ?
16. La finale de ce récit rappelle un élément essentiel de la structure d'une fable de La Fontaine ou encore d'un conte de Perrault. Dites lequel et expliquez pourquoi il est important dans la société québécoise du XIXe siècle.
17. Pourquoi l'auteur sent-il le besoin de préciser, dans son avant-propos, qu'il a « été forcé de [se] servir d'expressions plus ou moins académiques » (l. 7-8) ?
18. Expliquez les trois sens que peut prendre l'expression suivante : « je vous avertis qu'ils font mieux d'aller voir dehors si les chats-huants font le sabbat » (l. 13-14).
19. Qui désigne-t-on par le terme « bourgeois » (l. 24) ? Expliquez brièvement le rôle des classes sociales dans le Québec du XIXe siècle.
20. Relevez les expressions consacrées à Dieu et opposez-les à celles consacrées au Diable. Que révèle cette confrontation ?
21. Découpez le récit en parties suivant les chapitres ; donnez un titre pour chacune d'elles. Ensuite, expliquez pourquoi l'auteur a choisi cette structure précisément.
22. Quelles sont les sources de la formule « *Acabris ! Acabras ! Acabram !* » ? À quelle langue emprunte-t-elle ses terminaisons ? En quoi est-ce paradoxal ici ?
23. Pour quelle raison la mise en garde de Baptiste aux lignes 226 à 228 s'avère-t-elle ironique ?

24. Par quel procédé l'auteur/conteur souligne-t-il l'étonnement des villageois à l'arrivée des hommes de chantier au début du CHAPITRE V ?
25. Le conte, parce qu'il s'inscrit avant tout dans la tradition orale, privilégie les figures de style afin d'enflammer l'imaginaire des auditeurs. Relevez les figures de style les plus significatives et expliquez-les dans leur contexte.

MES AÏEUX

DESCENDUS AU CHANTIER (P. 28-31)

1. Relevez les passages qui permettent de croire que les hommes de chantier, même s'ils veulent pactiser avec le Diable, ont tout de même de nobles motivations.
2. Quels sont les éléments traditionnels de la légende qui sont conservés ici ?
3. Quels sont les éléments postmodernes qui y ont été brillamment ajoutés ?
4. Précisez le sens de l'expression « misère noire » (l. 3).
5. Trouvez les termes ou expressions formant le champ lexical de la soumission.
6. Quel procédé stylistique permet aux hommes de chantier d'invoquer Satan ?
7. Expliquez en quoi cet extrait est ironique : « Notre prière a été entendue ! » (l. 31).
8. Pourquoi l'utilisation de la langue anglaise trouve-t-elle toute sa pertinence ici (l. 62-63) ?

MICHEL TREMBLAY

LA GROSSE FEMME D'À CÔTÉ EST ENCEINTE (P. 32-39)

1. Quel est l'emploi, plutôt inusité, de Josaphat-le-Violon et comment l'a-t-il obtenu ?

2. Pour quelle raison peut-on percevoir Josaphat comme un conteur ? Qui sont ses deux auditeurs ?
3. À quelle superstition renvoie le passage suivant : « Une procession de mouches à feu qui s'en vont charcher l'âme damnée d'un pécheur pour l'emmener dans son darnier voyage ! » (l. 79-81) ? Cherchez-en les sources. Existe-t-elle dans d'autres cultures ?
4. Dressez un tableau, par ordre chronologique, des évènements merveilleux dont Josaphat est témoin. Ces évènements peuvent-ils être authentiques ou sont-il provoqués simplement par sa peur ?
5. Pourquoi Josaphat-le-Violon n'apprécie-t-il pas les coureurs de chasse-galerie ?
6. Michel Tremblay sait avec un art et un style qui lui sont propres intégrer dans son œuvre de nombreuses références mythologiques. Repérez-en quelques-unes dans cet extrait.
7. Quelle formule répétitive marque clairement le passage du temps de la narration à celui du conte ?
8. Relevez les figures de style les plus significatives et expliquez-les dans leur contexte.

INTERTEXTES

En complétant le tableau, comparez ces différentes versions de la chasse-galerie. Quelles en sont les similitudes et les différences ? Pourquoi peut-on vraiment la considérer comme une légende ?

Sujets de dissertation critique

1. Dans *La Chasse-galerie* d'Honoré Beaugrand, est-il juste d'affirmer que la légende racontée par Joe le *cook* est vraisemblable ?
2. Peut-on dire que la chanson sur la chasse-galerie du groupe Mes Aïeux intitulée *Descendus au chantier* est fondée uniquement sur des éléments traditionnels de la légende ?
3. Dans l'extrait de *La grosse femme d'à côté est enceinte*, roman de Michel Tremblay, la peur de Josaphat-le-Violon provoque des visions surnaturelles. Cette affirmation est-elle juste ?

4. Dans la chanson du groupe Mes Aïeux, *Descendus au chantier*, et dans *La Chasse-galerie* d'Honoré Beaugrand, peut-on affirmer que le pacte diabolique est décrit de la même manière ?

QUESTIONS SUR LE DIABLE BEAU DANSEUR

JOSEPH-FERDINAND MORRISSETTE

Le Diable au bal **(p. 42-49)**

1. Faites le schéma actantiel de ce récit (voir p. 276 pour explications).
2. Alice et Arthémise sont deux sœurs qui ne se ressemblent d'aucune façon. Déterminez le rôle essentiel joué par cette dichotomie dans le déroulement de l'histoire.
3. Soulignez l'importance de l'évènement historique (« l'arrivée d'un grand personnage au Canada ») en expliquant la symbolique qu'il revêt dans le récit.
4. Quel comportement d'Alice et de sa mère explique le dénouement fatal ? Expliquez-le à la lumière du contexte sociohistorique de l'époque.
5. Pourquoi la valse est-elle une danse défendue par l'Église ?
6. Sous quels traits apparaît le Diable au bal ? Quel discours politique sous-tend explicitement cette histoire ?
7. Quel objet donné à Alice par le Diable scelle le pacte ? Que symbolise-t-il ?
8. Expliquez le sens de l'expression : « l'honneur de notre race » (l. 91).
9. Cherchez chacun des mots soulignés dans le dictionnaire afin d'expliquer clairement cette figure de style dans son contexte : « Valses, quadrilles, polkas, mazurkas, lanciers se succédaient avec un entrain diabolique » (l. 105-106).
10. Nommez cette figure de style : « dès que Dieu aura mis fin aux souffrances de sa mère » (l. 199-200) et expliquez-la clairement dans son contexte.

PHILIPPE AUBERT DE GASPÉ, FILS

L'ÉTRANGER (P. 50-58)

1. Déterminez qui est le narrateur de ce récit et qui est le conteur de la légende.
2. Quels sont les différents moments de la mise en récit ? À l'aide de ces informations, complétez le tableau de l'énonciation.
3. Quelles paroles du « conteur » semblent décrire ce qu'est une légende ?
4. Quels sont les indices, semés ici et là par le conteur, qui pourraient laisser croire que le nouveau venu n'est nul autre que Satan en personne ? Quel effet est ainsi créé chez l'auditeur ? chez le lecteur ?
5. Qui sont les personnages de la légende de Rose Latulipe ? Pour chacun d'eux, précisez leur rôle dans le récit.
6. À quelle pratique religieuse le passage suivant fait-il allusion : « d'une main elle tenait un chapelet, et de l'autre se frappait fréquemment la poitrine » (l. 125-126) ? Au besoin, faites une recherche sur Internet.
7. Quelle est l'importance accordée au symbole du collier dans cette légende ? Dans votre réponse, servez-vous autant de celui porté par Rose Latulipe que de celui donné par le sinistre étranger.
8. Quel rôle vénérable est joué par le modeste curé de ce village ? À quel moyen recourt-il pour chasser le Démon de la fête ? Décrivez la scène. Ce moyen existait-il réellement à l'époque ? Et aujourd'hui ?
9. Peut-on dire que Rose Latulipe est sauvée *in extremis* par le prêtre ? Expliquez pourquoi.
10. Expliquez l'expression colorée : « enterrer le Mardi gras » (l. 59).
11. Repérez les passages qui décrivent le regard du Diable ou de son cheval. Pourquoi sont-ils aussi nombreux ? Peut-on parler de métaphore filée ici ? Pourquoi ?
12. Expliquez cette funeste comparaison : « elle devint pâle comme une morte » (l. 165-166) dans son contexte.

PIERRE CHATILLON

Philédor Beausoleil (p. 59-65)

1. Établissez clairement quels sont les deux moments du récit : qu'est-ce qui relève de la réalité et qu'est-ce qui relève de la « fantasmagorie » ?
2. Qu'est-ce qui favorise le *retour en arrière* ?
3. Décrivez le nouveau venu. Qui est le *beau danseur* ici ?
4. Quel stratagème est utilisé par Rose Latulipe pour danser sur le *mercredi des Cendres* ?
5. Le fait de voir réunis plusieurs personnages légendaires, comme le géant Beaupré, la Corriveau et les coureurs de chasse-galerie, engendre quel effet chez le lecteur ?
6. Relevez les figures de style les plus significatives et expliquez-les dans leur contexte.

INTERTEXTES

Expliquez le rôle de la légende du *Diable beau danseur* et de sa « morale » dans la société pieuse de nos ancêtres en donnant des exemples précis tirés des œuvres présentées.

Sujets de dissertation critique

1. Peut-on affirmer que les auteurs Joseph-Ferdinand Morrissette dans *Le Diable au bal* ainsi que Philippe Aubert de Gaspé (fils) dans *L'Étranger* exploitent le thème du « Diable beau danseur » de la même manière ?
2. La légende de Rose Latulipe a inspiré de nombreux auteurs d'hier et d'aujourd'hui. Est-il juste de dire que Philippe Aubert de Gaspé (fils), auteur traditionnel, et Pierre Chatillon, auteur contemporain, ne s'inspirent pas de cette légende de la même manière dans leur œuvre respective ?

QUESTIONS SUR LE LOUP-GAROU

HONORÉ BEAUGRAND

***Le Loup-garou* (p. 68-76)**

1. Ce récit s'inscrit dans le cadre d'une campagne électorale. Précisez les conditions qui ont favorisé la mise en place du rituel du conteur.
2. Quel lien peut-on établir entre la politique et la superstition ? Relevez des exemples qui illustrent cette étroite et paradoxale contiguïté.
3. Comment s'explique l'animosité qui prévaut entre gens de la ville et gens de la campagne ?
4. Qu'y a-t-il de particulièrement solennel dans la *parole* du conteur ?
5. Quels sont les différents niveaux de l'énonciation dans ce texte (voir p. 281) ?
6. Qu'apprenons-nous sur le mythe des loups-garous dans les deux histoires que raconte Pierriche Brindamour (candidats – métamorphose – délivrance, etc.) ?
7. Quelle est l'importance des conditions climatiques dans la première histoire de loup-garou rapportée par Pierriche ?
8. Décrivez les loups-garous de la première histoire. En quoi se démarquent-ils du loup-garou représenté dans les récits traditionnels du XIXe siècle (voir p. 243) ?
9. Analysez la fonction des objets religieux dans les rites surnaturels.
10. Les *louves-garous* sont rares dans la tradition autant orale que littéraire ; précisez pourquoi. Pour quelle raison celle de Beaugrand est justement une Amérindienne ?
11. Quel procédé stylistique apparaît dans cet extrait : « un avocat de Montréal, ça peut bavasser sur la politique, mais en dehors de ça, faut pas lui demander grand-chose sur les choses sérieuses et sur ce qui concerne les habitants » (l. 41-43) ? Expliquez-le en tenant compte du contexte sociohistorique.

12. Qu'est-ce que le « p'tit lait électoral » (l. 67) ? De quelle figure de style s'agit-il ?
13. Expliquez cette comparaison dans le contexte : « Il faisait noir comme le loup » (l. 89), expression populaire encore entendue de nos jours.
14. En quoi cette expression : « pique-nique des loups-garous » (l. 108) est-elle ironique ?
15. Trouvez l'origine des termes « sauvage », « sauvagesse ».

LOUIS FRÉCHETTE

***Le Loup-garou* (p. 77-89)**

1. Le préambule de ce récit est plutôt original. Quel est-il ?
2. Le loup-garou de Fréchette se démarque-t-il des autres présentés dans ce recueil ? Expliquez votre point de vue.
3. Qui est le conteur ? Qui sont ses auditeurs ?
4. Quel est le contexte de la mise en récit ?
5. Joachim Crête n'est pas un loup-garou, mais en quoi son histoire est-elle malgré tout moralisatrice ?
6. Quelle est l'importance de la pratique religieuse dans ce récit ?
7. Quel rôle y joue l'alcool ?
8. Par quels termes désigne-t-on la croyance aux loups-garous ?
9. Expliquez cette expression : « Enfin, c'était un homme qu'était dans les langages, ben gros » (l. 121-122). Pourquoi l'auteur choisit-il à l'écrit de conserver les particularités orales de la langue québécoise ?
10. Qu'est-ce qu'un « pendard » (l. 242) ?

LOUVIGNY DE MONTIGNY

Une histoire de loup-garou (p. 90-94)

1. Pourquoi fallait-il porter une « médaille bénite » (l. 83-84) simplement pour parler à Ti-Toine Tourteau ? À quelle superstition cette pratique renvoie-t-elle ?
2. Ce loup-garou est plutôt singulier. Décrivez-le. Comment pourrait-on le nommer alors ?
3. La lutte a un dénouement tragique : en quoi est-ce paradoxal ?
4. Quel est le symbole du fusil par rapport à la traditionnelle arme blanche qui blesse les loups-garous ?
5. Expliquez ces expressions en précisant leur charge humoristique :
   a) « après avoir eu une misère de cheval maigre » (l. 7-8) ;
   b) « j'cognais des clous d'six pouces et demi » (l. 9-10) ;
   c) « lui qu'i' aurait pas kické d's'engueuler avec un cocodrile enragé » (l. 43-44) ;
   d) « j'me tenais la gueule pour empêcher mes dents d'faire du train… » (l. 61-62) ;
   e) « qu' j'y criais quasiment plus mort que lui » (l. 91-92).
6. Dans l'extrait suivant, précisez de quelle figure de style il s'agit et expliquez-la dans son contexte : « et j'me trouve tout d'un coup face à face avec une paire de z'yeux d'flammes, qui remuaient, tenez, pareils à des trous d'feu dans une couverte de laine » (l. 51-53).
7. Trouvez les termes qui forment le champ lexical du sortilège.
8. Expliquez cette comparaison : « mais j'l'entendais qui gigotait comme un croxignole dans la graisse bouillante » (l. 100-101).

DANIEL SERNINE

Hécate à la gueule sanglante (p. 95-99)

1. Expliquez le titre en vous inspirant de ses sources mythologiques.
2. Quel lien unit le loup-garou de Sernine à la lune ?
3. Expliquez l'origine des loups-garous selon le point de vue du narrateur.
4. Pour une fois, le lecteur peut assister à la métamorphose. Comment est-elle décrite ?
5. Pourquoi toute référence religieuse est-elle évacuée dans ce récit de loup-garou ?
6. Repérez toutes les allusions au sang dans cet extrait afin d'en souligner l'importance.
7. Formez trois champs lexicaux et révélez leur signification dans le contexte.
8. Relevez les figures de style les plus significatives et expliquez-les dans leur contexte.

INTERTEXTES

Dans un tableau comparatif, relevez toutes les caractéristiques du loup-garou des univers de Beaugrand, Fréchette, Montigny et Sernine. À quelles conclusions arrivez-vous ?

La figure du loup-garou incarne, d'un point de vue psychanalytique, la part de bestialité tapie au fond de l'Homme. Expliquez dans ce contexte la charge sexuelle du loup-garou de Sernine. Parallèlement, dites pourquoi nous ne la retrouvons pas chez les auteurs du XIXe siècle qui exploitent ce thème.

Sujets de dissertation critique

1. Est-il juste d'affirmer que le loup-garou est tout autant dangereux pour les chrétiens chez Beaugrand que chez Fréchette ?

2. Peut-on dire que le combat contre le loup-garou produit les mêmes effets chez Louis Fréchette et Louvigny de Montigny ?
3. Le mythe du loup-garou a inspiré de nombreux auteurs d'hier et d'aujourd'hui. Est-il juste de dire que Louvigny de Montigny, auteur traditionnel, dans son œuvre *Une histoire de loup-garou,* et Daniel Sernine, auteur postmoderne, dans l'extrait de sa nouvelle *Hécate à la gueule sanglante,* ne s'inspirent pas de cette légende de la même manière ?

QUESTIONS SUR LES REVENANTS

WENCESLAS-EUGÈNE DICK

***Un épisode de résurrectionnistes* (p. 102-109)**

1. Quelle double lecture peut-on faire du titre ?
2. Qu'est-ce qu'un résurrectionniste ? Est-ce un phénomène réel ou surnaturel ?
3. Quel est l'indice intégré dans le texte qui laisse présager la situation finale ?
4. Expliquez comment une simple tombe peut traduire les inégalités sociales qui prévalent chez les vivants.
5. Quel phénomène médical ou scientifique peut expliquer le réveil de la morte ?
6. Relevez les figures de style les plus significatives et expliquez-les dans leur contexte.
7. Soulignez les références politiques dans la métaphore filée des lignes 13 à 16. Quel est l'effet produit ?
8. Formez un champ lexical. Quel effet produit-il dans l'ensemble du texte ?

HONORÉ BEAUGRAND

Le Fantôme de l'avare (p. 110-118)

1. Quels sont les différents moments de la mise en récit ? À l'aide de ces informations, complétez le tableau de l'énonciation et de la structure du récit.
2. Quel passage évoque une pratique encore actuelle sur les routes ? Comment l'expliquez-vous ?
3. Quel passage évoque une tradition qui se pratique encore de nos jours dans les fêtes de famille ?
4. Quels sont les passages qui décrivent le fantôme de Jean-Pierre Beaudry ? Que pouvez-vous en conclure ?
5. Quelles informations le fantôme, d'allégeance catholique apparemment, nous donne-t-il sur la vie après la mort ?
6. Quels sont les indices qui traduisent la peur du narrateur/conteur ? Ses réactions sont-elles vraisemblables dans de telles circonstances ?
7. Pour quelles raisons le « paysan franco-canadien » (l. 225) est-il plus susceptible de croire aux « histoires surnaturelles et aux revenants » (l. 226) ?
8. Quel passage met en relief le sentiment de défaite ressenti par les Canadiens français d'alors ?
9. Expliquez pourquoi cet extrait qui, à première vue, semble être une hyperbole n'en est pourtant pas une : « Je ne voyais ni ciel ni terre » (l. 67-68).
10. Pourquoi l'auteur (ou le conteur) choisit-il de comparer les yeux du fantôme à ceux « d'un chat sauvage » (l. 126) et pourquoi sa voix était-elle « triste comme le vent qui gémissait dans la cheminée » (l. 135-136) ?

LOUIS FRÉCHETTE

Le Revenant de Gentilly (p. 119-126)

1. Quels sont les différents moments de la mise en récit ? À l'aide de ces informations, complétez le tableau de l'énonciation et de la structure du récit.
2. Quels sont les différents éléments qui prouvent que l'histoire relatée par le conteur est véridique ? Quels autres éléments prouvent le contraire ? Ce texte pourrait-il dans ce cas être qualifié de *fantastique* selon la définition qu'en fait Todorov (voir p. 268) ?
3. Quel est le rôle du « saint prêtre » (l. 145) dans ce récit ?
4. Les exorcismes pratiqués en littérature et au cinéma relèvent-ils seulement de l'imaginaire ? Au besoin, faites une recherche sur Internet.
5. Pouvez-vous nommer d'autres personnages de la littérature ou du cinéma qui, comme le prêtre de Gentilly, ont vieilli prématurément en affrontant le Mal ?
6. Quels sont les procédés littéraires et langagiers qui favorisent l'intrusion du surnaturel dans le cadre réel ?
7. Précisez le sens de ces comparaisons dans le contexte : « Il reparut pâle comme un spectre » (l. 107) et « en sortaient le matin blancs comme des fantômes » (l. 127-128).
8. Nommez et expliquez cette figure de style : « Des cris, des hurlements, des fracas épouvantables » (l. 148).
9. Nommez et expliquez cette figure de style : « Nous étions tous à genoux, glacés, muets, les cheveux dressés de terreur » (l. 153-154).
10. Pourquoi le pléonasme suivant est-il particulièrement significatif dans un conte : « je ne vous ai pourtant conté là que ce que j'ai vu de mes yeux et entendu de mes oreilles » (l. 170-171) ?

(LÉGENDE URBAINE)

L'Auto-stoppeuse du Maine (p. 127-129)

1. Expliquez la cause de la propagation d'une telle légende.
2. Pourrait-on expliquer scientifiquement ce phénomène surnaturel ? Pourquoi ?
3. Expliquez l'absence de figures de style.
4. Quel procédé permet au lecteur de croire à la véracité de cette histoire ?
5. Faites connaître à votre classe une « histoire de fantômes » que vous avez déjà entendue. Quelles étaient les conditions de transmission de cette légende ? Vous paraissait-elle vraisemblable ?

INTERTEXTES

Expliquez la fonction moralisatrice des histoires de « fantômes » dans la société québécoise du XIXe siècle en donnant des exemples précis tirés des œuvres présentées.

Pour quelles raisons la légende urbaine et contemporaine met-elle encore en scène des « fantômes » alors que notre société s'est laïcisée ?

Sujets de dissertation critique

1. Est-il juste d'affirmer que Wenceslas-Eugène Dick dans *Un épisode de résurrectionnistes* traite uniquement avec légèreté de la profanation d'un cimetière ?
2. Dans *Le Fantôme de l'avare* de Beaugrand et dans *Le Revenant de Gentilly* de Fréchette, le visiteur d'outre-tombe apparaît comme un être inoffensif. Cette affirmation est-elle exacte ?
3. Peut-on dire que, dans *Le Revenant de Gentilly* de Louis Fréchette, les éléments invraisemblables empêchent de croire à la véracité du récit ? (Sujet de l'Épreuve uniforme de français/MEQ du 14 mai 1997.)

QUESTIONS SUR LA CORRIVEAU

PHILIPPE AUBERT DE GASPÉ, PÈRE

UNE NUIT AVEC LES SORCIERS (P. 132-142)

1. Pourquoi l'auteur juge-t-il opportun de mettre en exergue des citations de Shakespeare, Goethe et Burns ? Que signifient-elles ? Qui sont ces auteurs ?
2. Quels sont les différents moments de la mise en récit ? À l'aide de ces informations, complétez le tableau de l'énonciation et de la structure du récit.
3. Quels éléments traditionnels des histoires de sorcellerie retrouve-t-on dans cette légende ?
4. D'après la description qu'en fait le conteur, le sabbat de l'île d'Orléans se rapproche-t-il des réunions traditionnelles de sorciers – en Europe ou en Amérique ? Au besoin, faites une recherche sur Internet.
5. Quel est le rôle des complaintes sataniques ?
6. Quels sont les indices dans le texte qui permettent au lecteur de croire au récit du conteur ?
7. Quel visage l'auteur prête-t-il à la Corriveau, en relatant cette légende ? Décrivez sa personnalité et ses comportements.
8. Repérez d'abord les termes formant le champ lexical de la religion et opposez-le à celui de la superstition. Élargissez votre réflexion à l'ensemble des expressions qui se regroupent sous ces thèmes. Que pouvez-vous observer ?
9. Donnez quelques exemples de l'inventivité verbale des personnages.
10. Relevez les figures de style les plus significatives et expliquez-les dans leur contexte.

GILLES VIGNEAULT

La Corriveau (p. 143-146)

1. Par quel genre de chanson l'auteur choisit-il de relater la légende de la Corriveau ? Quelles formules nous l'indiquent ?
2. Quels sont les faits historiques relatés dans cette chanson ? Quels éléments relèvent plutôt de la légende ?
3. Les couplets suivent l'ordre chronologique des évènements. Pourquoi ?
4. Expliquez l'importance de « l'Anglais », à la fois dans l'histoire, dans la légende et dans cette chanson.
5. Relevez les figures de style les plus significatives et expliquez-les dans leur contexte.

ANNE HÉBERT

La Cage (p. 147-152)

1. Le genre théâtral permet à l'auteure certaines libertés. Quelles sont-elles et quel effet créent-elles ?
2. Que symbolisent les groupes de Fées, Noires et Blanches ? À quelle référence littéraire classique renvoient-elles ? En quoi cette caractéristique façonne-t-elle la légende et lui insuffle-t-elle une vie nouvelle ?
3. Pourquoi l'auteure choisit-elle de confronter le destin de deux femmes : Rosalinde et Ludivine ?
4. Par quels moyens Anne Hébert réussit-elle à créer une parfaite symétrie narrative ?
5. Relevez les figures de style les plus significatives et expliquez-les dans leur contexte.

MONIQUE PARISEAU

La Fiancée du vent **(p. 153-157)**

1. En quoi le jugement du procès de Marie-Josephte Corrivaux est-il corrompu par les dirigeants anglais ?
2. L'exposition publique des suppliciés est une « coutume anglaise », précise l'auteure. Quelle en est son origine ? Existe-t-il d'autres cas célèbres aussi morbides ? Au besoin, faites une recherche sur Internet.
3. Retracez le portrait physique et psychologique de Marie-Josephte tel que dépeint par Monique Pariseau. Correspond-il à celui de la légende ?
4. On peut dire que cette femme, devenue sorcière malgré elle, était née avant son temps. Quels traits de sa personnalité étaient mal perçus par la société conservatrice de l'époque ?
5. Expliquez comment les forces de la nature pour ce personnage sont rédemptrices.
6. Que remarquez-vous à propos de l'utilisation du prénom de la Corriveau par l'auteure ?
7. Montrez toute la pertinence et la finesse d'une métaphore filée, celle de la figure de proue.
8. Relevez les figures de style les plus significatives et expliquez-les dans leur contexte.

INTERTEXTES

L'histoire de Marie-Josephte Corrivaux a été amplifiée par la force du temps. À la lecture de tous les extraits proposés, quelle conclusion pouvez-vous tirer sur le traitement de la légende au XIXe siècle et sur son approche plus contemporaine ?

SUJETS DE DISSERTATION CRITIQUE

1. Dans *Une nuit avec les sorciers* de Philippe Aubert de Gaspé (père) est-il juste de dire que le personnage de la Corriveau est seulement présenté sous son aspect légendaire ?
2. Anne Hébert, dans *La Cage*, et Monique Pariseau, dans *La Fiancée du vent*, soulignent-elles de la même manière la riche personnalité de Marie-Josephte Corrivaux ?

QUESTIONS SUR LES HOMMES FORTS

GILLES VIGNEAULT

JOS MONFERRAND (P. 160-163)

1. De quelle forme narrative se rapproche cette chanson ?
2. Par quelles stratégies l'auteur parvient-il à faire d'un homme un géant ?
3. Précisez l'importance du lieu choisi par l'auteur pour cette rencontre avec le grand Jos.
4. Expliquez l'expression suivante : « À parler pour l'air du temps » (l. 60).
5. Relevez les figures de style les plus significatives et expliquez-les dans leur contexte.

JEAN-PIERRE FERLAND

LOUIS CYR (P. 164-165)

1. De quel type de narration se rapproche cette chanson ?
2. Selon l'auteur, Louis Cyr n'était-il qu'un homme fort ou un héros ? À quoi cela se voit-il ?
3. Comment Jean-Pierre Ferland traduit-il la vulnérabilité de Louis Cyr ?

4. L'opposition entre la force et la faiblesse est traduite de quelle manière ici ?
5. Relevez les figures de style les plus significatives et expliquez-les dans leur contexte.

PIERRE LÉTOURNEAU

Maurice Richard (p. 166-169)

1. Qui est « Butch » Bouchard ? Pourquoi choisir ce joueur précisément ?
2. Le pouvoir de Maurice Richard dépasse largement l'arène sportive. Quelles paroles le prouvent ?
3. Repérez tous les symboles représentant Maurice Richard ou son équipe. Pourquoi sont-ils aussi nombreux ?
4. Pourquoi les anglicismes trouvent-ils leur place ici ?
5. Relevez les figures de style les plus significatives et expliquez-les dans leur contexte.

FRED PELLERIN

La Tâche de naissance (p. 170-177)

1. Mettez en relief la justesse de la citation placée en exergue.
2. Décrivez l'originalité du style de l'auteur.
3. Dans quel but relate-t-il les exploits d'hommes forts connus dans toutes les régions du Québec ?
4. Qu'ont de particulier la conception et la naissance d'Ésimésac Gélinas ?
5. Quel rôle joue sa tache de naissance, son « destin gluant », qu'il porte au pli du coude ?
6. Pourquoi entreprend-il un long voyage ?

7. Pouvez-vous analyser ce récit au moyen du schéma actantiel de Greimas (voir p. 276) ? Pourquoi ?
8. Retenez trois faits humoristiques et, pour chacun, notez les effets chez le lecteur.
9. Décrivez la langue « pellerine ». Est-ce le vocabulaire, la grammaire, la syntaxe, la ponctuation ou l'orthographe qui font un pied de nez à la norme, ou est-ce tout à la fois ? Illustrez vos propos à l'aide d'exemples précis.
10. Relevez les figures de style les plus significatives et expliquez-les dans leur contexte.

INTERTEXTES

Que symbolisent les « géants légendaires » du Québec ?

Quelle métaphore politique transparaît dans chaque histoire d'homme fort ?

Sujets de dissertation critique

1. Gilles Vigneault et Jean-Pierre Ferland, dans leur chanson respective, évoquent deux illustres hommes forts du Québec. Peut-on affirmer qu'ils relatent les exploits de ces héros de la même façon ?
2. Est-il vrai de dire que c'est uniquement la superstition qui assigne le destin des personnages dans *La Tâche de naissance* de Fred Pellerin ?

QUESTIONS SUR LE FOU DU VILLAGE

HONORÉ BEAUGRAND

Macloune (p. 180-191)

1. Esquissez un portrait de Macloune à partir des descriptions de l'auteur.
2. Qu'est-ce qui fait de lui un être singulier, atypique ?
3. Quelle est l'importance du rôle de sa mère, Marie Gallien ?
4. Quel discours sur les Amérindiens est véhiculé dans ce texte ?
5. À travers quel personnage parle la société tout entière ?
6. Quelles sont les étapes importantes de la relation amoureuse entre Macloune et Marichette ?
7. Trouvez d'autres personnages, tirés d'œuvres littéraires ou cinématographiques, qui ressemblent à Macloune. Expliquez leur « parenté ».
8. L'amour impossible est un thème universel en littérature. Relevez d'autres couples célèbres de la littérature ou de la légende qui ont vécu le même drame. Expliquez pourquoi.
9. Qu'est-ce qu'un « roulin » (l. 303) ?
10. Relevez les figures de style les plus significatives et expliquez-les dans leur contexte.

FÉLIX LECLERC

Procès d'une chenille (p. 192-197)

1. Les contes d'animaux ressemblent étrangement à quel autre genre classique de la littérature, en vogue au XVIIe siècle ?
2. Quelle lecture métaphorique peut-on faire de ce récit ?
3. Pour chaque insecte, déterminez sa fonction dans la hiérarchie sociale des humains. Expliquez les choix de l'auteur. Sont-ils convaincants ?
4. Que nous indique la situation dans le temps ?
5. Relevez les figures de style les plus significatives et expliquez-les dans leur contexte.

FRED PELLERIN

Les Trois Petits Points (p. 198-203)

1. Dans quel contexte plutôt loufoque s'inscrit le fou du village à Saint-Élie de Garnotte ?
2. La naissance du personnage laisse deviner son destin. Décrivez-le à travers les différentes étapes de sa vie.
3. Quelles sont les stratégies développées par les gens du village pour forcer le personnage à communiquer ? Pour quelle raison ne fonctionnaient-elles pas ?
4. Répertoriez les « pellerinismes » dans un calepin. Sortez-le par temps doux et replongez tête dernière, pieds pesants, dans ce festin. N'analysez rien. Savourez et répétez souvent, car vous en aurez besoin.
5. Relevez les figures de style les plus significatives et expliquez-les dans leur contexte.

INTERTEXTES

Dites pourquoi Macloune d'Honoré Beaugrand et Ésimésac Gélinas de Fred Pellerin sont des personnages qui pourraient être comparés à celui de Forrest Gump, du film éponyme (États-Unis, Robert Zemeckis, 1994).

Sujets de dissertation critique

1. Dans le conte d'Honoré Beaugrand, pouvons-nous conclure que Macloune est uniquement considéré comme un fou du village par les gens qu'il côtoie ?
2. Celui qu'on appelle « fou du village » est, tout compte fait, le plus important des personnages dans une société fictive. Le conte *Les Trois Petits Points* de Fred Pellerin illustre ce paradoxe. Cette affirmation est-elle juste ?

QUESTIONS SUR LE CONTE DE FÉES

CHARLES PERRAULT

Le Petit Chaperon rouge (p. 206-209)

1. Faites le schéma actantiel de ce récit (voir p. 276). Que vous apprend-il ?
2. Quelles sont les sources de ce conte traditionnel ?
3. La morale est-elle toujours d'actualité ? Expliquez votre point de vue.
4. *Le Petit Chaperon rouge* a connu nombre d'adaptations postmodernes. Choisissez-en une et comparez-la avec la version traditionnelle. Quels sont les éléments qui modernisent le récit original ?
5. Relevez les figures de style les plus significatives et expliquez-les dans leur contexte.

JACQUES FERRON

Le Petit Chaperon Rouge (p. 210-213)

1. Faites le schéma actantiel de ce récit (voir p. 276). Que vous apprend-il ?
2. L'Abord-à-Plouffe est-il un village qui existe au Québec ? Où est-il situé ?
3. Quel effet provoque l'ajout d'un chien dans la version de Ferron ?
4. Quel leitmotiv trouve sa justification dans cette version du Chaperon Rouge ?
5. Relevez les figures de style les plus significatives et expliquez-les dans leur contexte.

INTERTEXTES

Dans un tableau comparatif, établissez toutes les caractéristiques du conte traditionnel de Perrault et, pour chacune, expliquez les éléments qui leur correspondent dans la version de Jacques Ferron.

SUJET DE DISSERTATION CRITIQUE

1. La morale du conte mettant en scène le Petit Chaperon rouge n'est pas la même dans la version de Charles Perrault et dans celle de Jacques Ferron. Cette affirmation est-elle juste ?

QUESTIONS SUR LA LANGUE

Pour chacun des textes de ce recueil, vous pouvez répondre à ces questions linguistiques.

1. Un idiotisme est une expression propre à une langue qui peut être difficilement traduite dans une autre langue. Son étymologie grecque signifie en effet « langage courant ». Repérez les idiotismes et donnez pour chacun sa signification ainsi que son « équivalent » en français correct.
2. Relevez les différentes expressions québécoises qui enfreignent quelque peu les règles syntaxiques de la langue française. Pour chacune d'elles, expliquez clairement pourquoi elles dévient de la norme linguistique.
3. La langue québécoise, comme beaucoup d'autres d'ailleurs, est truffée d'anglicismes. Relevez-les et précisez quels effets ils engendrent dans la littérature orale et écrite.
4. Expliquez les différents termes de vocabulaire propres à la langue québécoise. Quelles sont, entre autres, leur étymologie, leurs sources et leurs spécificités ?
5. Pourquoi les auteurs choisissent-ils très souvent de conserver les particularités de la langue québécoise dans la bouche de leur conteur ?

SUJET DE DISSERTATION INTERTHÈMES

1. Honoré Beaugrand marque-t-il la transition entre le réel et le surnaturel de la même manière dans ses deux contes *Le Loup-garou* et *Le Fantôme de l'avare* ?

Le Retour de la messe de minuit (1919).
Edmond-Joseph Massicotte (1875-1929).

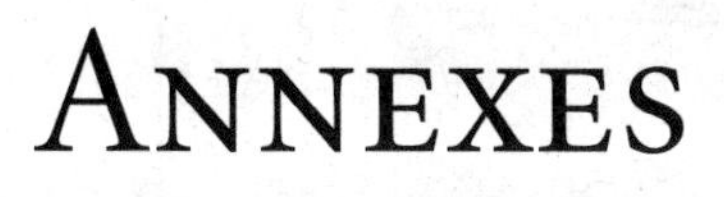

ANNEXES

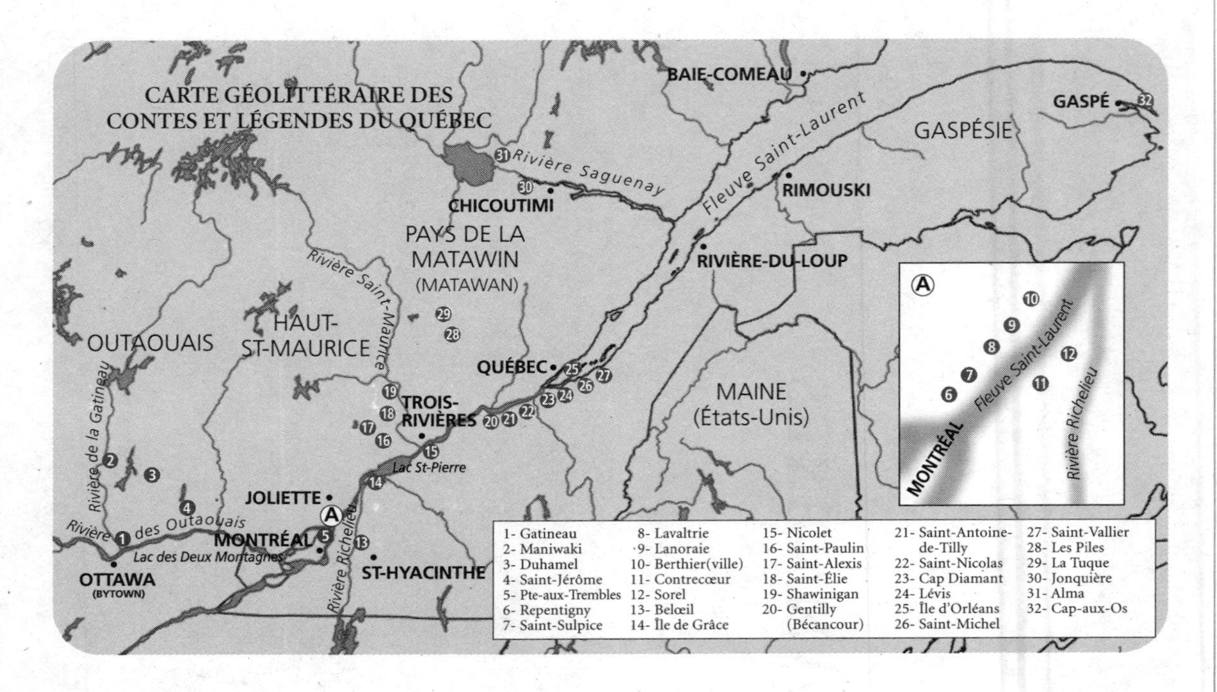
CARTE GÉOLITTÉRAIRE DES
CONTES ET LÉGENDES DU QUÉBEC
BAIE-COMEAU
GASPÉ
GASPÉSIE
Fleuve Saint-Laurent
Rivière Saguenay
RIMOUSKI
CHICOUTIMI
PAYS DE LA
MATAWIN
(MATAWAN)
RIVIÈRE-DU-LOUP
Rivière Saint-Maurice
HAUT-
ST-MAURICE
OUTAOUAIS
QUÉBEC
TROIS-
RIVIÈRES
MAINE
(États-Unis)
Rivière de la Gatineau
Lac St-Pierre
JOLIETTE
Rivière des Outaouais
MONTRÉAL
Lac des Deux Montagnes
OTTAWA
(BYTOWN)
Rivière Richelieu
ST-HYACINTHE
MONTRÉAL
Fleuve Saint-Laurent
Rivière Richelieu
1- Gatineau
2- Maniwaki
3- Duhamel
4- Saint-Jérôme
5- Pte-aux-Trembles
6- Repentigny
7- Saint-Sulpice
8- Lavaltrie
9- Lanoraie
10- Berthier(ville)
11- Contrecœur
12- Sorel
13- Belœil
14- Île de Grâce
15- Nicolet
16- Saint-Paulin
17- Saint-Alexis
18- Saint-Élie
19- Shawinigan
20- Gentilly (Bécancour)
21- Saint-Antoine-de-Tilly
22- Saint-Nicolas
23- Cap Diamant
24- Lévis
25- Île d'Orléans
26- Saint-Michel
27- Saint-Vallier
28- Les Piles
29- La Tuque
30- Jonquière
31- Alma
32- Cap-aux-Os

GLOSSAIRE DE L'ŒUVRE

Arpent : mesure de longueur équivalant à près de 60 mètres.

Aulne (ou aune) : ancienne mesure de longueur, supprimée en 1840, équivalant à 1,20 mètre.

Bedeau : employé dans une paroisse qui s'occupe de la gestion de l'église et du cimetière.

Brelot (ou berlot) : voiture d'hiver, posée sur des patins et tirée par un ou deux chevaux.

Cabaleur : en période électorale, c'est celui qui fait de la propagande à domicile pour engager les indécis à voter en faveur de son candidat.

Cambuse : foyer rustique établi dans un camp de bûcherons (québécisme).

Canadien : ce terme est réservé au Canadien de langue française à l'époque.

Canter : pencher, incliner (québécisme).

Capot : grand pardessus en étoffe ou en fourrure (québécisme).

Carriole : traîneau d'hiver sur patins bas qui sert au transport des voyageurs (québécisme).

Ceinture fléchée : ceinture tricotée aux couleurs vives et variées dont les dessins formés ressemblent à des pointes de flèches. Vêtement traditionnel des Canadiens français.

Chanquier : chantier (québécisme).

Chantier : lieu où l'on exploite le bois d'une forêt (exploitation forestière). Par extension, les « gens de chantier » ou encore les « hommes de chantier » sont des bûcherons.

Charnier : lieu où l'on entreposait les cercueils l'hiver dans les cimetières, car le sol gelé empêchait l'inhumation.

Chasse-galerie : légende québécoise d'origine française selon laquelle des hommes, souvent des bûcherons, pactisent avec le Diable afin de s'évader de lieux inhospitaliers en canot volant selon des règles préétablies.

Chat sauvage : raton laveur (québécisme).

Chemin du roi : sous le Régime français, route principale qui longeait le fleuve Saint-Laurent entre Montréal et Québec. Aujourd'hui, nous la connaissons sous le nom de route 132 ou chemin du Roy.

Coureur des bois : chasseur et trappeur qui fait le commerce des fourrures.

Courir : courir la chasse-galerie, le loup-garou, le fi-follet, le farfadet (lutin) sont des expressions calquées sur « courir la prétentaine » qui signifie « faire sans cesse des escapades ». Il s'agit donc de vagabonder à travers ciel, champs et chemins sous la forme maléfique du loup-garou, du feu follet ou d'un lutin, ou encore par la magie d'un pacte conclu avec le Diable.

Dégrailler (ou dégreyer) (se) : enlever ses vêtements d'extérieur (québécisme).

***Deprofundi* :** prière pour les défunts tirée des Psaumes (129, 1-6), *De profundis ad te domine. Domine, exaudi vocem meam* – « Des profondeurs, je crie vers toi, Seigneur. Seigneur, écoute mon appel ! ». Le missel (livre de prières – voir p. 223) précise que ce psaume est surtout récité lorsque « l'âme, remplie de crainte, implore la bonté divine ». C'est pourquoi les gens terrifiés par les esprits le récitent à plusieurs reprises comme une incantation pour se conjurer du Mal et libérer du même coup l'âme damnée.

Fardoche : broussailles.

Fifollet (ou fi-follet) : feu follet. Petite flamme bleuâtre incarnant l'âme d'un damné.

Fricot : repas, festin.

Gentilly : aujourd'hui faisant partie de la ville de Bécancour. Cependant, le complexe nucléaire de Gentilly a conservé la dénomination de l'ancien village.

Gigue : danse folklorique.

Gousset : petite poche dans un gilet ou un veston.

Gripet (ou gripette) : Diable.

Guevalle ou guevale : jument (québécisme).

Habitant : fermier, cultivateur.

Jamaïque : rhum de Jamaïque, île des Antilles.

Licou : pièce de harnais que l'on attache autour du cou des bœufs et des chevaux.

Lieue : ancienne mesure de distance qui correspond à environ quatre kilomètres.

Montagne de Montréal : sommet du mont Royal, qui atteint 235 mètres et qui est visible par beau temps dans un rayon de 50 kilomètres.

Mouche(-)à(-)feu : luciole.

Petite-Misère : rang ainsi nommé parce que ses terres étaient reconnues pour n'être pas fertiles.

Pied : ancienne unité de mesure de longueur valant un peu plus de 32 centimètres.

Purgatoire : dans la religion catholique, lieu où les âmes des défunts expient leurs péchés avant d'accéder à la vie éternelle.

Robe : fourrure dont on se sert, l'hiver, comme couverture.

Rouge : libéral. Le rouge est la couleur traditionnelle des libéraux.

Sabbat : assemblée nocturne de sorciers et de sorcières qui invoquaient Satan. Ne pas confondre avec le jour du sabbat. Dans la tradition juive, le samedi est la journée de repos consacrée à Dieu. Ironiquement, le terme a été galvaudé par les chrétiens qui l'ont associé au culte du Malin qui se tient étrangement la même journée, à minuit.

Saint-François : tout près de Sorel, à Saint-François-du-Lac, des Abénaquis ont fondé le village d'Odanak.
Saint-Michel : le 29 septembre, fête de saint Michel archange.
Sanctuaire : partie de l'église située tout autour de l'autel, table sur laquelle le prêtre célèbre l'eucharistie.
Sauvage, sauvagesse : nom ou adjectif désignant un(e) Amérindien(ne) ou son mode de vie.
Tombleur : verre à bière (québécisme).
Traverse : épreuve, difficulté.
Voiture : carriole tirée par un ou deux chevaux.

MÉDIAGRAPHIE

Ouvrages de référence

BERGERON, Bertrand. *Au royaume de la légende,* Chicoutimi, Les Éditions JCL, 1988.

BERGERON, Léandre. *Dictionnaire de la langue québécoise,* Montréal, VLB, 1981.

BETTELHEIM, Bruno. *Psychanalyse des contes de fées,* Paris, Robert Laffont, 1976.

BOIVIN, Aurélien. *Les Meilleurs Contes fantastiques québécois du XIXe siècle,* Montréal, Fides, 1987.

DEMERS, Jeanne. *Du mythe à la légende urbaine,* Montréal, Québec Amérique, 2005.

GREIMAS, A. J. *Sémantique structurale,* Paris, Les Presses Universitaires de France, 1966.

JANELLE, Claude, et autres. *Le XIXe siècle fantastique en Amérique française,* Beauport, Alire, 1999.

JEAN, Georges. *Le Pouvoir des contes,* Tournai, Casterman, 1990.

LOISEAU, Sylvie. *Les Pouvoirs du conte,* Paris, Les Presses Universitaires de France, 1992.

MASSIE, Jean-Marc. *Petit Manifeste à l'usage du conteur contemporain, le renouveau du conte au Québec,* Montréal, Planète rebelle, 2001.

POIRIER, Claude, et autres. *Dictionnaire historique du français québécois,* Sainte-Foy, Les Presses de l'Université Laval, 1998.

PROPP, Vladimir. *Morphologie du conte,* Paris, Seuil, 1970.

TODOROV, Tzvetan. *Introduction à la littérature fantastique,* Paris, Seuil, 1970.

Films

L'Homme sans ombre de Georges Schwizgebel, ONF, 2004 (9 min 35 s).

La Chasse-galerie d'André Major, ONF, 1991 (14 min 43 s).

La Corriveau d'André Théberge, ONF, 1991 (10 min 42 s).

La Légende du canot d'écorce de Robert Doucet, ONF, 1996 (10 min 35 s).

Le Chandail de Sheldon Cohen, ONF, 1980 (10 min 21 s).

Le Diable à la danse de Colette Blanchard et Pierre Lapointe, ONF, 1984 (13 min 37 s).

Les Lutins d'André Major et Colette Blanchard, ONF, 1991 (12 min 32 s).

Les Trois Poils d'or au nez du serpent de Raymond Gauthier, ONF, 1991 (9 min 10 s).

Maurice Richard de Charles Binamé, Alliance Atlantis Vivafilm, 2005 (124 min).

Ti-Jean l'enfant terrible [coffret comprenant *Ti-Jean s'en va-t-aux chantiers* de Jean Palardy (1953), *Ti-Jean s'en va dans l'Ouest* de Raymond Garceau (1957) et *Ti-Jean au pays du fer* de Raymond Garceau (1958)], ONF, 1986 (63 min 36 s).

Y paraît que… des Productions Vic Pelletier Inc. [La Corriveau, Jos Monferrand, les loups-garous, les lutins, les feux follets, la chasse-galerie et bien d'autres encore] – série de 8 épisodes de 30 min, 2003.

Site Internet vivement recommandé :
http://www.yparaitque.ca/ypq2/index.html

SOURCES ICONOGRAPHIQUES

Page couverture, Photo : Canadian Pacific Railway • Page 6, © Françoise Pascals • Page 10, Photo : Société canadienne du microfilm • Page 12, Photo : Société canadienne du microfilm • Page 26, Photo : Patrick Altman • Page 28, Photo : Martin Tremblay/Volt • Page 30, Photo : Société canadienne du microfilm • Page 32, Photo : Normand Jolicoeur/Presse canadienne • Page 40, © Éditions de l'Agence Duvernay, 1943, *Légendes laurentiennes* • Page 42, Photo : Jean-Guy Kérouac • Page 48, Photo : Musée canadien des civilisations (Fonds Marius Barbeau), boîte B110, p. 720. Musée McCord • Page 50, Photo : Bibliothèque nationale du Québec • Page 59, Photo : Alain Bédard • Page 66, © Éditions de l'Agence Duvernay, 1943, *Légendes laurentiennes* • Page 68, Photo : Société canadienne du microfilm • Page 77, Photo : Société canadienne du microfilm • Page 88, © Henri Julien • Page 90, Photo : Éditions Fides, *Dictionnaire des auteurs* • Page 95, Photo : Daniel Sernine • Page 100, © Françoise Pascals • Page 102, Photo : Centre de recherche en civilisation canadienne-française (Université d'Ottawa)/Fonds Suzanne Lafrenière • Page 110, Photo : Notman Archives • Page 119, Photo : Musée McCord • Page 120, Photo : Collection Pinsonneault (album-souvenir « Gentilly 1676-1976 ») • Page 127, Photo : Éditions Asted/Geneviève DeCelles • Page 130, © Henri Julien • Page 132, Photo : Notman Archives • Page 143, Photo : Alpha Presse • Page 144, Photo : © Les Productions Vic Pelletier, 2003 • Page 147, Photo : Presse canadienne MTLP • Page 153, Photo : Monique Pariseau • Page 158, Photo : Université du Québec à Montréal. Service des archives et de gestion des documents. Fonds d'archives Louis-Cyr, 120P-035:F3/9 • Page 160, Photo ; Alpha Presse • Page 164, Photo : Nicole Gougeon (infographie : Jean-Charles Labarre) • Page 166, Photo : Pierre Létourneau • Page 168, Photo : Société canadienne du microfilm • Page 170, Photo : Les productions Micheline Sarrazin inc. • Page 178, Photo : © J. L. Kléfize • Page 180, Photo : Société canadienne du microfilm • Page 190, Boréal/Raoul Barré • Page 192, Photo : Presse canadienne MTLJ • Page 196, Photo : British Library, London, UK/The Bridgeman Art Library • Page 198, Photo : Les productions Micheline Sarrazin inc. • Page 202, Photo : © Josée Gendron • Page 204, Photo : British Library, London, UK/The Bridgeman Art Library • Page 206, Photo : akg-images • Page 208, Photo : akg-images • Page 210, Photo : Kèro Beaudoin • Page 214, Photo : Beauchemin (Picturesque Canada) • Page 258, Photo : © Office national du film du Canada, 1991 • Page 260, Photo : © Office national du film du Canada, 1991 • Page 282, © Françoise Pascals • Page 284, Photo : Collection Musée national des beaux-arts du Québec • Page 310, Photo : Collection Musée national des beaux-arts du Québec.

ŒUVRES PARUES

300 ans d'essais au Québec
400 ans de théâtre au Québec
Apollinaire, *Alcools*
Balzac, *Le Colonel Chabert*
Balzac, *La Peau de chagrin*
Balzac, *Le Père Goriot*
Baudelaire, *Les Fleurs du mal* et *Le Spleen de Paris*
Beaumarchais, *Le Mariage de Figaro*
Chateaubriand, *Atala* et *René*
Chrétien de Troyes, *Yvain* ou *Le Chevalier au lion*
Colette, *Le Blé en herbe*
Contes et légendes du Québec
Contes et nouvelles romantiques: de Balzac à Vigny
Corneille, *Le Cid*
Daudet, *Lettres de mon moulin*
Diderot, *La Religieuse*
Écrivains des Lumières
Flaubert, *Trois Contes*
Girard, *Marie Calumet*
Hugo, *Le Dernier Jour d'un condamné*
Jarry, *Ubu Roi*
Laclos, *Les Liaisons dangereuses*
Marivaux, *Le Jeu de l'amour et du hasard*
Maupassant, *Contes réalistes et Contes fantastiques*
Maupassant, *La Maison Tellier et autres contes*
Maupassant, *Pierre et Jean*
Mérimée, *La Vénus d'Ille* et *Carmen*
Molière, *L'Avare*
Molière, *Le Bourgeois gentilhomme*
Molière, *Dom Juan*
Molière, *L'École des femmes*
Molière, *Les Fourberies de Scapin*
Molière, *Le Malade imaginaire*
Molière, *Le Médecin malgré lui*
Molière, *Le Misanthrope*
Molière, *Tartuffe*
Musset, *Lorenzaccio*
Poe, *Le Chat noir et autres contes*
Poètes et prosateurs de la Renaissance
Poètes romantiques
Poètes surréalistes
Poètes symbolistes
Racine, *Phèdre*
Rostand, *Cyrano de Bergerac*
Tristan et Iseut
Voltaire, *Candide*
Voltaire, *Zadig* et *Micromégas*
Zola, *La Bête humaine*
Zola, *L'Inondation et autres nouvelles*
Zola, *Thérèse Raquin*